Nada

Biografía

Carmen Laforet nació en Barcelona en 1921. Su familia se trasladó a Las Palmas cuando ella tenía dos años. Allí permaneció hasta que al cumplir los dieciocho regresó a Barcelona, donde estudió Filosofía y Letras. En 1944 obtuvo con *Nada* el Premio Nadal, en su primera convocatoria, y se convirtió en el mascarón de proa de toda una nueva generación de la narrativa española de posguerra. Dos años después se instaló en Madrid definitivamente. En 1952 apareció su segunda novela, *La isla y los demonios*. De esta época son los cuentos recogidos en *La llamada* y la novela *La mujer nueva*. De entre su producción posterior destaca *La insolación*, de la que, tras su fallecimiento en 2004, Ediciones Destino publicó con carácter póstumo una continuación, *Al volver la esquina*.

CARMEN LAFORET

NADA

Introducción de Rosa Navarro Durán

AUSTRAL

El papel utilizado para la impresión de este libro es cien por cien libre de cloro y está calificado como **papel ecológico**.

Esta edición dispone de recursos pedagógicos en www.planetalector.com

© Herederos de Carmen Laforet
© por la introducción, Rosa Navarro Durán
© Editorial Planeta, S. A., 2018
   Ediciones Destino, un sello editorial de Editorial Planeta, S. A.
   Avda. Diagonal, 662-664, 08034 Barcelona (España)
   www.edestino.es
   www.planetadelibros.com

Diseño de la colección: Compañía
Ilustración de la cubierta: © Alberto Schommer, VEGAP, Barcelona, 2010
Primera edición en esta presentación en Austral: julio de 2010
Segunda impresión: abril de 2011
Tercera impresión: junio de 2011
Cuarta impresión: octubre de 2011
Quinta impresión: agosto de 2012
Sexta impresión: octubre de 2012
Séptima impresión: junio de 2013
Octava impresión: octubre de 2014
Novena impresión: enero de 2016
Décima impresión: junio de 2016
Undécima impresión: febrero de 2017
Duodécima impresión: octubre de 2017
Decimotercera impresión: diciembre de 2017
Decimocuarta impresión: febrero de 2018

Depósito legal: B. 36.008-2011
ISBN: 978-84-233-4279-2
Impresión y encuadernación: CPI (Barcelona)
Printed in Spain - Impreso en España

ÍNDICE

NADA

INTRODUCCIÓN

La llegada a Barcelona de Andrea inicia un año de tiempo literario que va a dejar una huella indeleble en la novela española contemporánea.

Tras su entusiasmo exaltado por el contacto con la ciudad, gozando de su momentánea pero «profunda libertad» en la noche, Andrea alzará su mirada hacia la fila de balcones de la casa de la calle Aribau. Al subir la escalera, cambiará su excitación por extrañeza, y luego empezará ya la pesadilla. Cuando sólo queden unas líneas de su vida barcelonesa, una mañana estimulante, volverá a repetir la mirada hacia la casa después de bajar la misma escalera despacio: «Los primeros rayos del sol chocaban contra sus ventanas» (pág. 303). La noche plasmaba al principio su desconocimiento de lo que le esperaba; la luz, el amanecer, oculta ese mundo interior vivido y anuncia —nos anuncia— a la vez la liberación de Andrea.

Carmen Laforet nos ofrece un relato lineal narrado en primera persona desde un futuro no precisado que lo sitúa en el tiempo del recuerdo. Apenas nos da unas pinceladas de la prehistoria, de la vida de Andrea antes de llegar a Barcelona. El año intenso y a la vez vacío va a ser la materia exclusiva del relato. El fragmento vital narrado conlleva una estructura abierta, pero sólo aparentemente, porque la novelista manifiesta una voluntad clara de cierre narrativo al repetir los gestos de la protagonista, al dejarle que lo viva ella como tal. El

abandono de la casa a la que llegaba al comienzo Andrea la
lleva a un balance final:

> Bajé las escaleras, despacio. Sentía una viva emoción. Re-
> cordaba la terrible esperanza, el anhelo de vida con que las
> había subido por primera vez. Me marchaba ahora sin haber
> conocido nada de lo que confusamente esperaba: la vida en
> su plenitud, la alegría, el interés profundo, el amor. De la casa
> de la calle de Aribau no me llevaba nada. Al menos, así creía
> yo entonces (pág. 303).

El título de la obra se configura aquí, *nada,* y el espacio, *la
casa de la calle de Aribau,* se reafirma como el marco físico
del tiempo vivido. El relato está formado por esa sutil diferencia entre el pensar de Andrea en aquel momento y en el de la
narración: «Al menos, así creía yo entonces». Carmen Martín
Gaite subrayó la importancia de ese retractarse:

> Esta rectificación, hecha como al descuido, nos da la clave de
> una novela que es el fruto de esa lucidez adquirida por la prota-
> gonista, precisamente al haberse resignado a no serlo. La prueba
> de que Andrea se llevaba algo de la calle de Aribau es ese relato
> que tenemos entre las manos, rescatado para el lector gracias a
> quien supo identificarse con su función de narrador testigo [1].

Aunque pensaba no llevarse nada, las páginas de su relato dan
fe de lo contrario; y ni tan siquiera los versos iniciales de Juan Ramón que forman el lema de la obra bastan para definir ese aparente vacío: «A veces un gusto amargo, / un olor malo, una rara /
luz, un tono desacorde, / un contacto que desgana...» [2]. Paradóji-

---

[1] «La chica rara», en *Desde la ventana,* Madrid, Espasa Calpe, colección
Austral, 1993, pág. 105.
[2] Juan Ramón Jiménez, en su carta a la novelista de marzo de 1946 —acababa de leer *Nada*—, le dice a propósito de esos versos: «Me sentí muy contento
de ver al frente de su novela el trozo de un romance mío, reacción también contra una cosa fea, una nada de la vida»; Juan Ramón Jiménez, *Cartas literarias,*

camente en ese no llevarse nada está una profunda vivencia hecha a través de la mirada por una adolescente. A su alrededor ocurrirán muchas cosas, se recordarán o se enhebrarán folletines que observará y contará a veces a retazos, pero el lector quedará apresado por la profundidad de la ausencia que vive Andrea, no por la superficialidad de las muchas cosas que suceden a su alrededor.

EL TIEMPO DEL RELATO

NADA es un relato sin grandes novedades técnicas. El *tiempo* de la narración —dos comienzos de otoño lo enmarcan— no tiene fecha histórica precisa. NADA fue el primer premio Nadal, de 1944, y la novela —con la guerra acabada, pero reciente— se sitúa un poco antes de su propia escritura. Carmen Laforet escribe esta primera novela suya[3] en Madrid, de enero a septiembre de 1944, como dice en *Mis páginas mejores*[4].

El fluir temporal se irá marcando con rasgos tópicos: la propia mención de la estación, del mes; las sensaciones que conllevan: el frío, el calor; las fiestas que marcan la sucesión temporal: Navidades o la verbena de San Juan. Desde la gripe otoñal de Andrea a su lucha feroz contra las chinches hambrientas de junio (pág. 222), se van desgranando los días, asomando a veces ese fluir explícitamente; otras, como obviedad ante el suceder de los hechos. En el capítulo XVIII, acumulará noches en el recuerdo, y a través de ellas aparecerá el transcurso del tiempo:

> Me acuerdo de las primeras noches otoñales y de mis primeras inquietudes en la casa, avivadas con ellas. De las no-

Barcelona, Bruguera, 1977, pág. 107. Se publica por primera vez en *Ínsula*, 25 (enero de 1948), pág. 1.

[3]   Escribirá luego *La isla y los demonios* (1952), *La mujer nueva* (1955), *La insolación* (1963), primera de una trilogía formada además por *Al volver la esquina* y *Jaque mate*, como anuncia la autora en 1963, pero que no publica. Recopila relatos cortos en *La llamada* (1954) y *La niña y otros relatos* (1970).

[4]   Carmen Laforet, *Mis páginas mejores*, Madrid, Gredos, 1956, pág. 13.

ches de invierno con sus húmedas melancolías: el crujido de
una silla rompiendo el sueño y el escalofrío de los nervios al
encontrar dos pequeños ojos luminosos —los ojos del gato—
clavados en los míos [...]. Más tarde vinieron las noches de
verano. Dulces y espesas noches mediterráneas sobre Barcelona, con su dorado zumo de luna, con su húmedo olor de nereidas que peinasen cabellos de agua sobre las blancas espaldas, sobre la escamosa cola de oro (pág. 236).

La enumeración es un pretexto para el autoanálisis, para dar
rienda suelta a un lirismo a veces adolescente, y, por tanto,
acorde a la propia Andrea evocada.

ESPACIOS EN LA NARRACIÓN

Barcelona

Es el espacio el que se apodera del relato, el que no se limita a ser marco de lo que ocurre. El nombre de Barcelona
aparece en la segunda línea del texto, y su estación de Francia
es el pórtico a la llegada de Andrea. Sus sensaciones iniciales,
llenas de entusiasmo, están provocadas por la ciudad:

El olor especial, el gran rumor de la gente, las luces siempre tristes, tenían para mí un gran encanto, ya que envolvía
todas mis impresiones en la maravilla de haber llegado por
fin a una ciudad grande, adorada en mis ensueños por desconocida (pág. 71).

Pero la ciudad es sólo un escenario por donde camina Andrea, no el de sus vivencias más hondas; éste lo forma otro
espacio, cerrado, opresivo: la casa de la calle de Aribau. Carmen Laforet cuenta que quiso dar una conferencia sobre Barcelona basándose en los textos descriptivos de la ciudad.
Llegó a confesar —dice—, cuando se empeñaban en afirmar
que NADA era un libro autobiográfico, «que la única auto-

biografía que hay en NADA es mi descripción de Barcelona»[5]. Recordaba que en su época de estudiante escribía en los cuadernos que llevaba siempre en su carterón «recuerdos de mis encuentros solitarios con mi ciudad», y añade: «los encuentros que yo anotaba eran mis descubrimientos en mis andanzas solitarias». Quiso hacer acopio del material para su conferencia:

> Así que abrí un ejemplar del libro para señalar esas descripciones... que no existen en *Nada*. Barcelona allí es un telón de fondo en el que tintinean tranvías y pasan las luces y colores de las estaciones del año. Nada más. No hay *autobiografía*. Nunca *aproveché* mis cuadernos juveniles. Escribo corto, ceñidas las palabras al hilo del relato[6].

Este párrafo, tan revelador, concluye con una percepción de la novelista que podría aplicarse no sólo a la ciudad, Barcelona, sino a otros elementos que constituyen la obra, como veremos: «Y, sin embargo, de alguna manera misteriosa, Barcelona (la de mis encuentros íntimos) está en NADA. No sólo lo sé porque yo lo *vea* (yo veo mis propios recuerdos sugeridos), sino porque tantos otros han visto también esos recuerdos míos y me han comunicado mi impresión de ellos».

---

[5] Carmen Laforet, «Barcelona, fantasma juvenil», *El País,* 27 de marzo de 1983, pág. 11.

[6] *Ibíd.* Gonzalo Sobejano dice sobre la supuesta autobiografía: «La fórmula de Carmen Laforet es novelar dentro de un ambiente vivido y con un argumento inventado. Pero aunque esto desmiente el carácter autobiográfico que pronto se atribuyó a sus novelas, éstas dan la impresión de ser autobiográficas, principalmente por esa semejanza de las figuras protagonizadoras, todas reductibles, en fin de cuentas, a Carmen Laforet: en sensibilidad, en carácter, en ideales», *Novela española de nuestro tiempo*, Madrid, Prensa Española, 1970, pág. 114. Carmen Laforet nace en Barcelona el 6 de septiembre de 1921. En 1923, «a punto de cumplir dos años», su familia se traslada a Las Palmas de Gran Canaria. En 1939 regresa a Barcelona para estudiar Filosofía y Letras y Derecho. Se marcha a Madrid en 1942, en donde escribirá *Nada*.

Carmen Laforet no dio al fin la conferencia sobre «Barcelona como autobiografía», y concluye:

> Barcelona, en mi obra, es un fantasma que aparece por sugestión singular a los ojos de algunos lectores y, desde luego, a los míos. Pero que cuando quiero apresarla en textos —en un alarde de erudición muy impropio de mí—, se esfuma y me deja sin referencias para dar una charla sobre ella.

La capacidad sugestiva de su palabra llevará, en efecto, al lector a recordar escenas que luego no encuentra más que apuntadas, hechos que sólo están esbozados como posibilidad.

Barcelona existe por la presencia del nombre de algunas de sus calles o por las sensaciones que provoca en la narradora. La verá triste desde la ventana del estudio de sus amigos en un atardecer de verano embellecido por su descripción:

> Desde allí un panorama de azoteas y tejados se veía envuelto en vapores rojizos y las torres de las iglesias antiguas parecían navegar entre olas. Por encima, el cielo sin nubes cambiaba sus colores lisos. De un polvoriento azul pasaba a rojo sangre, oro, amatista. Luego llegó la noche (pág. 226).

En la Vía Layetana está la casa de Ena, y Andrea mira también la fachada del alto edificio en cuyo último piso vive su amiga. Esa calle «tan ancha, grande y nueva» la lleva a acercarse a la catedral, y al llegar al ábside, se fijará en «el baile de luces que hacían los faroles contra sus mil rincones, volviéndose románticos y tenebrosos» (pág. 155). El edificio, el espacio, se diluye, se transforma en sensaciones. Jeffrey Bruner ha subrayado cómo «the influence of Impressionism is evident where Andrea describes her immediate perception of her surroundings», y cita precisamente esas impresiones que le provoca la contemplación de la catedral[7].

Ante la fachada principal, de nuevo Andrea levantará su mirada y fundirá su alma con las formas que no precisa: «Una

---

[7]   «Visual Art as Narrative Discourse: The Ekphrastic Dimension of Carmen Laforet's *Nada, Anales de Literatura Española Contemporánea,* 18 (1993), pág. 250.

paz, una imponente claridad se derramaba de la arquitectura maravillosa [...]. Dejé que aquel profundo hechizo de las formas me penetrara durante unos minutos» (pág. 155). Ahí está ese «fantasma» del que hablaba Carmen Laforet, la ciudad envolviendo al personaje; la solitaria Andrea recoge las vivencias de los paseos solitarios de su creadora, aunque no sus apuntes. Cuando va al puerto, se ve a sí misma —son ya las páginas finales y empieza a entrar ella misma en su campo de observación— en ese lugar de la ciudad como fondo:

> Yo, una muchacha española, de cabellos oscuros, parada un momento en un muelle del puerto de Barcelona. Dentro de unos instantes la vida seguiría y me haría desplazar hasta otro punto. Me encontraría con mi cuerpo enmarcado en otra decoración (pág. 269).

A veces los nombres sólo desfilan: las Ramblas, la calle Pelayo, la plaza de la Universidad (pág. 157); y otra vez la calle de Aribau, porque, en palabras de Andrea, «entrar en la calle de Aribau era como entrar ya en mi casa» (pág. 157). El Tibidabo, adonde va con Ena, y desde donde ve el comienzo de la ciudad: «Desde el Tibidabo, detrás de Barcelona, se veía el mar. Los pinos corrían en una manada espesa y fragante, montaña abajo, extendiéndose en grandes bosques hasta que la ciudad empezaba. Lo verde la envolvía, abrazándola» (págs. 193-194). El paisaje queda humanizado, la ciudad sigue siendo telón de fondo.

Con Gerardo irá Andrea al parque de Montjuïc. Los jardines llevan a la narradora a una de sus frecuentes descripciones líricas: «Multitud de flores primaverales cabeceaban al viento, lo invadían todo con su llama de colores» (pág. 177). Otra vez escogerá un lugar de observación, y desde la terraza del restaurante mirará al Mediterráneo:

> El gran puerto parecía pequeño bajo nuestras miradas, que lo abarcaban a vista de pájaro. En las dársenas salían a la superficie los esqueletos oxidados de los buques hundidos en la guerra. A nuestra derecha yo adivinaba los cipreses del ce-

menterio del Sudoeste y casi el olor de melancolía frente al
horizonte abierto del mar (pág. 176).

Configura los límites de la ciudad, y a la vez da pinceladas
poéticas, con sugestivas sinestesias, que destacan la sensualidad de la mirada de la muchacha. La huella de la guerra se in-
corpora al paisaje.

Con Pons irá a Santa María del Mar. La frescura de su interior, los vitrales rotos y las piedras ennegrecidas por las llamas
—más restos de la guerra—, y los claveles rojos y blancos se
mezclan en la vivencia de Andrea, que siente la poesía del recinto y el gozo de saberse regalada.

Otros dos lugares de la ciudad tendrán un papel en el relato,
dos barrios antitéticos: el barrio chino y el de la Bonanova.

Carmen Laforet recuerda cómo entró en el barrio chino, «una
sola noche de diablura», con un amiga de su edad y su hermano
quinceañero, y fueron expulsados por menores del local donde
entraron convencidos de su apariencia de adultos, «esencia de
la frivolidad distinguida». La entrada de Andrea en el recinto
del misterio, el peligro y el vicio es una carrera en pos de su enloquecido tío Juan, que va en busca de Gloria, jugadora en un
tugurio de su hermana. La ronda de San Antonio, la calle de
Tallers, de Ramalleras, la del Carmen: la persecución presenta
una sucesión acelerada de calles. El mercado de San José, con
ratas, con olores a fruta podrida, a restos de carne y pescado...,
la calle Hospital, las Ramblas, la calle del Conde del Asalto, y
ya callejas negras donde «las casas se apretaban, altas, rezumando humedad» (pág. 205). La lucha de Juan con un borracho
es la escena acorde al decorado, y la descripción de la adolescente transforma el momento en un «infierno»; las voces de las
mujeres que animan la pelea, «ásperas, como desgarradas», le
parecen «como si sobre el cielo de la calle cabalgaran brujas»
(pág. 206). La escena goyesca [8] se esfumará de golpe, y otra

---

[8] Jeffrey Bruner analiza cómo «*Nada* exhibits direct intertextuality with
certain works by Goya», art. cit., pág. 253.

vez empieza el caminar por las callejas; el cansancio de Andrea se mezcla con la podredumbre que la rodea (pág. 208), coronados ambos por la luna. La puerta ansiada de la casa de la hermana de Gloria pondrá fin a la peregrinación en ese infierno urbano poblado tímidamente con rasgos tópicos que lo crean. La escena en el interior de la casa tendrá los elementos melodramáticos que caracterizan las historias complejas que viven los personajes que rodean a Andrea. Gloria a la postre no se prostituye en el barrio «prohibido», es sólo una jugadora tramposa que consigue con sus artes dinero para las medicinas de su hijo enfermo. Incluso el barrio chino es un escenario, un tanto de cartón piedra, creado por los nombres reales de las calles y los rasgos tópicos que podían sugerir su ambiente.

En el otro extremo de la ciudad, en lo alto, la riqueza se refugia en hermosas villas, alejadas del mar y de la miseria. Andrea vive otra situación, en la que, por fin, va a tener un papel protagonista: es «una muchacha de dieciocho años que va a bailar con su primer pretendiente» (pág. 240). Es la noche de la verbena de San Pedro. Cree que va a sumergirse en el mundo «alegre e inconsciente» del dinero, pero éste no admite advenedizos. El pórtico a la unidad narrativa es la mención de un espacio muy distinto al dédalo de callejas:

> Pons vivía en una casa espléndida al final de la calle Muntaner. Delante de la verja del jardín —tan ciudadano que las flores olían a cera y a cemento— vi una larga hilera de coches (pág. 240).

Las doce campanadas sonarían antes de tiempo para la cenicienta Andrea [9], y sus zapatos rotos la harán avergonzarse

---

[9] Ella misma se identificará previamente con la heroína del cuento: «El sentimiento de ser esperada y querida me hacía despertar mil instintos de mujer; una emoción como de triunfo, un deseo de ser alabada, admirada, de sentirme como la Cenicienta del cuento, princesa por unas horas, después de un largo incógnito» (pág. 238).

desde el saludo inicial de la madre de su amigo. Seria, triste y descolocada en medio de la animación y la riqueza. Un olor a «señora con demasiadas joyas», la imagen fija de una «señora gorda [...] con la cara congestionada de risa en el momento de llevarse a la boca un pastelillo» (pág. 241), y la propia Andrea sintiéndose protagonista de una ridícula escena con Pons (págs. 244-244). Al final, ya fuera de la casa, se queda sin saber qué hacer ante «la calle Muntaner bajando en declive delante de mí» (pág. 245). Y reaparece el cielo, arriba, y la ciudad con sus autos, tranvías, gentes. La narradora da de nuevo rienda suelta a su lirismo y ve en ese cielo una metáfora de su sentir:

> Arriba, el cielo, casi negro de azul, se estaba volviendo pesado, amenazador aun sin una nube. Había algo aterrador en la magnificencia clásica de aquel cielo aplastado sobre la calle silenciosa. Algo que me hacía sentirme pequeña y apretada entre fuerzas cósmicas como el héroe de una tragedia griega (pág. 245).

Se verá caminando su propio camino vital, desierto, abocando a la soledad. Había vivido el baile como un posible escape del mundo opresivo de la casa de la calle de Aribau; y al evaporarse sus esperanzas [10], Andrea reflexiona sobre su papel en la vida, antes de deshacerse en llanto:

> Me parecía que de nada vale correr si siempre ha de irse por el mismo camino, cerrado, de nuestra personalidad. Unos seres nacen para vivir, otros para trabajar, otros para mirar la vida. Yo tenía un pequeño y ruin papel de espectadora. Imposible salirme de él. Imposible libertarme. Una tremenda congoja fue para mí lo único real en aquellos momentos (pág. 246).

---

[10] Podría aplicarse aquí el término «desencanto», que Gonzalo Sobejano considera «tema cardinal de las narraciones de Carmen Laforet», *op. cit.,* pág. 120.

Carmen Martín Gaite destacó este pasaje y leyó las lágrimas de Andrea, insólitas, «como símbolo de su aceptación del papel de espectadora al que Carmen Laforet la tenía destinada desde el principio» [11]. Y, en efecto, NADA es fruto de ese papel de Andrea; y así no es «pequeño» ni «ruin», porque convirtió en espléndida novela una serie de sensaciones y unas cuantas historias melodramáticas: «una carga de recuerdos», como ella dice (págs. 283-284). La mirada de Andrea los transforma en materia novelesca.

Se había acercado antes también vanamente a los jardines de las fincas de la Bonanova la «radiante mañana de San Juan». Quería ver a Ena, que estaba en la «torre» de su abuelo. Pero no llega a entrar, huye. Quedan sólo de esa visita frustrada el olor a rosas y minutos llenos de sol (pág. 234).

Barcelona está, pues, en la novela, con sus barrios y sus calles. Pero cuando Andrea contempla sus edificios, alza su mirada hacia el cielo, y aquélla se esfuma. En la ciudad están los dos espacios en los que transcurre la vida de la muchacha: la Universidad y la casa de la calle de Aribau.

La Universidad

Con la Universidad sucede lo mismo que con Barcelona: está, pero no puede apresarse, se desvanece tras unas mínimas referencias (sus claustros de piedra, su reja, su puerta). Casi ni existen las aulas, ni los profesores, ni los estudios; sabemos que se sienta en el último banco de la clase y poco más. Será Ena quien pondrá su imagen sobre el fondo del edificio universitario. Es una de las pocas veces que podemos ver a Andrea, sólo se reflejará esporádicamente su cuerpo delgado [12],

---

[11] «La chica rara», pág. 108.

[12] Mientras le sermonea Angustias, ve «de refilón, la imagen de mis dieciocho años áridos encerrados en una figura alargada y veía la torneada mano de Angustias crispándose en el respaldo de una silla», pág. 147. Gloria,

su figura enflaquecida en algún espejo. Ena narra un hecho del
comienzo del curso, de la novela, ya pasado en ella, que se había omitido en el relato de Andrea, porque ella no se observa a
sí misma, sólo se autoanaliza:

> Una mañana te vi salir de la Universidad bajo una lluvia
> torrencial... Era en los primeros días del curso (tú no te acorda-
> rás de esto). La mayoría de los chicos estaban cobijados en la
> puerta y yo misma, aunque llevaba impermeable y paraguas,
> no me atrevía a desafiar aquella furia torrencial. De pronto te
> veo salir a ti, con el mismo paso de siempre, sin bufanda, con
> la cabeza descubierta... Me acuerdo de que el viento y la lluvia
> te alborotaban y luego te pegaban los rizos del cabello a las
> mejillas. Yo salí detrás de ti y el agua caía a chorros. Parpa-
> deaste un momento, como extrañada, y luego, como a un gran
> refugio, te arrimaste a la verja del jardín. Estuviste allí dos mi-
> nutos lo menos hasta que te diste cuenta de que te mojabas lo
> mismo. El caso era espléndido. Me conmovías y me hacías
> morir de risa al mismo tiempo. Creo que entonces te empecé a
> tomar cariño... Luego te pusiste enferma... (págs. 194-195).

En efecto, en el capítulo IV, Andrea tiene la gripe y men-
ciona la lluvia, pero como si se hubiese iniciado al entrar en
casa (pág. 98). El recuerdo de Ena podía referirse a unos días
antes, omitidos. La búsqueda inútil de refugio en la verja del
jardín de la Universidad es una imagen plástica que dibuja
muy bien la personalidad de Andrea, siempre sola cobijándose
en donde no hay techo para hacerlo. Así aparece la Universidad en la novela, como su verja, sin cuerpo. Casi al final de su
relato, se volverá a apoyar en esta verja, «como aquel día que
recordaba Ena» (pág. 274), pero cuando llueva, se refugiarán
ambas amigas en la puerta del recinto. La recurrencia de motivos traba la novela.

---

asombrada, descubrirá sus pies flacos: «¡Parecen los de un Cristo!», pág. 265.
Ya casi al final del relato, se verá reflejada en el espejo «miserablemente
flaca», pág. 289.

La casa de la calle de Aribau

Es otro el espacio invasor del relato, cuyas paredes crean un mundo para Andrea frente al de la Universidad, de Ena, de sus compañeros: la casa de la calle de Aribau. A ella entra en su llegada a la ciudad y de ella saldrá cuando la abandone. Su primera mirada al interior desde la puerta recogerá ya su esplendor pasado, su decadencia ruinosa, su caos, su suciedad, como lugar devastado por el paso de esa reciente guerra que dejó a sus habitantes sin medios, sin ánimos para reorganizar una existencia coherente:

> Lo que estaba delante de mí era un recibidor alumbrado por la única y débil bombilla que quedaba sujeta a uno de los brazos de la lámpara, magnífica y sucia de telarañas, que colgaba del techo. Un fondo oscuro de muebles colocados unos sobre otros como en las mudanzas (pág. 73).

Y en seguida poblará su claroscuro con sus habitantes fantasmagóricos:

> ... la mancha blanquinegra de una viejecita decrépita [...] un tipo descarnado y alto [...] varias mujeres fantasmales. Casi sentí erizarse mi piel al vislumbrar a una de ellas, vestida con un traje negro que tenía trazas de camisón de dormir. Todo en aquellas mujeres parecía horrible y desastrado, hasta la verdosa dentadura que me sonreía (págs. 73-74).

La descripción refleja los detalles de la pesadilla real que vive Andrea en contraste con el ensueño idealizador de su llegada. Pinta ese descubrimiento de los miembros de su familia y del espacio en el que va a vivir como una escena angustiosa. El aire le parece «estancado y podrido». Los rostros emergen de una oscuridad caótica, sucia, sin aire. La ducha fría —no hay agua caliente— la alivia y a la vez la sumerge en otra tenebrosa habitación de la casa: las paredes sucias, las telas de araña, la roñosa bañera. Le parece «una casa de brujas», y la describe deformada por sus impresiones, personificando las paredes, dejando que aparezca una palabra que devorará la casa: locura[13].

> Parecía una casa de brujas aquel cuarto de baño. Las paredes tiznadas conservaban la huella de manos ganchudas, de gritos de desesperanza. Por todas partes los desconchados abrían sus bocas desdentadas rezumantes de humedad. Sobre el espejo, porque no cabía en otro sitio, habían colocado un bodegón macabro de besugos pálidos y cebollas sobre fondo negro. La locura sonreía en los grifos torcidos (pág. 76).

Le asignan como habitación el salón de la casa, lleno de muebles abigarrados, con hedor a porquería de gato. Y una cama turca, cubierta con una manta negra, como un ataúd, será su primer refugio.

Irá configurando a los personajes, a los miembros de su familia, unidos a las habitaciones de la casa. La criada Antonia, vestida de negro, siempre junto a su perro también negro, en su reino: la cocina. La pelirroja Gloria y su enloquecido esposo y el niño —sin nombre—, en su habitación, como «el cubil de una fiera», con la cama de matrimonio y la cuna. Tía Angustias, en el único cuarto limpio y ordenado. Sólo la abuela, más fantasmagórica que nadie, va como flotando, sin que se describa su habitación, refugio de las víctimas de los demás. Y por fin Román, el diabólico, manejando los hilos de la casa desde su buhardilla, por encima de todos, perturbándolos, enfrentándolos, destruyéndoles desde su mundo aparte, limpio y en orden, lleno de encanto, con su violín, su chime-

---

[13]   J. Bruner subrayará la presencia del expresionismo en esas descripciones iniciales: «*Nada* is likewise full of expressionistic imagery; in fact, it is the grotesque element of the text that has led many critics to associate it with tremendismo. These descriptions are characterized by the predominance of dark tones and bizarre or distorted forms», art. cit., pág. 251. Ya Gonzalo Sobejano había señalado cómo las descripciones de *Nada* «son breves y concentradas, con cierto expresionismo», *op. cit.,* pág. 118.

nea, sus libros, sus tinteros, su idolillo. En su espacio, como él dice, las cosas «se encuentran bien» (pág. 93) mientras en la casa se asfixian, y el aire se llena siempre de gritos —que él quiere que permanezcan.

La sombra del mundo perdido está entre esas paredes que aprisionan sus ruinas. Los muebles, las cornucopias, las grandes arañas hablan de otro tiempo vivido, son restos del naufragio. El tajo de la guerra acabó con la posibilidad de dar un nuevo orden a su presencia, enloqueció a los personajes que no pueden ya organizar un lugar digno en donde vivir, que se siguen destruyendo en prolongación del horror vivido.

Miguel Delibes afirma: «Los habitantes de la calle de Aribau son seres atormentados, desquiciados por la guerra [...]; la guerra es una palabra constante en el libro»[14]. Melchor Fernández Almagro había afirmado en su crítica a la novela en 1945:

> Los personajes de *Nada* vivieron la guerra desde el fondo oscuro de una burguesía en dramática crisis económica y salieron de la prueba con el espíritu deformado, los sentimientos en un grado de tremenda exasperación, los nervios rotos[15].

La guerra proyecta su sombra sobre la casa y sus habitantes. Son seres destrozados, enloquecidos, que viven la miseria y pasan hambre, que gritan y se pelean. Pero, como dice Joaquín Marco, «la narración no puede interpretarse como una alegoría política»[16]; no hay simbolismo, sólo secuelas de una catástrofe.

Andrea vivirá su primera etapa en la casa en ese espacio sin intimidad, sin poder refugiarse en lugar alguno frente a los

---

[14]   Miguel Delibes, «Una relectura de *Nada*», en *Pegar la hebra,* Barcelona, Destino, 1990, págs. 213-214.

[15]   «*Nada* por Carmen Laforet», en *ABC* del 12 de agosto de 1945.

[16]   Epílogo a *Nada,* Barcelona, Círculo de Lectores, 1994, pág. 345.

gritos, las luchas, la vigilancia. Su tía Angustias se convertirá en su guardiana, en su sermoneadora. Con su marcha acabará la primera parte de su relato. Andrea ocupará entonces su habitación, pero ese espacio deberá seguir abierto a todos por la presencia del teléfono. Andrea no podía escaparse al control de la casa. Nunca dispuso de un «recinto de sus cosas íntimas» (pág. 120), como lo puso de manifiesto la pelea que causó su regalo del pañuelo de encaje a Ena. Pero sin su guardiana, pudo actuar con la anarquía que le complacía, siendo rica un día y mísera los demás.

Su primera noche en la habitación de Angustias le descubre el perfil del lugar, cómo recibe directamente los ruidos de la escalera: «Era como una gran oreja en la casa... Cuchicheos, portazos, voces, todo resonaba allí» (pág. 133). Un receptor acústico excepcional que había permitido a Angustias controlar ese lugar de acceso.

La casa es un espacio a la medida de sus moradores; su ruina y su suciedad es su espejo. Su aire estancado condensa la imagen vital de esos seres que sobreviven destruyéndose. Andrea los observará, los sufrirá, se sentirá incluso atraída por ellos. Un día que, en ausencia de Angustias, se acuesta en su cama, no puede dormirse. Su atención está fija en la raya brillante de luz del comedor que ve debajo de la puerta de su cuarto, en las voces que oye, y se acuerda de unas palabras de Román: «No necesitarás nada cuando las cosas de la casa te agarren los sentidos» (pág. 137). Luego se siente sola, huyendo de su propio pensar, y el teléfono con la voz de Ena la salva. Andrea sobrelleva su soledad sin desesperanza, pero si en ese momento quiere huir de ella, es precisamente por el atractivo que ese mundo enfermo de la casa ejerce sobre ella, intentando engullirla hacia ese baile de vigilancias en el que todos participan. A veces, en su dormitorio del salón, no puede hacer más que escuchar:

La casa se quedó llena de ecos, gruñendo como un animal viejo. El perro, detrás de la puerta de la criada, empezó a ulular, a gemir y a su voz se mezcló otro grito de Gloria, y al

> llanto de ella que siguió, otro llanto más lejano del niño. Luego este lloro del niño fue el que predominó, el que llenó todos los rincones de la casa ya apaciguada. Oí salir a Juan nuevamente de su alcoba, para ir a buscar a su hijo al cuarto de la abuela. Oí después cómo él mismo lo paseaba monótonamente por el recibidor, cómo le hablaba para tranquilizarle y dormirlo (pág. 142).

Andrea oye, escucha, va distinguiendo los movimientos, centinela ella de esa casa que gruñe, que devora el pensamiento.

Cuando va a instalarse definitivamente en la habitación de Angustias, los demás se la han transformado para incorporarla a la casa, a su caos; y el orden que la aislaba desaparece:

> Entré en el cuarto de Angustias, que desde unos días atrás había heredado yo, y al encender la luz encontré que habían colocado sobre el armario una pila de sillas de las que sobraban en todas partes de la casa y que allí amenazaban caerse, sombrías. También habían instalado en el cuarto el mueble que servía para guardar la ropa del niño y un gran costurero con patas que antes estaba arrinconado en la alcoba de la abuela. La cama, deshecha, conservaba las huellas de una siesta de Gloria. Comprendí en seguida que mis sueños de independencia, aislada de la casa en aquel refugio heredado, se venían al suelo (pág. 157).

Mientras viva en la casa, su vida será controlada por todos, aunque haya desaparecido esa mirada tan cercana de Angustias.

Sin embargo, la presencia de Ena va a construir en su existencia un mundo paralelo al de la casa, y el de ésta pasará momentáneamente a un segundo plano. Ena, guapa, rica, inteligente, irrumpe con fuerza en su vida; la figura de su novio Jaime evita ambigüedades. Andrea se sentirá feliz, arrastrada por la pareja al gozo de una primavera prometedora. Se aleja del espacio cerrado de la casa, puede olvidarse de escuchar, de observar esa cotidianeidad anodina y obsesiva, en la que los «sucesos más nimios» toman «aspecto de tragedia» (pág. 98); y se sumerge en la contemplación de la naturaleza en la vivencia del mar:

> Yo gozaba una dicha concedida a pocos seres humanos: la de sentirse arrastrada en ese halo casi palpable que irradia una pareja de enamorados jóvenes y que hace que el mundo vibre más, huela y resuene con más palpitaciones y sea más infinito y más profundo (pág. 174).

Su gozo no es el suyo; es un reflejo del de la pareja de novios. En esos momentos en que se siente libre y feliz, sus sensaciones no son fruto de vivencias directas, sino de la observación de otros vivires. Pero la intensidad del paréntesis anuncia su brevedad. El día de su paseo por Montjuïc con Gerardo, intuye ya al levantarse cómo el día iba a quedar fijo en el recuerdo: «Aquél iba a ser un día de esos que en apariencia son iguales a los otros, inofensivos como todos, pero en los que, de pronto, una ligerísima raya hace torcerse el curso de nuestra vida en una época nueva» (pág. 176). Insistirá, cuando ocurra lo presentido, en la imagen de la raya muy bellamente expresada, en una de las muchas explosiones de lirismo que jalonan el relato de Andrea: «Entonces fue cuando tuve la sensación de que una raya, fina como un cabello, partía mi vida y, como a un vaso, la quebraba» (pág. 181). Esa ruptura que no marca, sin embargo, ninguna división externa en el relato, viene provocada precisamente por el encuentro de sus dos mundos: el de la casa, el de la Universidad, que ella había procurado mantener alejados.

En ese momento se inicia otro de los folletines vividos por personajes que rodean a Andrea —como ya lo había hecho Angustias—. La historia de Ena y Román, con el pasado de la madre de Ena como trasfondo, invade el relato. Venía preparado por el hecho de que Ena le preguntase a Andrea el primer día de curso si era parienta de un violinista célebre (más adelante precisaría que se llamaba Román). A la excitación inicial que tuvo Andrea al pensar que su amiga pudiera tener algún contacto con la calle de Aribau, le seguiría la firme determinación de la muchacha de no mezclar los dos mundos antitéticos: «el de mis amistades de estudiante con su fácil cordialidad y el sucio y poco acogedor de mi casa» (pág. 113). Pero su propósito será vano, porque de esa mezcla surge la trama que acabará envolviéndola.

Juan Ramón Jiménez le decía en su carta a Carmen Laforet: «para mí *Nada* tropieza en el capítulo 19, es decir cuando se declara una trama novelesca seguida» [17]. Es el que comienza la tercera parte con la conversación entre Andrea y la madre de Ena, pero la trama había empezado mucho antes, precisamente en ese final del capítulo XII. A partir de entonces, Andrea tiene que aprender de nuevo a vivir sola, sin Ena; pero encuentra en seguida un grupo, el de Pons y sus amigos. Su visita a Santa María del Mar inicia su entrada en el mundillo del estudio de Guíxols, jóvenes ricos que jugaban a bohemios de «familias conocidas en la industria catalana» (pág. 189). Y saborea de nuevo una efímera felicidad: «Me encontraba muy bien allí; la inconsciencia absoluta, la descuidada felicidad de aquel ambiente me acariciaban el espíritu» (pág. 191).

Juan Ramón Jiménez tiene razón cuando habla de «trama seguida», porque el período en que Ena y Román salen juntos se lo supone paralelo a otra serie de vivencias de Andrea. Esa trama central avanza oculta, sin afectar a la protagonista. Vivirá el episodio del barrio chino, en su mundo de la casa, y el de la verbena de San Juan con el de la Universidad, representado ya por Pons. En medio, la noche de San Juan, y Andrea de nuevo en su papel de observadora, en casa, viendo la escena vivida por Román y Gloria. Primero, «acodada en la oscuridad del balcón», mirando cómo arde en gritos la calle con las hogueras, la figura de Román recortada en negro en la calle y la de

---

[17]   *Cartas literarias,* pág. 105.

Gloria que, al llegar, entra en la escena muda protagonizada por éste. La observación de la muchacha se hace apasionadamente, «yo estaba tan interesada y sorprendida que no me atrevía a moverme [...]. A mí empezaba a emocionarme todo aquello como si fuera algo mío» (págs. 229-230). Andrea abandona su puesto de observadora involuntaria para espiar los movimientos y palabras de la pareja. Le llegan retazos del melodrama vivido en el pasado por ambos, la imagen de la cabellera roja de Gloria y su cuerpo blanquísimo entre lirios morados nos lleva al relato vago que le hizo Gloria (pág. 103). La tensión de la conversación oída devora a Andrea, que se ve de pie en medio de su cuarto «con las orejas tendidas a los susurros de la casa» (pág. 233), sin poder entender del todo lo oído. La cita bíblica la lleva a advertir los límites de la tarea a la que se había entregado: «"Tienen ojos y no ven, tienen oídos y no oyen"... A mis ojos, redondos de tanto abrirse, a mis oídos, heridos de escuchar, había faltado captar una vibración, una nota profunda en todo aquello» (pág. 233). El ser toda ojos y oídos no le basta, pero la lleva a la cumbre de su papel, entregada a él en cuerpo y alma.

Sólo cuando la Andrea que intenta vivir, además de ver y oír, llega de vuelta a su casa, hecha Cenicienta descubierta, de su «primer baile en el que no había bailado», y encuentra a la madre de Ena, se iniciará la conversación inaugural de la tercera parte del relato, y éste quedará definitivamente inmerso en esa trama. Las ventas de Gloria y los golpes de Juan son sólo el marco habitual, lo cotidiano. Se acumulan ya las escenas dramáticas: la de la buhardilla de Román, la reconciliación de las dos amigas y el final trágico de la historia que corta de un tajo esa vinculación de los dos mundos. Queda sólo un como epílogo. Carmen Laforet parece darse cuenta de que la parte melodramática no debe ser el centro de la obra ni marcar su final y deja de nuevo a su heroína recuperar en lo posible el espacio novelesco en el que se crece, la vida cotidiana de la casa de la calle de Aribau. Se ha ido despoblando ese mundo, y los personajes que quedan se apoderan de papeles que otros desempeñaban antes; incluso la abuelita chilla y la propia Andrea, y Gloria toma decisiones, y la locura se hace más brutal en la figura de Juan.

Carmen Laforet no quiere que su relato acabe como «una novela del siglo pasado» [18], sino que siga captando una vida. Parece reflexionar en voz alta en boca de su personaje cuando recuerda el momento de reconciliación feliz de Juan y Gloria tras el episodio del barrio chino:

> «Si aquella noche —pensaba yo— se hubiera acabado el mundo o se hubiera muerto uno de ellos, su historia hubiera quedado completamente cerrada y bella como un círculo». Así suele suceder en las novelas, en las películas; pero en la vida... Me estaba dando cuenta yo, por primera vez, de que todo sigue, se hace gris, se arruina viviendo. De que no hay final en nuestra historia hasta que llega la muerte y el cuerpo se deshace... (pág. 264).

El fin de NADA no llega con el de la trama que apagó el interés de Juan Ramón Jimémez, con sabiduría reaparece la vida; pero la novelista se apiada al final de su Andrea y le prepara un amanecer esperanzador en el que deja atrás ese espacio que la oprimió, que llegó a devorarla, en el que sintió la presencia de la muerte y el horror de la vida cotidiana envuelta en gritos, en locura. La imagen de Andrea sentada en el suelo de su cuarto, agobiada por el calor del verano, «escuchando crujidos de madera, crujidos como si la luz que se volvía encarnada en las rendijas de las ventanas crepitara al quemarse» (pág. 295), se une a la de sus correrías últimas por los suburbios de Barcelona, cada vez más delgada y con su pobre vestido, y así se cierra en círculo su historia en la casa. La maleta atada con la cuerda, símbolo de esa España en la miseria de la posguerra, la carta de Ena y el sentir la misma «ansiosa expectación que

---

[18]   Así califica Andrea la historia de Angustias: «Toda la historia de Angustias resultaba como una novela del siglo pasado» (pág. 151).

un año antes» es otro cierre de círculo que se superpone a
aquél. La mirada desde fuera a la casa aleja a la protagonista
de ese espacio que es la auténtica materia de la gran NADA.

LA MIRADA Y EL NARRAR DE ANDREA

«Porque usted es una novelista de novela sin asunto, como se
es poeta de poema sin asunto. Y en esto está lo más difícil de la
escritura novelesca o poemática», le decía Juan Ramón Jiménez
a Carmen Laforet [19]. Y realmente acertaba, porque la mayor
fuerza del relato está en la construcción de esa aparente nada
que conforma la vida cotidiana de Andrea tal como ella nos la
cuenta. La historia folletinesca de Angustias, el melodrama de
Román, Ena y su madre, el que enlaza las figuras de Román,
Juan y Gloria, o el episodio del barrio chino, son paréntesis que
permiten gozar de los esbozos de anécdotas que vive Andrea.

La protagonista, como dice Carmen Martín Gaite, «es una
chica rara, infrecuente», y señala «su hermetismo», «su ausencia total de coquetería», su «marginalidad de personaje casi
inexistente» [20]. Subraya también «la casi total falta de datos
acerca de su aspecto físico, de su forma de vestirse o de pei-
narse» [21]. En una de sus conversaciones con Pons, éste nos
descubre dos de sus rasgos: «Pero les llamó la atención lo que
yo les dije de que tú no te pintabas en absoluto y que tienes la
tez muy oscura y los ojos claros» (pág. 186). Ese yo, tan poco
marcado aparentemente, plasma su subjetividad en toda la
obra. La narradora proyecta sobre el mundo su mirada de dieciocho años. En ese magistral primer capítulo, la vemos en el
contraste que crea entre su llegada triunfal, la ensoñación en la
maravilla de la gran ciudad y la pesadilla que le parece vivir
en la casa de la calle de Aribau. El lector se deja llevar por sus

---

[19]   *Cartas literarias,* pág. 105.
[20]   «La chica rara», pág. 111.
[21]   *Ibíd.,* pág. 110.

sensaciones exageradas («me sentía espantosamente sucia», pág. 75), que deforman y aumentan los trazos de la casa sucia y desordenada.

Su extremada sensibilidad se manifiesta en el análisis que hace de sus propias sensaciones («yo me sentía oprimida como bajo un cielo pesado de tormenta», pág. 84), pero también en su interpretación de los hechos, de los gestos. El final del capítulo II nos ofrece un ejemplo perfecto de la maravilla de la mirada interpretativa de Andrea:

> Y entró la criada a poner la mesa para el desayuno. Como la noche anterior, esta mujer se llevó detrás toda mi atención. En su fea cara tenía una mueca desafiante, como de triunfo, y canturreaba provocativa mientras extendía el estropeado mantel y empezaba a colocar las tazas, como si cerrara ella, de esta manera, la discusión (pág. 86).

Hace plásticas sensaciones difícilmente aprehensibles. Cuando se levanta, después de sus fiebres, transforma su gesto en actitud vital: «El primer día que pude levantarme tuve la impresión de que al tirar la manta hacia los pies quitaba también de sobre mí aquel ambiente opresivo que me anulaba desde mi llegada a la casa» (pág. 109).

Andrea, por su capacidad sensitiva, puede quedarse extasiada ante la belleza del cuerpo de Gloria, que posa desnuda para Juan, incapaz de trasladar al lienzo ni una brizna de su perfección. La narradora sabe captar con sus palabras el momento de admiración:

> Un espíritu dulce y maligno a la vez palpitaba en la grácil forma de sus piernas, de sus brazos, de sus finos pechos. Una inteligencia sutil y diluida en la cálida superficie de la piel perfecta (pág. 91).

Tras ese deslumbramiento, se verá capaz de hablar con Gloria, podrá soportar y gustar incluso de su parloteo vacío, «su charla insustancial me parecía el rumor de lluvia que se escucha con gusto y con pereza» (pág. 92).

Enhebra sus sensaciones a menudo con una intensa carga poética. Al igual que sus miradas al cielo, desembocan en comparaciones «literarias».

Cuando Román toca el violín, Andrea se entrega a su encanto y se quita su «capa de hostilidad». «Mi alma —dice Andrea—, extendida como mis propias manos juntas, recibía el sonido como una lluvia la tierra áspera». Y en seguida enumerará sus sensaciones como si fuesen un resumen de sus vivencias futuras:

> El ventanillo se abría al cielo oscuro de la noche. La lámpara encendida hacía más alto y más inmóvil a Román, sólo respirando en su música. Y a mí llegaban en oleadas, primero, ingenuos recuerdos, sueños, luchas, mi propio presente vacilante, y luego, agudas alegrías, tristezas, desesperación, una crispación impotente de la vida y un anegarse en la nada. Mi propia muerte, el sentimiento de mi desesperación total hecha belleza, angustiosa armonía sin luz (pág. 95).

Ese «anegarse en la nada» que intenta plasmar lo inefable de sus sensaciones se destaca como el *leitmotiv* de su relato y contrasta por su intensidad con su propia respuesta ante la pregunta de Román: «¿Qué te dice la música? [...] Nada, no sé, sólo me gusta». El *nada,* en el que insiste, es la vaciedad tópica; todo su contenido está en el interior de sí misma, en su palabra literaria, no en su conversación vital con los demás.

La realidad nos llega interpretada, transformada por su punto de vista. Casi no sabemos, en efecto, cómo es físicamente, pero sabemos muy bien cómo ve, cómo cuenta. Muchas cosas escapan a su total conocimiento. El lector sabrá de ellas lo que Andrea, y en el relato se abren interrogantes que nunca se resuelven del todo. Lo señala Miguel Delibes:

> La prolijidad, el afán de atar todos los cabos, típico de la novela de anteguerra, no se da ya aquí; es quizá, el primer chispazo de renovación formal ofrecido por la novela espa-

ñola. Las zonas de penumbra son muchas en esta historia: la relación real de la tía Angustias con el jefe de su oficina; la infancia de Andrea; los escarceos amorosos de Román, etc. Al mundo que la narradora crea no le falta nada, pero deliberadamente deja muchos escapes laterales para que la imaginación del lector vuele a su capricho y recree todo aquello que la autora no ha consignado en el texto[22].

Y no sólo son historias que no se completan. Algunos finales de capítulo nos dejan pendientes de una imagen inexplicable entonces, que luego justificarán vagamente los hechos; el interés del lector queda prendido de esa pincelada de misterio trazada con maestría. Así se percibe, a la luz de la linterna de Román, la figura de Gloria en la escalera que lleva a su buhardilla, envuelta en la oscuridad:

> De pronto, Román me dejó a oscuras y enfocó la linterna hacia la parte de la escalera en que algo se movía. Y vi clara y fugazmente a Gloria que corría escalera abajo hacia la portería (pág. 96).

Andrea intensifica nuestro interés en algo que le atrae momentáneamente. Luego no investiga, se limita a observar los hechos que se le vienen encima. El lector, casi sin darse cuenta, se abandona a su dictado, pero se hace preguntas que nunca acaban de satisfacerse.

Por un momento la narradora parece querer abandonar su papel. Está incubando una gripe, se siente incapaz de hacer nada, y acurrucada y encogida, va a escuchar pasivamente el diálogo de la abuela y Gloria. Una justificación de semiinconsciencia precede la ruptura en el relato: «En mi cabeza, un poco dolorida, se mezclaban las dos voces en una cantinela con fondo de lluvia y me adormecían» (pág. 98). Pero no sigue un posible flujo de conciencia, sino un diálogo nítido pre-

---

[22]   «Una relectura de *Nada*», en *Pegar la hebra*, págs. 207-208.

sentado teatralmente. Como si al retirarse adormecida la narradora, quedara la grabación. El final viene por la pregunta reiterada que las dos interlocutoras le dirigen: «¿Estás dormida, Andrea?». La respuesta ambigua de la narradora abre un margen para la creación novelesca: «Yo no estaba dormida. Y creo que recuerdo claramente estas historias. Pero la fiebre, que me iba subiendo, me atontaba» (pág. 106). ¿Inventa en el momento del relato el diálogo? No quiere que así conste. Paradójicamente su estado febril ha dado paso a unas voces despegadas de sus interrupciones como narradora, de sus introducciones a los diálogos. A pesar de esa incongruencia narrativa [23], a Juan Ramón Jiménez le gustó especialmente este capítulo: «Le quiero señalar, entre lo que considero más completo de su *Nada,* el extraordinario capítulo 4, con su diálogo tan natural y tan revelador, entre la Abuela y Gloria» [24].

Es uno de los escasos ensayos de rupturas narrativas. La analepsis del capítulo II, el recuerdo provocado por el tintineo de los tranvías, hacía suponer el uso de este recurso para llevarnos al pasado anterior de Andrea, pero no se repite. Éste queda en sombras, como tantas otras cosas en el relato. Así la misma historia vaga de los abuelos que aparece en ese recuerdo: «Había una larga y difícil historia de sus amores —no recordaba ya bien qué... quizá algo relacionado con la pérdida de una fortuna—» (pág. 79). Esos límites borrosos, esa vaguedad aumentan la verosimilitud del relato y contribuyen al encanto indudable que emana.

La narración de Andrea, como ella misma, parece desasirse de la realidad. A veces nos la acerca y nos la llena de incógnitas, pero en seguida se desentiende de ella, y se inicia en otro

---

[23] Francisco Ynduráin habla de «incertidumbre en el enfoque» en *Nada,* «como si hubiera una fluctuación entre lo pasado por una pura subjetividad tensa y casi en trance alucinatorio, y la notación incorporando lo que se nos ofrece como resultado de una toma *realística»,* y luego cita este capítulo, «El problema del enfoque», *El País,* 25 de noviembre de 1984, pág. 8.
[24] *Cartas literarias,* pág. 105.

lugar, en otro asunto. No queda, sin embargo, deslavazada, porque recoge elementos dispersos, vuelve a hechos apuntados, pero nunca todo queda bien trabado, porque tampoco ocurre así en el discurso vital.

En el capítulo XVI, Iturdiaga[25] va a contar a sus amigos una pequeña anécdota, su encuentro en un cabaret con una supuesta extranjera maravillosa. Y en seguida, por un encuentro casual del grupo, la va a identificar con Ena. Una parcela de la realidad novelesca que parecía iba a quedar en suspenso sin precisar, como otras veces, se concreta, se reajusta, y la escena pintada se reinterpreta. Iturdiaga ofrece un punto de vista distinto desde el que observar la pareja formada por Ena y Román: «Iba elegantísima y la acompañaba un tipo extraño que se la comía con los ojos. Ella le hacía muy poco caso. Estaba aburrida, parecía nerviosa...» (pág. 218). Cuando Andrea recuerda la escena narrada después de la identificación de los personajes y percibe «nítidamente la imagen de Román» (pág. 221), la vemos como parte de esa realidad que corre paralela al relato y a la que no tenemos acceso. La reflexión de Andrea le quita además lo forzado a la coincidencia: «Fui distraída todo el camino, pensando en que siempre se mueve uno en el mismo círculo de personas por más vueltas que parezca dar» (pág. 221). Reaparecerá levemente la evocación de la escena, y será Ena, su protagonista, quien la mencione: «Una noche salí con Román y me llevó al Paralelo» (pág. 281). Se traba así el relato al verse desde ángulos distintos un mismo hecho.

Es una de las pocas ocasiones en que la lente por la que se observa no es la de la mirada de Andrea. La narradora, que

---

[25] Ramón Eugenio de Goicoechea quiso demostrar que Iturdiaga era él, aunque la novelista se apartara de la realidad («Algo sobre *Nada*», *Correo Literario*, núm. 51, 1 de julio de 1952, págs. 6-7). Carmen Laforet negó las inexactitudes, porque no pretendía reflejar hechos reales: «Las cosas que allí suceden ocurrieron, pura y simplemente, porque así quise yo inventarlas en el momento de escribir el libro. Creé en la novela personajes y sucesos a mi antojo, como haré siempre que se me ocurra novelar», «Carmen Laforet dice que no...», *Correo Literario*, núm. 52, 15 de julio de 1952, pág. 1.

sabe de la afición femenina a las confidencias («Comprendí
en seguida que con los muchachos era imposible el tono misterioso y reticente de las confidencias, al que las chicas suelen
ser aficionadas, el encanto de desmenuzar el alma, el roce de
la sensibilidad almacenado durante años», pág. 111), las evita
a menudo, pero todo queda transformado por su sensibilidad,
por sus adjetivos. Como dice Ana Rodríguez-Fischer, Andrea
practica un «ejercicio de autognosis» «sin ser muy consciente
de ello, al menos al principio», y así se «va desplazando la
perspectiva. Y la mirada se torna interior; indagadora y soñadora, según, pero volcada hacia el sí mismo» [26].

En la suma de recuerdos de sus noches en la casa que des-
grana en sucesión temporal (pág. 236), destaca una «en que
había luna»; acababa de sufrir la enorme decepción de la fiesta
de Pons, excitada, se levanta de la cama y se verá reflejada en
el espejo:

> Al levantarme de la cama vi que en el espejo de Angustias
> estaba toda mi habitación llena de un color de seda gris, y allí
> mismo, una larga sombra. Me acerqué y el espectro se acercó
> conmigo. Al fin alcancé a ver mi propia cara desdibujada so-
> bre el camisón de hilo. Un camisón de hilo antiguo —suave
> por el roce del tiempo— cargado de pesados encajes, que mu-
> chos años atrás había usado mi madre. Era una rareza estarme
> contemplando así, casi sin verme, con los ojos abiertos. Le-
> vanté la mano para tocarme las facciones, que parecían esca-
> párseme, y allí surgieron unos dedos largos, más pálidos que
> el rostro, siguiendo las líneas de las cejas, la nariz, las meji-
> llas conformadas según la estructura de los huesos (pág. 237).

Su mirada se detendrá por primera vez minuciosamente en
ella misma, surgirá su nombre de su propia boca: «De todas
maneras, yo misma, Andrea, estaba viviendo entre las som-

---

[26]   Ana Rodríguez-Fischer, «Dieciocho años áridos», *Cuadernos Cervantes*,
núm. 1 (marzo de 1995), pág. 76.

bras y las pasiones que me rodeaban» (pág. 237). Ésa es realmente la impresión que consigue transmitirnos el relato.

LOS PERSONAJES

El mundo femenino invade, es verdad, la obra. Los hombres quedarán casi siempre desdibujados. En su vida universitaria sobresale Ena, personaje plano, idealizado, a la que se unirá su madre; mientras su novio, su padre quedan en un segundo plano. «Mi padre mismo es un hombre vulgar, sin la menor sensibilidad» dirá la propia Ena (pág. 193). La historia que cuenta la madre de Ena desembocará en su comunicación vital con su hija desde su nacimiento (págs. 257-258), es ella quien le descubrirá «la fina urdimbre de la vida» (pág. 257).

Pons, el otro compañero universitario de Andrea, le introducirá en un grupo masculino de ricos que juegan a bohemios, trasfondo sin fuerza de un joven cobarde que no sabe lo que quiere.

El mundo de la casa de la calle de Aribau queda también absorbido por las mujeres: Angustias, Gloria, la abuelita, la criada. Sólo Román parece ser la excepción, el único hombre con personalidad en la novela. El enloquecido Juan es un muñeco a sus manos y descarga su brutalidad continuamente sobre Gloria, que sabe desprenderse siempre del halo trágico que preside su vida. Su cuerpo sobrevive a las palizas como su espíritu a la atmósfera asfixiante que la rodea. Alguna imagen de Juan consigue provocar la piedad en el lector, porque surge de ella. Andrea lo observa —empujada por Antonia— por la rendija de la puerta entornada de su estudio y dice: «A mí me encogió el corazón aquel hombre tan grande en su silla, entre la desolación de los trastos inútiles, abrumado bajo una carga de desvarío» (pág. 225). Su locura sin víctima, sin gritos, sin golpes, lo reduce a una figura patética.

Román, diabólico, domina el espacio de la casa. Pero su encanto maléfico se va evaporando lentamente y queda desenmascarado y reducido a un pelele ridículo que decide de pronto desaparecer. Ena acabará con su gallardía, con su seducción, y Gloria no querrá recogerle en el fracaso. El mordisco en la oreja del perro quedará como último acto de su animalidad ya sin artificio. Precisamente las orejas del perro —una recurrencia temática más— son el centro de una escena impresionante, una muestra de la maestría narrativa, llena de sugerencias, de Carmen Laforet. Román las acaricia mientras la criada —observada por Andrea— no puede dejar de mirarlas:

> Román, mientras hablaba, acariciaba las orejas del perro, que entornaba los ojos de placer. La criada, en la puerta, los acechaba; se secaba las manos en el delantal —aquellas manos aporradas, con las uñas negras— sin saber lo que hacía y miraba, segura, insistente, las manos de Román en las orejas del perro (pág. 117).

Profundizar en el personaje de Angustias no haría más que revelarnos lo que en su superficie aparece: su intransigencia, su identificación con un discurso católico que entroniza el pecado en el mundo urbano («la ciudad, hija mía, es un infierno», pág. 82), muestra de la más pura intolerancia en la estela de doñas Perfectas eternas: «Durante quince días he estado pidiendo a Dios tu muerte... o el milagro de tu salvación [...]. ¡Hubiera querido matarte cuando pequeña antes de dejarte crecer así!» (pág. 146).

El demonio según ella, la mujer serpiente, Gloria, es a veces una mancha de belleza en la casa: su pelo rojizo, su cuerpo blanco se destacan en el claroscuro continuo de ese espacio opresor. La cháchara insulsa la define. Resiste las palizas, es protagonista de folletines en el relato (con Román, con Juan), conserva su ingenuidad a pesar de todo. Y va desmantelando la casa. En sus manos quedará. La última cena con pan abundante, con pescado blanco que Gloria ha conseguido con el dinero de las cornucopias, queda como imagen fija de su actuación.

La abuelita, bondadosa, fantasmal, salvadora, sólo sale de su casi mutismo y de sus rezos con su único arrebato de cólera ante los planes de Gloria. Tirará al suelo la carta liberadora de Andrea, es casi su último gesto de madre protectora. La afirmación de Angustias: «En esta casa las mujeres hemos sabido conservar mejor la dignidad», pág. 147, podría aplicarse a toda la obra.

EL ATRACTIVO DE *NADA*

La hondura de la novela no reside, sin embargo, en los personajes, siempre iguales a sí mismos, salvo la narradora. Ni su encanto se desprende de lo narrado, de las historias que se entrelazan. Y, sin embargo, es una obra hondamente atractiva, que sigue cautivando al lector después de los cincuenta años transcurridos. Fue un libro «oportuno», como dijo Ignacio Agustí[27]; «una novela magistral, nueva, con observación minuciosa y fiel, con entresijos psicológicos que hacen pensar y sentir», en palabras de Azorín[28]; «la primera novela femenina moderna en España», como afirma Joaquín Marco[29]. Relato juvenil imperfecto, pero tremendamente seductor[30]. Publicado en mayo de 1945, se convirtió en seguida, junto a *La familia de Pascual Duarte* (1942) de Camilo José Cela, en texto de referencia de la renovación de la novela española de la posguerra.

El crítico puede desmenuzar la obra, ver la función del tiempo, del espacio, de los dos mundos en los que se mueve

---

[27]   *La Estafeta Literaria,* Madrid, núm. 217, 15 de mayo de 1961, pág. 9.
[28]   «Réspice a Carmen Laforet», *Destino,* Barcelona, 21 de julio de 1945.
[29]   Epílogo cit., pág. 346. Gonzalo Sobejano había caracterizado su literatura como «esencialmente femenina», *op. cit.,* pág. 114.
[30]   Tiene razón Agustín Cerezales al afirmar: «Hay en *Nada* una fresca espontaneidad que no se marchita. Mana de no sé qué fuente honda, de amor y rebeldía; corre por un verbo de instinto certero y gozosa plasticidad», *ABC literario,* núm. 167, 13 de enero de 1995.

Andrea; analizar los melodramas que se entrecruzan, «historias turbias», la trama que casi parece apoderarse del relato; dibujar los personajes; descubrirá cómo sigue sin poder aprehender el porqué de su encanto[31].

La «vida oscura» de la casa, «cargada de romanticismo» —en palabras de la propia Andrea, pág. 110—, que fluye por sus páginas, los rincones de sombra que quedan en ellas, la independencia de ese ser nuevo novelísticamente[32] que es Andrea, las «impresiones acumuladas en soledad»[33] que Carmen Laforet regala a su ente de ficción... son algunos de los posibles elementos que crean el imperecedero atractivo de NADA.

---

[31]   Es curioso ver el resumen que de la obra hace el censor: «Novela insulsa, sin estilo ni valor literario alguno. Se reduce a describir cómo pasó un año en Barcelona en casa de sus tíos una chica universitaria sin peripecias de relieve», y añade: «Creo que no hay inconveniente en su autorización». Prevaleció esta opinión frente a la de otro censor que afirmaba que atacaba a la moral y al dogma, y la obra se publicó sin tachaduras, como indica Manuel L. Abellán en *Censura y creación literaria en España (1939-1976),* Barcelona, Península, 1980, pág. 160.

[32]   Juan Luis Alborg indicó la probable influencia en el relato de la adaptación cinematográfica de *Cumbres borrascosas* de Emily Brontë (*Hora actual de la novela española,* Madrid, Taurus, pág. 126). Antonio Vilanova añade la de *Rebeca* de Daphne du Maurier (*«Pascual Duarte* y *Nada:* del drama rural a la novela existencial»,* El País,* 14 de marzo de 1985). Y se ha señalado la huella en la obra de la narrativa realista rusa. Gonzalo Sobejano consideraba, en cambio, que estaba en «la línea del neorrealismo europeo de posguerra, al que se anticipa en cierto modo», *op. cit.,* pág. 118. Carmen Martín Gaite, que acepta la posible influencia de *Cumbres borrascosas,* defiende la originalidad para la protagonista: «Andrea no tiene nada en absoluto que ver con Catherine Linton, ni con ninguna otra protagonista femenina que yo conozca anterior a su aparición», «La chica rara», pág. 104.

[33]   Dice Carmen Laforet en *Mis páginas mejores:* «Cuando yo escribí la novela, tenía muchas impresiones acumuladas en soledad, y una instintiva sabiduría: la de darme cuenta que si era cierto que yo podía ver y sentir ciertas cosas que aceptaba o rechazaba mi sensibilidad, no tenía experiencia para juzgarlas. Por este motivo puse el relato en boca de una jovencilla que es casi una sombra que cuenta», pág. 13.

La inasible vaguedad de *Nada*

Nada no es una novela perfecta, pero es imposible escapar a su indefinido encanto. Es aparentemente un ejercicio narrativo sencillo, pero se ha convertido, sin discusión ya, en un clásico; su belleza no se marchita. Carmen Laforet empezó a escribirla a los veintidós años[34], pero ninguna de sus otras novelas posteriores abandonará ya su lugar de nota a pie de página a la edición de esta obra. La última, publicada después de la muerte de la escritora, en 2004[35], es una creación inacabada, y, como tal, imperfecta.

Un lector de Nada podría decir lo que Andrea comenta de la charla de Jaime: «Me emocionaba con su vaguedad» (pág. 217). Hace ya diez años[36] intenté analizar su atractivo en esta introducción a su lectura. Me refugié al final en lo indefinido porque sus páginas tienen algo de agua que fluye, y la mirada crítica siempre aprehende en ellas sólo parte de lo mucho.

El último capítulo de Nada se inicia con la acción de Andrea cerrando su maleta, la ata «fuertemente con la cuerda, para asegurar las cerraduras rotas» (pág. 301). Es la reaparición en el texto de ese pequeño mundo de la muchacha; primero es «un maletón muy pesado —porque estaba casi

---

[34] Carmen Laforet nace el 6 de septiembre de 1921; empieza a escribir la novela en enero de 1944; *Nada* se publicará en mayo de 1945. El jurado, compuesto por Ignacio Agustí, Juan Ramón Masoliver, Joan Teixidor, José Vergés y Rafael Vázquez Zamora, le dio el premio Nadal –el primero que se fallaba– la noche del 6 de enero de 1945. La escritora muere el 28 de febrero de 2004.

[35] Carmen Laforet, *Al volver la esquina,* edición de Cristina Cerezales, Agustín Cerezales e Israel Rolón Barada, Barcelona, Destino, 2004. La escritora en las palabras preliminares de *La insolación* decía tener ya escritas *Al volver la esquina* y *Jaque mate,* que iban a formar con ella la trilogía *Tres pasos fuera del tiempo.*

[36] Lo que precede lo escribí en 1995 para la edición de Clásicos Contemporáneos Comentados de editorial Destino.

lleno de libros» (pág. 71); luego será el objeto de la mirada de una desgreñada y sonriente Gloria, que llevará a la propia Andrea a fijar su atención en ella y a verla en relación a su entorno: «mi compañera de viaje me pareció un poco conmovedora en su desamparo de pueblerina. Parduzca, amarrada con cuerdas, siendo, a mi lado, el centro de aquella extraña reunión» (pág.75). La presencia de la maleta abre y cierra el relato, como la mirada de Andrea a los balcones de la casa. Y además la muchacha la mira como si tuviera vida propia; es lo que va a hacer con el mundo de la casa de la calle Aribau en su relato: centrar su mirada en él y adoptar el papel de observadora.

Cuando hace un primer balance de su vida en Barcelona, al comienzo del capítulo IV, justo antes de caer enferma, ve acumulados días sin importancia, días inútiles:

> ¡Cuántos días inútiles! Días llenos de historias, demasiadas historias turbias. Historias incompletas, apenas iniciadas e hinchadas ya como una vieja madera a la intemperie. Historias demasiado oscuras para mí. Su olor, que era el podrido olor de mi casa, me causaba cierta náusea... Y sin embargo, habían llegado a constituir el único interés de mi vida. Poco a poco me había ido quedando ante mis propios ojos en un segundo plano de la realidad, abiertos mis sentidos sólo para la vida que bullía en el piso de la calle de Aribau. Me acostumbraba a olvidarme de mi aspecto y de mis sueños. Iba dejando de tener importancia el olor de los meses, las visiones del porvenir y se iba agigantando cada gesto de Gloria, cada palabra oculta, cada reticencia de Román. El resultado parecía ser aquella inesperada tristeza (págs. 97-98).

Ese segundo plano de la realidad en la que se sitúa, a pesar de ser ella la protagonista y la narradora, da a NADA parte de su singularidad.

LA MIRADA A LOS OTROS Y EL OLVIDO DE SÍ [37]

Andrea se queda ahí, en el fondo del escenario, porque aparentemente a ella nada le sucede. Cuando vamos conociendo a los personajes uno a uno —a su familia—, después de verlos juntos en la imagen expresionista, goyesca, del primer capítulo, después del descubrimiento de sus figuras en el claroscuro del pasillo de la casa, Andrea escucha más que habla. No retrata, deja que ellos lo hagan con sus palabras, sus gestos. Cuando Gloria le pregunta, como hace a menudo, «¿Qué opinas de mí?», es ella misma quien se contesta. Y comenta Andrea: «A mí me gustaba hablar con ella porque no hacía falta contestarle nunca» (pág. 90).

Andrea, la narradora, es como personaje un ser silencioso. Angustias intenta —en su deseo de controlarla y dominarla— saber adónde va. Y Andrea le contesta —y no le miente—: «Pues a ningún sitio concreto. Me gusta ver las calles. Ver la ciudad...» (pág. 109).

Nada dice, o casi nada, de su vida anterior, de su infancia. Sabemos de su orfandad, de que llevaba dos años viviendo en casa de su prima Isabel (familiar de su padre), que fumaba sólo como rebeldía para que ésta decidiera que debía irse a estudiar fuera, y poco más. Isabel criaba cerdos, y lo dice Andrea al asociar los ojos de don Jerónimo, el jefe de Angustias, con los de esos animales: «Sus ojos oscuros, casi sin blanco, me recordaron a los de los cerdos que criaba Isabel en el pueblo» (pág. 128).

El nombre de su madre, Amalia, está escrito detrás de una de las fotografías que guardaba la abuela, totalmente desordenadas, en un cajón. La abuela, perdida en su olvido, se pre-

---

[37] Así titulé la ponencia con la que participé en el XIII Congreso de Literatura española contemporánea de la Universidad de Málaga (noviembre de 1999), publicado en *Escribir mujer. Narradoras españolas hoy,* edición dirigida por Cristóbal Cuevas y coordinada por Enrique Baena, Universidad de Málaga, 2000, págs. 57-69. La reelaboro en este apartado.

gunta: «¿Quién es esta niña tan gorda?», y la fecha antigua y el nombre permiten a Andrea decirle: «Es mi madre cuando pequeña, abuela» (pág. 131). En un expresivo *ubi sunt,* forma que adopta la reflexión de la joven al hilo de su última charla con Angustias, se pregunta «¿Dónde se han ido las hijas pudibundas, cargadas con enormes sombreros, que al pisar —custodiadas por su padre— la acera de la alegre y un poco revuelta calle de Aribau, donde vivían, bajaban los ojos para mirar a escondidas a los transeúntes?», y recuerda, estremecida, «que una de ellas había muerto y que su larga trenza de pelo negro estaba guardada en un viejo armario de pueblo muy lejos de allí» (pág. 145). Nada más.

Su pasado es como esos tesoros que guarda en su maleta y de los que hace recuento: libros de la biblioteca de su padre, «amarillos y mohosos» y «una cajita de hoja de lata» con fotografías viejas, las alianzas de sus padres y una medalla de plata con la fecha de su nacimiento, que no dice (pág. 119). Su única riqueza —«un pañuelo de magnífico encaje antiguo» que su abuela le mandó el día de su primera comunión— se la regala a Ena; y ese acto desencadena una de las pequeñas tragedias cotidianas de los seres que habitan ese espacio de aire estancado y podrido. Convierten «sucesos más nimios» —y tomo el término de Andrea (pág. 118)— en centro de escenas trágicas, como suele ocurrir.

NADA no es una suma de esas confidencias que Andrea señalaba como típicamente femeninas, no detalla paso a paso sus vivencias, no las mezcla con sus recuerdos infantiles, no desmenuza su alma, ni cuenta sus proyectos. Es decir, el relato abre un horizonte de expectativas —que su propio personaje corrobora— que no se realiza. Cuando empieza a hablar con Ena, mientras la escucha, piensa en el día en que le contaría «aquella vida oscura» de su casa (pág. 112); la ve incluso, al pasar a ser teóricamente tema de discusión, «cargada de romanticismo». Pero renuncia a hacerlo, prefiere escuchar la charla de su amiga, «con una sensación —añade— como de espera». Lo curioso es que transmite al lector esa sensación «de espera» hasta que se deshace a jirones al final sin que haya sucedido nada. En *A Room of One's Own* (1929), Virginia Woolf ya dijo de la narración femenina, que habitualmente se había asociado a la confidencia: «El impulso hacia la autobiografía quizá ya se haya consumido. Quizá ahora la mujer está empezando a utilizar la escritura como un arte, no como un medio de autoexpresión»[38]. Así sucede plenamente en NADA.

Andrea no se convierte a sí misma en el centro de su relato, es sobre todo la mirada, la voz que hace que exista ese mundo de la casa de la calle de Aribau. Se ve muy pocas veces en el espejo de su palabra, y lo hace siempre negativamente. Se siente mal vestida, «trascendiendo a lejía y áspero jabón de cocina junto al bien cortado traje de Ena y al suave perfume de su cabello»[39] (pág. 113); y cuando se está arreglando para ir a la fiesta de Pons: «con las manos un poco temblorosas trataba de peinarme con esmero y de que apareciera bonito mi traje menos viejo, cuidadosamente planchado para la fiesta» (pág. 238). La mirada de la madre de Pons «dirigida a [sus] viejos zapatos» acaba con su papel no iniciado aún de princesa y la relega a lo que es, una pobre cenicienta a la que ningún hada madrina ha podido cambiar sus viejos zapatos por otros de cristal[40].

Serán los demás personajes quienes darán de vez en cuando una pincelada al retrato borroso de Andrea. «Se parece a su madre en los ojos y en lo alta y delgada que es», dirá don Jerónimo (pág. 128). Y Román: «Se te ven brillar los ojos grises como a un gato» (pág. 132).

Al comienzo, ella nos ofrece de sí misma sólo contornos, posiciones que reflejan su estado de ánimo. Después de la mí-

---

[38] Virginia Woolf, *Una habitación propia,* traducción de Laura Pujol, Barcelona, Seix Barral, 1995, pág. 110.

[39] Su amiga tiene la función de la antagonista, pero paradójicamente tiene los rasgos positivos que definen a la protagonista tópica: guapa, rica, inteligente e incluso algo maliciosa.

[40] No es posible ya devolver a esos zapatos la piel fina que le dio su creador y que la tradición oral cambió en un absurdo, pero atractivísimo, cristal.

nima tragedia de Navidad en torno al pañuelo, interpretada
por todos, no habla de su soledad, sólo dice: «Terminé el día
de Navidad en mi cuarto, entre aquella fantasía de muebles en
el crepúsculo. Yo estaba sentada sobre la cama turca, envuelta
en la manta, con la cabeza apoyada sobre las rodillas dobladas» (pág. 126). Y en seguida se imagina a tía Angustias, también en la cama, y a Román, tendido fumando. Cierra la imagen de la incomunicación con una reflexión que los une: «Y
los tres pensábamos en nosotros mismos sin salir de los límites estrechos de aquella vida» (pág. 126). Nos da así su imagen ocupando esta vez un lugar semejante al de los otros dos
personajes; en cambio, casi nunca se apoderará del centro en
su relato.

Cuando Angustias le sermonea, Andrea se aburre, echa un
vistazo al reloj, e incluso se mira en el espejo «de refilón» y ve
«la imagen de mis dieciocho años áridos, encerrados en una
figura alargada» junto a «la bella y torneada mano de Angustias crispándose en el respaldo de una silla». Y es la mano la
que ocupa su mirada, «una mano blanca, de palma abultada y
suave» (pág. 147). Su imagen desaparece cuando sus ojos encuentran su antítesis, la torneada mano de Angustias.

El anuncio del traslado a Madrid que el padre de Ena hace
a su mujer, Margarita, delante de las dos jóvenes, preocupa a
una Ena enamorada de Jaime, y alarma a Andrea al recor-
darlo: «Entre mis sábanas, en la calle de Aribau, yo evocaba
esta conversación con todos sus detalles y me sacudió la
alarma a la idea de separarme de mi amiga cuando me había encariñado con ella» (pág. 161). Luego pasa fugazmente a men-
cionar su estado de duermevela, donde sustituyen a los temores «vagas imágenes de calles libres en la noche»: la ciudad
convertida en sí misma con sus sueños de libertad. Pero lo
que agita sus ensoñaciones son los ojos de la madre de Ena,
su «extraña mirada de angustia y temor» con que la había
despedido. Y se unen en sus palabras tres elementos constantes en el relato: su trabada estructura (nos está anunciando lo
que después entenderemos al saber la historia de Margarita y

Román), la atmósfera a ratos inquietante que despierta la atención del lector y que a veces no se resolverá del todo —no se atarán todos los cabos porque en la vida tampoco acaba sabiéndose todo—, y, por último, la presencia constante del otro en el relato de Andrea.

Cuando sus dos mundos confluyen, Andrea manifiesta una de sus sensaciones más profundas con palabras ya citadas. La premonición que tiene anuncia la catástrofe. Siente que algo va mal; señala desde el conocimiento: «Aquél iba a ser un día de esos que en apariencia son iguales a los otros, inofensivos como todos, pero en los que, de pronto, una ligerísima raya hace torcerse el curso de nuestra vida en una época nueva» (pág. 176). Por primera vez un hombre la besará, y sólo sentirá —no le atraía nada— «una oleada de asco». Pero no es ese suceso que vive como protagonista el que justifica su ansiedad, su intuición. Es ante la larga mirada de Ena y Román cuando sus palabras cierran la unidad antes iniciada: «Entonces fue cuando tuve la sensación de que una raya, fina como un cabello, partía mi vida y, como a un vaso, la quebraba» (pág. 181). Se queda otra vez sin nada. Sin poder gozar del halo de felicidad, sin diccionarios para hacer las traducciones. Esas briznas de gozo se convierten en seguida en recuerdo, en pasado. Como dice Andrea —y cualquier lector puede identificarse con ella—, «alguna vez me aterraba pensar en cómo los elementos de mi vida aparecían y se disolvían para siempre apenas empezaba a considerarlos como inmutables» (pág. 184).

Tras esa primera pérdida, Andrea irá conquistando poco a poco su identidad a través de la expresión cada vez más intensa de sus pensamientos. Continuará la mirada a los otros, la reflexión sobre sus actos, pero se mezclarán con la introspección. Seguirán, sin embargo, actuando los demás. Cuando ella se apodere del espacio narrativo al querer desempeñar el papel de Cenicienta, el sueño se desvanecerá dejándole, junto al vacío, desencanto y dolor. En la misma fiesta se había visto en un espejo «blanca y gris, deslucida entre los alegres trajes de verano que me rodeaban» (pág. 241), como si la película de los demás fuera en color, y ella, un personaje de un film en blanco y negro.

Las pinceladas de su retrato siguen dándolas los demás. Pons hablará de su tez oscura, de sus ojos claros, de que no se pinta. Ena, de sus manos delgadas, de que parece trastornada a veces, y recuerda su andar torpe, abstraído, de sus primeros días en la Universidad, cuando aún no la conocía. Gloria se fijará en sus pies de Cristo —raros, flacos—, frente a los suyos, «blancos y pequeños, torneados e infantiles», que a Andrea le parecen como los de las musas (pág. 265). Los pocos recuerdos de su infancia que cuenta los asocia a esas vivencias a través de los otros. Siguiendo a Juan en su peregrinación enloquecida por el barrio chino, la gente grotesca que ve le lleva al «recuerdo vivísimo de un carnaval que había visto cuando pequeña» (pág. 204). Todos le parecen disfrazados, «como aquel día en que, encogida junto a la falda de mi madre, escuché las carcajadas y las ridículas contorsiones de las máscaras» (págs. 204-205).

Su único traje de baño, azul, le sirve para la tarea de limpieza a fondo de su cuarto en su lucha contra las chinches; era el mismo que llevó en sus excursiones a la playa con Ena y Jaime, y también el que vistió para bañarse en el río del pueblo el verano anterior: «El río aquel, que junto a la huerta de mi prima pasaba profundo, doblándose en deliciosos recodos, con las orillas llenas de juncos y de fango...» (pág. 222). Tres vivencias unidas por el lazo del mismo traje de baño; tres tiempos enlazados, y uno de ellos pertenece al blanco anterior al libro, al pasado no contado.

El mundo extraño de la casa de la calle de Aribau se irá vaciando lentamente de sus personajes: primero Angustias, luego Román y Antonia y el perro. Ena y su entorno se alejarán, y Pons; el curso se acabará. Ese curso vivido a través de los diccionarios de griego y de latín, de la biblioteca, del bar, del sol del jardín, de la reja, del claustro de piedra de la Universidad y poca cosa más. Y Andrea lentamente se irá acercando al espejo, a la autorreflexión. Lo que suponía el lector que iba a encontrar en la novela empieza a aparecer sólo en el último tercio de la obra. La perspectiva femenina no se encuentra, pues, en la confesión, porque NADA no responde a ese género, sino en el análisis de la condición humana.

Tras la expulsión de un mundo no codiciado que supone la imposibilidad de un sueño, que, por otra parte, tampoco es suyo (no había príncipe azul, sino un jovencito delgado y tímido que no le atraía), cobra conciencia de su papel existencial. «Unos seres nacen para vivir, otros para trabajar, otros para mirar la vida. Yo tenía un pequeño y ruin papel de espectadora. Imposible salirme de él. Imposible libertarme» (pág. 246). El eco de los otros se apodera continuamente de su oído; sus imágenes pueblan su horizonte. Vivir para ella había consistido en «escuchar venenos y torpezas de los otros» (pág. 239). Y gracias a ese papel «ruin» —como ella le llama—, NADA se convierte en un relato sorprendente, insólito, con esa inadecuación entre su horizonte de expectativas y su esencia. El sentimentalismo subjetivo del relato de una adolescente llega al final a ráfagas y lo hace por su estado físico, por su debilidad: apenas come. Pero son ya las últimas páginas de la obra. Oímos su voz así:

> Cada día mi cabeza se volvía más débil y me sentía reblandecida, con los ojos húmedos por cualquier cosa. La dicha ésta, tan sencilla, de estar tumbada bajo un cielo sin nubes junto a mis amigos, que me parecía perfecta, se me escapaba a veces en una vaguedad de imaginación parecida al sueño. Lejanías azules zumbaban en mi cráneo con ruido de moscardón, haciéndome cerrar los ojos. Entre las ramas de los algarrobos veía yo, al abrir los párpados, el firmamento cálido, cargado de chirridos de pájaros (pág. 283).

Sólo falta la llegada de la carta liberadora para bajar el telón; la maleta atada con cuerdas, la mirada a la fachada de la casa; y la calle de Aribau y Barcelona quedan detrás de la figura de esa Andrea inolvidable.

Tras ella quedan también los personajes que ha visto vivir, gritar, sufrir, destruirse. Y ahí, en la elección del reparto, sí está la mano femenina: son mucho más interesantes las mujeres, como he indicado.

Carmen Laforet —que negó siempre el carácter autobiográfico de NADA— contó a Geraldine C. Nichols, muchos años después, el proceso de elaboración del narrador:

> Decidí hacer una voz que contase, pero bueno, la voz tenía que tener dieciocho años porque era la edad en que yo había visto todas aquellas cosas, y no estaba nada segura ni podía juzgar el que una persona mayor no se diera cuenta de otra manera de las cosas. Entonces creé el personaje de Andrea, pensando en una chica de dieciocho años que hubiera estado encerrada así, sin los horizontes, la diversión enorme, y el carácter tan alegre que yo tenía. Por eso creo que *Nada* fue más universal; no era el retrato de una chica, sino el hacer pasar una persona joven por un ambiente muy particular y liberarse de ese ambiente, y querer encontrar algo, como quiere encontrar cada persona en la adolescencia. Y no llevarse nada de él, decir: «No, esto no es. Ha pasado. Pues, mejor»[41].

Pero frente a estas palabras, se oyen también las de uno de sus entes de ficción, de Román, diciéndole a Andrea: «Cuando vivas más tiempo aquí, esta casa y su olor, y sus cosas viejas, si eres como yo, te agarrarán la vida» (pág. 136).

Andrea se olvida de sí y se entrega en su mirada al otro; «me olvidé de mí y al fin encontré la paz» dice al empezar a escuchar la confesión de la madre de Ena (pág. 249). Oye el curso del turbio río de la vida desde la orilla, se tapa a veces la cara para que no le dé en los ojos la belleza «demasiado grande y demasiado incomprensible»; así lo que nos cuenta tiene los contornos difuminados, como en un cuadro de Rothko.

---

[41]   G. C. Nichols, *Escribir, espacio propio: Laforet, Matute, Moix, Tusquets, Riera y Roig por sí mismas*, Minneapolis, Institute for the Study of Ideologies and Literature, 1989, pág. 139.

Cada lectura nos ofrece nuevos matices en lo que intuye, en lo que no quiere o no puede ver del todo, cogida en esas «minúsculas raíces de lo cotidiano».

NADA, UNA NOVELA IMPRESIONISTA

Un cuadro de Édouard Vuillard, «La cortina amarilla», recoge el momento en que una mujer corre una cortina y descubre una pared con un espejo. En NADA ocurre algo semejante. Al comenzar a leer la novela, Andrea corre la cortina sobre un escenario que se anuncia como mágico: Barcelona; pero en seguida se advierte que no estamos asomados a una ventana sobre el mundo, sino a un espejo sobre la vida —sobre la imitación de la vida—, un trozo de vida estancada, sin aire, con gritos, con suciedad: un gusto amargo, un olor malo, una rara luz, un tono desacorde...

Y en ese espejo se ve además sólo algo de la hondura de un río turbio de pasiones que fluye más allá. Lo dice la muchacha que corre la cortina: «De todas maneras, yo misma, Andrea, estaba viviendo entre las sombras y las pasiones que me rodeaban. A veces llegaba a dudarlo» (pág. 237).

Pero aún hay mucho más: la mirada de la observadora, de Andrea. Son las únicas memorias en donde la protagonista no habla esencialmente de ella, en las que se deja un papel de observadora; a ella no le queda nada, sólo la niebla de la vida cotidiana. Pero es ella la que crea el relato a partir de sus sensaciones, de sus impresiones. Decía ya en 1967 Antonio Vilanova:

> Frente a la representación puramente aparencial del comportamiento humano, enfocado desde un punto de vista despersonalizado y objetivo, que años más tarde acabará por imponerse en el campo de nuestra creación novelesca, la rememoración intimista y subjetiva de la joven Andrea nos da una visión extremadamente matizada y compleja de la rea-

lidad. Se trata, claro está, de una visión personal e introspectiva, refractada por el temperamento y la sensibilidad de la heroína, y en muchos casos deformada por las vanas ilusiones que interpone entre el deseo y la realidad el vuelo de su fantasía[42].

Las cosas no llegan al lector como son, sino como parecen, como le parecen... a la narradora. Uno de los verbos más repetidos en el texto es «parecer»; y sintagmas como *tener la impresión, tener la sensación* o similares. Y junto a esas formas léxicas, una figura retórica: la comparación (es continua la presencia de «como», de «como si»). No hay más que pasar las páginas de la obra, desde su mismo comienzo:

> Era la primera vez que viajaba sola, pero no estaba asustada; por el contrario, *me parecía* una aventura agradable y excitante aquella profunda libertad en la noche. […] El olor especial, el gran rumor de la gente, las luces siempre tristes, *tenían para mí* un gran encanto, ya que envolvían todas *mis impresiones* en la maravilla de haber llegado por fin a una ciudad grande, adorada en mis ensueños por desconocida […] Un aire marino, pesado y fresco, entró en mis pulmones con la *primera sensación* confusa de la ciudad: una masa de casas dormidas; de establecimientos cerrados; de faroles *como* centinelas borrachos de soledad […] Debía *parecer* una figura extraña con mi aspecto risueño y mi viejo abrigo que, a impulsos de la brisa, me azotaba las piernas […] en un viaje que *me pareció* corto y que *para mí* se cargaba de belleza […] El coche dio la vuelta a la plaza de la Universidad y recuerdo que el bello edificio me conmovió *como* un

---

[42]   Antonio Vilanova, «Carmen Laforet y la toma de conciencia de la juventud española de la posguerra», en *Novela y sociedad en la España de la posguerra,* Barcelona, Lumen, 1995, pág. 180. Y Domingo Ródenas dice: «Como narradora, Andrea es poco digna de crédito, y éste es uno de los aciertos de Carmen Laforet. La joven es impresionable e inestable, y esas condiciones de su carácter se trasladan a su ejercicio narrativo», «Noticia de Carmen Laforet y *Nada*», en su edición de la novela, Barcelona, Crítica, 2001, pág. 229.

grave saludo de bienvenida [...] Todo empezaba a ser *extraño* a mi imaginación [...] Luego *me pareció* todo una pesadilla (págs. 71-73).

Pero podemos ir a los últimos capítulos para comprobar que sigue sucediendo lo mismo:

Un espeso y maloliente calor lo envolvió todo, y yo empecé a perder el sentido del tiempo. Horas o días resultaban lo mismo. Días o noches *parecían* iguales [...] Detalles que yo oía *como a través de una niebla. (Me parecía* que iba perdiendo la facultad de ver bien. Que los contornos de las cosas se me difuminaban). [...] Recordando su música, aquella música desesperada que a mí me gustaba tanto oír y que al final *me daba la impresión* exacta del acabamiento, del deshacerse en la muerte, me sentía emocionada algunas veces. [...] *Me pareció* consolador aquel trastorno mental que se traslucía en sus palabras. [...] No sé cuántas horas estuve sin dormir, con los ojos abiertos y resecos recogiendo todos los dolores que pululaban, vivos *como* gusanos, en las entrañas de la casa. [...] Cuando volví a darme cuenta de que vivía, *tuve la sensación* de que acababa de subir desde el fondo de algún hondísimo pozo, del que conservaba la cavernosa *sensación* de unos ecos en la oscuridad (págs. 290-292).

Las comparaciones abren además espacios de prosa poética que se amoldan perfectamente al conjunto porque son verosímiles; plasman esas sensaciones de una adolescente, pero lo hacen con sorprendente y original belleza. Ve una noche, unas noches, así:

La noche se presentaba espléndida, con su aliento tibio y rosado *como* la sangre de una vena, abierta dulcemente sobre la calle (pág. 220).

Aquellas noches que corrían *como* un río negro, bajo los puentes de los días, y en las que los olores estancados despedían un vaho de fantasmas (pág. 236).

O unas nubes, de madrugada: «Ya de madrugada, un cortejo de nubarrones oscuros *como* larguísimos dedos empezaron a flotar en el cielo. Al fin, ahogaron la luna» (pág. 260).

Otras veces son los sonidos los que adquieren forma. Ve lo que oye —lo que dicen los demás— en original sinestesia:

> Luego los cerraba y dejaba que desbordase aquel tumultuoso decir *como* un agua que rompe los diques y lo arrastra todo (pág. 252).
>
> Me asusté y me encontré con que la gente volvía a gritar a mi alrededor *(como* la ola, que, parada —negra— un momento, choca contra el acantilado y revienta en fragor y espuma) (págs. 258-259).

O da forma a desengaños, a sentimientos, a impresiones:

> También *a mí me parecía* desbordar —como desbordaban las lilas, las buganvillas, las madreselvas, por encima de las tapias (pág. 234).
>
> Parecía *como si* un montón de estampas que me hubiera entretenido en colocar en forma de castillo cayeran de un soplo como en un juego de niños (pág. 243).
>
> Mi alma crujía por dentro *como* un papel arrugado (pág. 259).
>
> Advertía una sonrisa tan dulce en los ojos claros, al mirarme, que me conmovía *como si* me agarrasen las raíces del espíritu hasta entrarme ganas de llorar (pág. 267).
>
> *Parecía que* me hubiera muerto siglos atrás y que todo mi cuerpo deshecho en polvo minúsculo estuviera dispersado por mares y montañas amplísimas, tan desparramada, ligera y vaga *sensación* de mi carne y mis huesos sentía... (pág. 283).

Precisamente Carmen Laforet, en sus apuntes autobiográficos, habla de la sensualidad que asocia a sus años paralelos a los de Andrea:

> Yo era una chiquilla sensual en el placer que me daba simplemente estar viva, recibir el sol o la lluvia, nadar en el

mar, etc. Cualquier fenómeno natural —una tormenta o un amanecer, etc.— me resultaba un espectáculo increíble[43].

Y vincula a dos de sus obras la expresión de sus sensaciones:

No he vuelto a leer desde hace mil años *La isla y los demonios,* pero tengo idea de que copié allí algunos trozos poéticos que escribí a los dieciséis años. Creo que son muy malos, pero pensé meterlos porque en el libro hay una chica de dieciséis años que sin ser yo en algunos aspectos es mi CONTRAFIGURA en aquella edad... (lo mismo que sucede con Andrea en *Nada)*[44].

En NADA no hay nada sobrepuesto. Se funden esos espacios líricos con la mirada a la cotidianeidad anodina que vive Andrea o al río turbio de pasiones cuyo eco resuena en el espacio cerrado donde la vida se estanca. Y ocurre porque su relato es impresionista; cuenta sus sensaciones, sus impresiones, y el lector, como hace ante un cuadro impresionista, recompone con su mirada las pinceladas que están en el cuadro:

---

[43]   «La memoria inédita de Carmen Laforet», editado por Agustín Cerezales, *El Cultural* de *El Mundo,* 11-17 de marzo de 2004, pág. 9. Confiesa también el interés que le despertaban las historias amorosas de los demás: «El curso escolar 1938-1939 fue el último de mi Bachillerato y coincidió en su final con el final de la guerra civil. Cada vez era yo más feliz, más llena de amistad, de emoción con los asuntos amorosos de mis amigas (siempre me han interesado muchísimo las historias de amor de los demás, no como chisme, sino como enriquecimiento mío) y mi libertad sobre el fondo oscuro de tormenta de rayos y truenos de mi casa familiar», pág. 9.

[44]   «La memoria inédita de Carmen Laforet», pág. 9. Una pincelada de la vida de sus abuelos es común a otra de los de Andrea: «Mis abuelos paternos, por lo tanto, eran sevillanos, pero poco después de su matrimonio y por la plaza obtenida por oposición de mi abuelo en el Instituto Balmes de Barcelona, se trasladaron a esa ciudad, *tuvieron muchos hijos barceloneses* y vivieron allí hasta su muerte»; y en *Nada:* «Aunque no eran muy jóvenes, *tuvieron muchos niños, como en los* cuentos», pág. 79. Y al recordar a su madre —se casa cuando «aún no había cumplido los dieciocho años»—, dice: «era pequeña y delgada y muy fina y bonita de cara», pág. 8. También era «pequeñita» la madre de Ena, pág. 159.

> Las cosas que decíamos no me importaban. Me impor-
> taba la confortadora *sensación* de compañía, de consuelo,
> que estaba *sintiendo como* un baño de aceite sobre mi alma
> (pág. 275).

Jeffrey Bruner había señalado ya la técnica impresionista de algunas escenas, frente a la expresionista de otros muchos pasajes[45]. Y así es. Pero incluso cuando Andrea utiliza la paleta de tonos negros, las líneas exageradas, lo grotesco, está pintando sus sensaciones, sus impresiones. Se pueden ver, por tanto, las dos acepciones del adjetivo «impresionista» en el relato de la joven: sigue este sistema pictórico en muchos pasajes; pero además el espejo que nos deja ver ella, cuando corre la cortina de ese año de su vida, refleja la realidad a partir de sus impresiones, de sus sensaciones, de una mirada distorsionada por sus sentimientos. Es su visión personal «refractada por su temperamento y sensibilidad», en palabras de Antonio Vilanova, ya citadas[46]; y además se plasma así en el lenguaje, en la forma de expresión: la narradora muestra su procedimiento y lo hace con esos recursos que he ido indicando:

> No me podía dormir. *Encontraba idiota* sentir otra vez
> aquella ansiosa expectación que un año antes, en el pueblo,
> me hacía saltar de la cama cada media hora, temiendo perder
> el tren de las seis, y no podía evitarla. No tenía ahora las mis-
> mas ilusiones, pero aquella partida me emocionaba como una

---

[45] «The influence of Impressionism is evident where Andrea describes her immediate perception of her surroundings. [...] *Nada* is likewise full of expressionistic imagery». Y añade más adelante: «In addition to the influence of Impressionism and Expresssionism (along with its possible relationship to El Greco), *Nada* exhibits direct intertextuality with certain works by Goya», y citará los *Caprichos* y *Los desastres de la guerra*, «Visual Art as Narrative Discourse: the Ekphrastic Dimension of Carmen Laforet's *Nada*», págs. 250-254. Domingo Ródenas insistirá en este último aspecto.

[46] «Carmen Laforet y la toma de conciencia de la juventud española de la posguerra», *op. cit.*, pág. 180.

> liberación. […] La casa entera *parecía* silenciosa y dormida
> bajo la luz grisácea que entraba por los balcones. […] De la
> casa de la calle de Aribau no me llevaba nada. Al menos, *así*
> *creía yo entonces* (págs. 302-303).

Está ansiosa y, al mismo tiempo, *juzga* que es idiota estarlo;
la casa *parece* silenciosa y dormida, y Andrea *cree* que no se
lleva nada de la calle Aribau, lo cree entonces… En ese momento esencial para el relato, la narradora interpone también
su juicio en el tiempo de la escritura, añadiendo una opinión
distinta a la que tenía cuando lo vivió, pero no la precisa: son
sensaciones, impresiones, que se ofrecen con una vaguedad
inasible.

El espejo de Andrea es cristal de aire en mil hojas, y tal vez
por ello aparezcan nuevos matices a cada lectura de NADA.

ROSA NAVARRO DURÁN

BIBLIOGRAFÍA SELECTA

BRUNER, Jeffrey, «Visual Art as Narrative Discourse: The Ekphrastic Dimension of Carmen Laforet's *Nada*», *Anales de Literatura Española Contemporánea*, 18 (1993), págs. 246-260.
Sugestivo análisis de la capacidad descriptiva, del arte de visualizar (con pinceladas goyescas, expresionistas) de la novelista en *Nada*.

CEREZALES, Agustín, *Carmen Laforet*, Ministerio de Cultura, Madrid, 1982.
Inteligente e interesante biografía.

—, «La memoria inédita de Carmen Laforet», *El Cultural* de *El Mundo*, 11-17 de marzo de 2004, págs. 6-9.
Agustín Cerezales escoge fragmentos de notas escritas por Carmen Laforet, su madre, con recuerdos de infancia y juventud. Dice el editor: «Son textos escritos en los años ochenta, sin pretensión literaria, cuando ella ya había abandonado la escritura profesional. Nos asoman al paisaje íntimo de su memoria, y permiten atisbar algunos aspectos de su personalidad». Son unas pocas páginas sumamente interesantes.

—, «*Nada*», *ABC literario*, núm. 167, 13 de enero de 1995.
Apasionada y justa defensa del carácter inmarcesible de la obra.

CRESPO MATELLÁN, Salvador, «Aproximación al concepto de personaje novelesco: los personajes en *Nada*, de Carmen Laforet», *Anuario de Estudios Filológicos*, Universidad de Extremadura, XI (1988), págs. 131-148.
Interesante estudio de los personajes.

DELIBES, Miguel, «Una relectura de *Nada*», en *Pegar la hebra*, Barcelona, Destino, 1990, págs. 203-216.
Texto fundamental para el análisis de la obra, para captar su anhelo renovador.

EL SAFFAR, Ruth, «Structural and Thematic Factics of Suppression in Carmen Laforet's *Nada*», *Symposium*, University of Syracusa, XXVIII (1974), págs. 119-129.
Análisis de uno de los rasgos esenciales de la técnica narrativa de *Nada*.

FOSTER, David W., «*Nada*, de Carmen Laforet, ejemplo de neorromance en la novela contemporánea», *Revista Hispánica Moderna*, XXXII (1966), págs. 43-55.
Discutible, pero interesante, clasificación de la obra.

ILLANES ADARO, Graciela, *La novelística de Carmen Laforet*, Madrid, Gredos, 1971.
Análisis muy superficial de la obra de Carmen Laforet.

JIMÉNEZ, Juan Ramón, «A Carmen Laforet», en *Cartas literarias*, edic. de Francisco Garfias, Barcelona, Bruguera, 1977, págs. 104-107.
Carta del poeta a la novelista en la que le cuenta sus impresiones de lectura de *Nada*. Muy sugestiva.

JORDAN, Barry, *Laforet: Nada*, London, Grant and Cutler, 1993.
El autor, que había escrito antes cuatro artículos sobre la novela, sintetiza gran cantidad de datos en esta guía de lectura de la obra.

LAFORET, Carmen, *Mis páginas mejores*, Madrid, Gredos, Antología Hispánica, 1956.
Indispensables pinceladas autobiográficas.

—, «Barcelona, fantasma juvenil», *El País*, 27 de marzo de 1983.
Ensayo muy bello sobre la presencia de Barcelona en su novela.

—, *Nada*, edición de Domingo Ródenas de Moya, Barcelona, Crítica, 2001.

Además de las notas (pocas y sin aclaraciones sustanciales porque, en efecto, la novela no las requiere), el editor escribe una «Noticia de Carmen Laforet y *Nada*». Habla brevemente de la autora, de la obra (estructura y técnica narrativa, contenido ideológico, estilo, influencia), del texto y de la crítica. Siguiendo a Bruner, destaca el expresionismo de algunos pasajes y señala la referencia constante de las *Pinturas negras* de Goya —en especial *Los caprichos*— a lo largo de la novela.

LAFORET, Carmen / SENDER, Ramón J., *Puedo contar contigo: correspondencia,* ed. de Cristina Cerezales, Barcelona, Destino, 2003.
Interesante correspondencia entre los dos escritores editada por la hija de la novelista.

MARCO, Joaquín, Epílogo a *Nada,* Barcelona, Círculo de Lectores, 1994, págs. 337-349.
Estudio inteligente y claro de la importancia histórica de *Nada* y de su valoración.

MARTÍN GAITE, Carmen, «La chica rara», *Desde la ventana,* Madrid, Espasa Calpe, colección Austral, 1993, págs. 101-102.
Agudo y sensible análisis de la protagonista. Indispensable para aprehender su belleza.

NICHOLS, Geraldine C., *Escribir, espacio propio: Laforet, Matute, Moix, Tusquets, Riera y Roig por sí mismas,* Minneapolis, Institute for the Study of Ideologies and Literature, 1989, págs. 127-145.
Entrevista a la escritora que contiene datos esenciales.

RODRÍGUEZ-FISCHER, Ana, «Dieciocho años áridos», *Cuadernos Cervantes,* 1 (marzo de 1995), págs. 76-77.
Inteligente subrayado de la mirada de Andrea, de su rebeldía.

SERVODIDIO, Mirella D'AMBROSIO, «Spatiality in *Nada»,* *Anales de Literatura Española Contemporánea,* 5 (1980), págs. 57-72.
Interesante análisis de la creación del espacio en la obra.

SOBEJANO, Gonzalo, *Novela española de nuestro tiempo,* Madrid, Prensa Española, 1970.
El desencanto como centro de la obra. Agudo análisis de *Nada* en su contexto.

VILANOVA, Antonio, «*Pascual Duarte y Nada:* del drama rural a la novela existencial», *El País,* 14 de marzo de 1985.
Inteligente análisis de lo que significó la aparición de las dos novelas. El autor contrapone con maestría los distintos espacios novelescos creados.

—, «Carmen Laforet y la toma de conciencia de la juventud española de la posguerra», en *Novela y sociedad en la España de la posguerra,* Barcelona, Lumen, 1995, págs. 175-185.
Artículo publicado en 1967 en la revista *Destino,* que queda perfectamente inserto en la estructura del libro, donde el inteligente y sensible crítico ofrece un panorama de la novela española de la posguerra. Muy sugestivo, señala el descubrimiento de Carmen Laforet de «las infinitas posibilidades novelescas de la vida cotidiana y vulgar en el seno de una familia de la clase media», al mismo tiempo que indica cómo esta novela psicológica «refleja por primera vez entre nosotros el abandono y la soledad de un alma juvenil frente al mundo que la rodea».

YNDURÁIN, Francisco, «El problema del enfoque», *El País,* 25 de noviembre de 1984, pág. 8.
Discutible crítica al enfoque narrativo de la obra.

ESTA EDICIÓN

La presente edición de NADA aspira a reproducir con plena comodidad para el lector las principales características de la primera impresión (Destino, Barcelona, mayo de 1945). A tal efecto, se ha tenido interés en respetar algunos rasgos de su tipografía —planteada siguiendo probablemente indicaciones de la autora o particularidades del original mecanografiado, aunque no bajo la supervisión personal y directa de Carmen Laforet— y se han corregido sus erratas. Para ello también se han tenido a la vista las más solventes ediciones, en especial la de Rosa Navarro Durán (Destino, Barcelona, 2000; Colección Clásicos Comentados, 2, y Espasa Calpe, Madrid, 2006) y la de Domingo Ródenas (Crítica, Barcelona, 2000).

Una de las características más señaladas de la primera edición de NADA es la singular puntuación de sus períodos, que pretende a menudo comunicar un tono oral y quebrado, en ocasiones colorista y familiar, probablemente muy querido por la autora. Esa puntuación, sin embargo, en ocasiones limita con lo establecido por las normas académicas, a veces con el mínimo exigible a la prosa correcta e incluso llega a violentar la inteligibilidad. Esa puntuación se ha entrelazado con una multitud de mínimas, pero molestas, erratas y con los traspiés del cajista en la economía de la puntuación y en el uso de otros signos diacríticos, como los puntos suspensivos o el guión. La presente edición se hace cargo decididamente de la mayor parte de esa puntuación y de sus características tipográficas, y resuelve en favor de los giros originales los perfiles más llamativos de la prosa de la autora en todas aquellas situaciones en que la solución aportada no resulta violenta para el lector actual. En los casos inevitablemente necesitados de retoque se ha procurado respetar de forma escrupulosa la obra de Carmen Laforet, recabando el consenso de los estudios más solventes, las soluciones aportadas por las principales ediciones y las recomendaciones básicas de la bibliografía textual.

JORGE GARCÍA LÓPEZ

NADA

*A mis amigos Linka Babecka de
Borrell y el pintor Pedro Borrell*

NADA

(Fragmento)

A veces un gusto amargo,
Un olor malo, una rara
Luz, un tono desacorde,
Un contacto que desgana,
Como realidades fijas
Nuestros sentidos alcanzan
Y nos parece que son
La verdad no sospechada...

J. R. J.

PRIMERA PARTE

I

Por dificultades en el último momento para adquirir billetes, llegué a Barcelona a medianoche, en un tren distinto del que había anunciado, y no me esperaba nadie.

Era la primera vez que viajaba sola, pero no estaba asustada; por el contrario, me parecía una aventura agradable y excitante aquella profunda libertad en la noche. La sangre, después del viaje largo y cansado, me empezaba a circular en las piernas entumecidas y con una sonrisa de asombro miraba la gran Estación de Francia y los grupos que se formaban entre las personas que estaban aguardando el expreso y los que llegábamos con tres horas de retraso.

El olor especial, el gran rumor de la gente, las luces siempre tristes tenían para mí un gran encanto, ya que envolvía todas mis impresiones en la maravilla de haber llegado por fin a una ciudad grande, adorada en mis sueños por desconocida.

Empecé a seguir —una gota entre la corriente— el rumbo de la masa humana que, cargada de maletas, se volcaba en la salida. Mi equipaje era un maletón muy pesado —porque estaba casi lleno de libros— y lo llevaba yo misma con toda la fuerza de mi juventud y de mi ansiosa expectación.

Un aire marino, pesado y fresco, entró en mis pulmones con la primera sensación confusa de la ciudad: una masa de casas

dormidas; de establecimientos cerrados; de faroles como cen-
tinelas borrachos de soledad. Una respiración grande, dificul-
tosa, venía con el cuchicheo de la madrugada. Muy cerca, a mi
espalda, enfrente de las callejuelas misteriosas que conducen
al Borne, sobre mi corazón excitado, estaba el mar.

Debía parecer una figura extraña con mi aspecto risueño y
mi viejo abrigo que, a impulsos de la brisa, me azotaba las
piernas, defendiendo mi maleta, desconfiada de los obsequio-
sos «camàlics».

Recuerdo que, en pocos minutos, me quedé sola en la gran
acera, porque la gente corría a coger los escasos taxis o lu-
chaba por arracimarse en el tranvía.

Uno de esos viejos coches de caballos que han vuelto a sur-
gir después de la guerra se detuvo delante de mí y lo tomé sin
titubear, causando la envidia de un señor que se lanzaba detrás
de él desesperado, agitando el sombrero.

Corrí aquella noche en el desvencijado vehículo por anchas
calles vacías y atravesé el corazón de la ciudad lleno de luz a
toda hora, como yo quería que estuviese, en un viaje que me
pareció corto y que para mí se cargaba de belleza.

El coche dio la vuelta a la plaza de la Universidad y recuerdo que el bello edificio me conmovió como un grave saludo de bienvenida.

Enfilamos la calle de Aribau, donde vivían mis parientes,
con sus plátanos llenos aquel octubre de espeso verdor y su silencio vívido de la respiración de mil almas detrás de los balcones apagados. Las ruedas del coche levantaban una estela
de ruido, que repercutía en mi cerebro. De improviso sentí
crujir y balancearse todo el armatoste. Luego quedó inmóvil.

—Aquí es —dijo el cochero.

Levanté la cabeza hacia la casa frente a la cual estábamos.
Filas de balcones se sucedían iguales con su hierro oscuro,
guardando el secreto de las viviendas. Los miré y no pude adi-
vinar cuáles serían aquellos a los que en adelante yo me aso-
maría. Con la mano un poco temblorosa di unas monedas al
vigilante y cuando él cerró el portal detrás de mí, con gran

temblor de hierro y cristales, comencé a subir muy despacio la escalera, cargada con mi maleta.

Todo empezaba a ser extraño a mi imaginación; los estrechos y desgastados escalones de mosaico, iluminados por la luz eléctrica, no tenían cabida en mi recuerdo.

Ante la puerta del piso me acometió un súbito temor de despertar a aquellas personas desconocidas que eran para mí, al fin y al cabo, mis parientes y estuve un rato titubeando antes de iniciar una tímida llamada a la que nadie contestó. Se empezaron a apretar los latidos de mi corazón y oprimí de nuevo el timbre. Oí una voz temblona:

«¡Ya va! ¡Ya va!»

Unos pies arrastrándose y unas manos torpes descorriendo cerrojos.

Luego me pareció todo una pesadilla.

Lo que estaba delante de mí era un recibidor alumbrado por la única y débil bombilla que quedaba sujeta a uno de los brazos de la lámpara, magnífica y sucia de telarañas, que colgaba del techo. Un fondo oscuro de muebles colocados unos sobre otros como en las mudanzas. Y en primer término la mancha blanquinegra de una viejecita decrépita, en camisón, con una toquilla echada sobre los hombros. Quise pensar que me había equivocado de piso, pero aquella infeliz viejecilla conservaba una sonrisa de bondad tan dulce, que tuve la seguridad de que era mi abuela.

—¿Eres tú, Gloria? —dijo cuchicheando.

Yo negué con la cabeza, incapaz de hablar, pero ella no podía verme en la sombra.

—Pasa, pasa, hija mía. ¿Qué haces ahí? ¡Por Dios! ¡Que no se dé cuenta Angustias de que vuelves a estas horas!

Intrigada, arrastré la maleta y cerré la puerta detrás de mí. Entonces la pobre vieja empezó a balbucear algo, desconcertada.

—¿No me conoces, abuela? Soy Andrea.

—¿Andrea?

Vacilaba. Hacía esfuerzos por recordar. Aquello era lastimoso.

—Sí, querida, tu nieta... no pude llegar esta mañana como había escrito.

La anciana seguía sin comprender gran cosa, cuando de una de las puertas del recibidor salió en pijama un tipo descarnado y alto que se hizo cargo de la situación. Era uno de mis tíos, Juan. Tenía la cara llena de concavidades, como una calavera a la luz de la única bombilla de la lámpara.

En cuanto él me dio unos golpecitos en el hombro y me llamó sobrina, la abuelita me echó los brazos al cuello con los ojos claros llenos de lágrimas y dijo «pobrecita» muchas veces...

En toda aquella escena había algo angustioso, y en el piso un calor sofocante como si el aire estuviera estancado y podrido. Al levantar los ojos vi que habían aparecido varias mujeres fantasmales. Casi sentí erizarse mi piel al vislumbrar a una de ellas, vestida con un traje negro que tenía trazas de camisón de dormir. Todo en aquella mujer parecía horrible y desastrado, hasta la verdosa dentadura que me sonreía. La seguía un perro, que bostezaba ruidosamente, negro también el animal, como una prolongación de su luto. Luego me dijeron que era la criada, pero nunca otra criatura me ha producido impresión más desagradable.

Detrás de tío Juan había aparecido otra mujer flaca y joven con los cabellos revueltos, rojizos, sobre la aguda cara blanca y una languidez de sábana colgada, que aumentaba la penosa sensación del conjunto.

Yo estaba aún, sintiendo la cabeza de la abuela sobre mi hombro, apretada por su abrazo y todas aquellas figuras me parecían igualmente alargadas y sombrías. Alargadas, quietas y tristes, como luces de un velatorio de pueblo.

—Bueno, ya está bien, mamá, ya está bien —dijo una voz seca y como resentida.

Entonces supe que aún había otra mujer a mi espalda. Sentí una mano sobre mi hombro y otra en mi barbilla. Yo soy alta, pero mi tía Angustias lo era más y me obligó a mirarla así. Ella manifestó cierto desprecio en su gesto. Tenía los cabellos entrecanos que le bajaban a los hombros y cierta belleza en su cara oscura y estrecha.

—¡Vaya un plantón que me hiciste dar esta mañana, hija!...
¿Cómo me podía yo imaginar que ibas a llegar de madrugada?

Había soltado mi barbilla y estaba delante de mí con toda la altura de su camisón blanco y de su bata azul.

—Señor, Señor, ¡qué trastorno! Una criatura así, sola...

Oí gruñir a Juan.

—¡Ya está la bruja de Angustias estropeándolo todo!

Angustias aparentó no oírlo.

—Bueno, tú estarás cansada. Antonia —ahora se dirigía a la mujer enfundada de negro—, tiene usted que preparar una cama para la señorita.

Yo estaba cansada y, además, en aquel momento, me sentía espantosamente sucia. Aquellas gentes moviéndose o mirándome en un ambiente que la aglomeración de cosas ensombrecía, parecían haberme cargado con todo el calor y el hollín del viaje, del que antes me había olvidado. Además deseaba angustiosamente respirar un soplo de aire puro.

Observé que la mujer desgreñada me miraba sonriendo, abobada por el sueño, y miraba también mi maleta con la misma sonrisa. Me obligó a volver la vista en aquella dirección y mi compañera de viaje me pareció un poco conmovedora en su desamparo de pueblerina. Pardusca, amarrada con cuerdas, siendo, a mi lado, el centro de aquella extraña reunión.

Juan se acercó a mí:

—¿No conoces a mi mujer, Andrea?

Y empujó por los hombros a la mujer despeinada.

—Me llamo Gloria —dijo ella.

Vi que la abuelita nos estaba mirando con una ansiosa sonrisa.

—¡Bah, bah!... ¿qué es eso de daros la mano? Abrazaos, niñas... ¡así, así!

Gloria me susurró al oído:

—¿Tienes miedo?

Y entonces casi lo sentí, porque vi la cara de Juan que hacía muecas nerviosas mordiéndose las mejillas. Era que trataba de sonreír.

Volvió tía Angustias autoritaria.

—¡Vamos!, a dormir, que es tarde.

—Quisiera lavarme un poco —dije.

—¿Cómo? ¡Habla más fuerte! ¿Lavarte?

Los ojos se abrían asombrados sobre mí. Los ojos de Angustias y de todos los demás.

—Aquí no hay agua caliente —dijo al fin Angustias.

—No importa...

—¿Te atreverás a tomar una ducha a estas horas?

—Sí —dije—, sí.

¡Qué alivio el agua helada sobre mi cuerpo! ¡Qué alivio estar fuera de las miradas de aquellos seres originales! Pensé que allí, el cuarto de baño no se debía utilizar nunca. En el manchado espejo del lavabo —¡qué luces macilentas, verdosas, había en toda la casa!— se reflejaba el bajo techo cargado de telas de arañas, y mi propio cuerpo entre los hilos brillantes del agua, procurando no tocar aquellas paredes sucias, de puntillas sobre la roñosa bañera de porcelana.

Parecía una casa de brujas aquel cuarto de baño. Las paredes tiznadas conservaban la huella de manos ganchudas, de gritos de desesperanza. Por todas partes los desconchados abrían sus bocas desdentadas rezumantes de humedad. Sobre el espejo, porque no cabía en otro sitio, habían colocado un bodegón macabro de besugos pálidos y cebollas sobre fondo negro. La locura sonreía en los grifos torcidos.

Empecé a ver cosas extrañas como los que están borrachos. Bruscamente cerré la ducha, el cristalino y protector hechizo, y quedé sola entre la suciedad de las cosas.

No sé cómo pude llegar a dormir aquella noche. En la habitación que me habían destinado se veía un gran piano con las teclas al descubierto. Numerosas cornucopias —algunas de gran valor— en las paredes. Un escritorio chino, cuadros, muebles abigarrados. Parecía la guardilla de un palacio abandonado, y era, según supe, el salón de la casa.

En el centro, como un túmulo funerario rodeado por dolientes seres —aquella doble fila de sillones destripados—, una cama turca, cubierta por una manta negra, donde yo debía dormir. Sobre el piano habían colocado una vela, porque la gran lámpara del techo no tenía bombillas.

Angustias se despidió de mí haciendo en mi frente la señal de la cruz, y la abuela me abrazó con ternura. Sentí palpitar su corazón como un animalillo contra mi pecho.

—Si te despiertas asustada, llámame, hija mía —dijo con su vocecilla temblona.

Y luego, en un misterioso susurro a mi oído:

—Yo nunca duermo, hijita, siempre estoy haciendo algo en la casa por las noches. Nunca, nunca duermo.

Al fin se fueron dejándome con la sombra de los muebles que la luz de la vela hinchaba llenando de palpitaciones y profunda vida. El hedor que se advertía en toda la casa llegó en una ráfaga más fuerte. Era un olor a porquería de gato. Sentí que me ahogaba y trepé en peligroso alpinismo sobre el respaldo de un sillón, para abrir una puerta que aparecía entre cortinas de terciopelo y polvo. Pude lograr mi intento en la medida que los muebles lo permitían y vi que comunicaba con una de esas galerías abiertas que dan tanta luz a las casas barcelonesas. Tres estrellas temblaban en la suave negrura de arriba y al verlas tuve unas ganas súbitas de llorar, como si viera amigos antiguos, bruscamente recobrados.

Aquel iluminado palpitar de las estrellas me trajo en un tropel toda mi ilusión a través de Barcelona, hasta el momento de entrar en este ambiente de gentes y de muebles endiablados. Tenía miedo de meterme en aquella cama parecida a un ataúd. Creo que estuve temblando de indefinibles terrores cuando apagué la vela.

II

Al amanecer, las ropas de la cama, revueltas, estaban en el suelo. Tuve frío y las atraje sobre mi cuerpo.

Los primeros tranvías empezaban a cruzar la ciudad, y amortiguado por la casa cerrada, llegó hasta mí el tintineo de uno de ellos, como en aquel verano de mis siete años, cuando mi última visita a los abuelos. Inmediatamente tuve una percepción nebulosa, pero tan vívida y fresca como si me la trajera el olor de una fruta recién cogida, de lo que era Barcelona en mi recuerdo: este ruido de los primeros tranvías, cuando tía Angustias cruzaba ante mi camita improvisada para cerrar las persianas que dejaban pasar ya demasiada luz. O por las noches, cuando el calor no me dejaba dormir y el traqueteo subía la cuesta de la calle de Aribau, mientras la brisa traía olor a las ramas de los plátanos, verdes y polvorientos, bajo el balcón abierto. Barcelona era también unas aceras anchas húmedas de riego y mucha gente bebiendo refrescos en un café... Todo lo demás, las grandes tiendas iluminadas, los autos, el bullicio, y hasta el mismo paseo del día anterior desde la estación, que yo añadía a mi idea de la ciudad, era algo pálido y falso, construido artificialmente como lo que demasiado trabajado y manoseado pierde su frescura original.

Sin abrir los ojos sentí otra vez una oleada venturosa y cálida. Estaba en Barcelona. Había amontonado demasiados sueños sobre este hecho concreto para no parecerme un milagro aquel primer rumor de la ciudad diciéndome tan claro que era una realidad verdadera como mi cuerpo, como el roce áspero de la manta sobre mi mejilla. Me parecía haber soñado cosas malas, pero ahora descansaba en esta alegría.

Cuando abrí los ojos vi a mi abuela mirándome. No a la viejecita de la noche anterior, pequeña y consumida, sino a una mujer de cara ovalada bajo el velillo de tul de un sombrero a la moda del siglo pasado. Sonreía muy suavemente, y la seda azul de su traje tenía una tierna palpitación. Junto a ella, en la sombra, mi abuelo, muy guapo, con la espesa barba castaña y los ojos azules bajo las cejas rectas.

Nunca les había visto juntos en aquella época de su vida, y tuve curiosidad por conocer el nombre del artista que firmaba los cuadros. Así eran los dos cuando vinieron a Barcelona hacía cincuenta años. Había una larga y difícil historia de sus amores —no recordaba ya bien qué... quizá algo relacionado con la pérdida de una fortuna—. Pero en aquel tiempo el mundo era optimista y ellos se querían mucho. Estrenaron este piso de la calle de Aribau, que entonces empezaba a formarse. Había muchos solares aún, y quizá el olor a tierra trajera a mi abuela reminiscencias de algún jardín de otros sitios. Me la imaginé con ese mismo traje azul, con el mismo gracioso sombrero, entrando por primera vez en el piso vacío, que olía aún a pintura. «Me gustará vivir aquí —pensaría al ver a través de los cristales el descampado—, es casi en las afueras, ¡tan tranquilo!, y esta casa es tan limpia, tan nueva...» Porque ellos vinieron a Barcelona con una ilusión opuesta a la que a mí me trajo: el descanso, en un trabajo seguro y metódico. Fue su puerto de refugio la ciudad que a mí se me antojaba como palanca de mi vida.

Aquel piso de ocho balcones se llenó de cortinas —encajes, terciopelos, lazos—; los baúles volcaron su contenido de fruslerías, algunas valiosas. Los rincones se fueron llenando. Las paredes también. Relojes historiados dieron a la casa su latido vital. Un piano —¿cómo podía faltar?—, sus lánguidos aires cubanos en el atardecer.

Aunque no eran muy jóvenes tuvieron muchos niños, como en los cuentos... Mientras tanto la calle de Aribau crecía. Casas tan altas como aquélla y más altas aún formaron las espesas y anchas manzanas. Los árboles estiraron sus ramas y vino el primer tranvía eléctrico para darle su peculiaridad. La casa fue envejeciendo, se le hicieron reformas, cambió de dueños y de porteros varias veces, y ellos siguieron como una institución inmutable en aquel primer piso.

Cuando yo era la única nieta pasé allí las temporadas más excitantes de mi vida infantil. La casa ya no era tranquila. Se había quedado encerrada en el corazón de la ciudad. Luces, ruidos, el oleaje entero de la vida rompía contra aquellos balcones con cortinas de terciopelo. Dentro también desbordaba; había demasiada gente. Para mí aquel bullicio era encantador. Todos los tíos me compraban golosinas y me premiaban las picardías que hacía a los otros. Los abuelos tenían ya el pelo blanco, pero eran aún fuertes y reían todas mis gracias. ¿Todo esto podía estar tan lejano?...

Tenía una sensación de inseguridad frente a todo lo que allí había cambiado, y esta sensación se agudizó mucho cuando tuve que pensar en enfrentarme con los personajes que había entrevisto la noche antes. «¿Cómo serán?», pensaba yo. Y estaba, allí, en la cama, vacilando, sin atreverme a afrontarlos.

La habitación con la luz del día había perdido su horror, pero no su desarreglo espantoso, su absoluto abandono. Los retratos de los abuelos colgaban torcidos y sin marco de una pared empapelada de oscuro con manchas de humedad, y un rayo de sol polvoriento subía hasta ellos.

Me complací en pensar en que los dos estaban muertos hacía años. Me complací en pensar que nada tenía que ver la joven del velo de tul con la pequeña momia irreconocible que me había abierto la puerta. La verdad era, sin embargo, que ella vivía, aunque fuera lamentable, entre la cargazón de trastos inútiles que con el tiempo se habían ido acumulando en su casa.

Tres años hacía que, al morir el abuelo, la familia había decidido quedarse sólo con la mitad del piso. Las viejas chucherías y los muebles sobrantes fueron una verdadera avalancha, que los trabajadores encargados de tapiar la puerta de comunicación amontonaron sin método unos sobre otros. Y ya se quedó la casa en el desorden provisional que ellos dejaron.

Vi, sobre el sillón al que yo me había subido la noche antes, un gato despeluzado que lamía sus patas al sol. El bicho parecía ruinoso, como todo lo que le rodeaba. Me miró con sus grandes ojos al parecer dotados de individualidad propia; algo así como si fueran unos lentes verdes y brillantes colocados sobre el hociquillo y sobre los bigotes canosos. Me restregué los párpados y volví a mirarle. Él enarcó el lomo y se le marcó el espinazo en su flaquísimo cuerpo. No pude menos de pensar que tenía un singular aire de familia con los demás personajes de la casa; como ellos presentaba un aspecto excéntrico y resultaba espiritualizado, como consumido por ayunos largos, por la falta de luz y quizá por las cavilaciones. Le sonreí y empecé a vestirme.

Al abrir la puerta de mi cuarto, me encontré en el sombrío y cargado recibidor hacia el que convergían casi todas las habitaciones de la casa. Enfrente aparecía el comedor con un balcón abierto al sol. Tropecé, en mi camino hacia allí, con un hueso, pelado seguramente por el perro. No había nadie en aquella habitación, a excepción de un loro que rumiaba cosas suyas, casi riendo. Yo siempre creí que aquel animal estaba loco. En los momentos menos oportunos chillaba de un modo espeluznante. Había una mesa grande con un azucarero vacío abandonado encima. Sobre una silla, un muñeco de goma desteñido.

Yo tenía hambre, pero no había nada comestible que no estuviera pintado en los abundantes bodegones que llenaban las paredes, y los estaba mirando, cuando me llamó tía Angustias.

El cuarto de mi tía comunicaba con el comedor y tenía un balcón a la calle. Ella estaba de espaldas, sentada frente al pequeño escritorio. Me paré, asombrada, a mirar la habitación, porque aparecía limpia y en orden como si fuera un mundo aparte en aquella casa. Había un armario de luna y un gran crucifijo tapiando otra puerta que comunicaba con el recibidor; al lado de la cabecera de la cama, un teléfono.

La tía volvía la cabeza para mirar mi asombro con cierta complacencia.

Estuvimos un rato calladas y yo inicié desde la puerta una sonrisa amistosa.

—Ven, Andrea —me dijo ella—. Siéntate.

Observé que con la luz del día Angustias parecía haberse hinchado, adquiriendo bulto y formas bajo su guardapolvo verde, y me sonreí pensando que mi imaginación me jugaba malas pasadas en las primeras impresiones.

—Hija mía, no sé cómo te han educado...

(Desde los primeros momentos, Angustias estaba empezando a hablar como si se preparase para hacer un discurso.)

Yo abrí la boca para contestarle, pero me interrumpió con un gesto de su dedo.

—Ya sé que has hecho parte de tu Bachillerato en un colegio de monjas y que has permanecido allí durante casi toda la guerra. Eso, para mí, es una garantía. Pero... esos dos años junto a tu prima —la familia de tu padre ha sido siempre muy rara—, en el ambiente de un pueblo pequeño, ¿cómo habrán sido? No te negaré, Andrea, que he pasado la noche preocupada por ti, pensando... Es muy difícil la tarea que se me ha venido a las manos. La tarea de cuidar de ti, de moldearte en la obediencia... ¿Lo conseguiré? Creo que sí. De ti depende facilitármelo.

No me dejaba decir nada y yo tragaba sus palabras por sorpresa, sin comprenderlas bien.

—La ciudad, hija mía, es un infierno. Y en toda España no hay una ciudad que se parezca más al infierno que Barcelona... Estoy preocupada con que anoche vinieras sola desde la estación. Te podía haber pasado algo. Aquí vive la gente aglomerada, en acecho unos contra otros. Toda prudencia en la conducta es poca, pues el diablo reviste tentadoras formas... Una joven en Barcelona debe ser como una fortaleza. ¿Me entiendes?

—No, tía.

Angustias me miró.

—No eres muy inteligente, nenita.

Otra vez nos quedamos calladas.

—Te lo diré de otra forma: eres mi sobrina; por lo tanto, una niña de buena familia, modosa, cristiana e inocente. Si yo no me ocupara de ti para todo, tú en Barcelona encontrarías multitud de peligros. Por lo tanto, quiero decirte que no te dejaré dar un paso sin mi permiso. ¿Entiendes ahora?

—Sí.

—Bueno, pues pasemos a otra cuestión. ¿Por qué has venido?

Yo contesté rápidamente:

—Para estudiar.

(Por dentro, todo mi ser estaba agitado con la pregunta.)

—Para estudiar Letras, ¿eh?... Sí, ya he recibido una carta de tu prima Isabel. Bueno, yo no me opongo, pero siempre que sepas que todo nos lo deberás a nosotros, los parientes de tu madre. Y que gracias a nuestra caridad lograrás tus aspiraciones.

—Yo no sé si tú sabes...

—Sí; tienes una pensión de doscientas pesetas al mes, que en esta época no alcanzará ni para la mitad de tu manutención... ¿No has merecido una beca para la Universidad?

—No, pero tengo matrículas gratuitas.

—Eso no es mérito tuyo, sino de tu orfandad.

Otra vez estaba ya confusa, cuando Angustias reanudó la conversación de un modo insospechado.

—Tengo que advertirte algunas cosas. Si no me doliera hablar mal de mis hermanos te diría que después de la guerra han quedado un poco mal de los nervios... Sufrieron mucho los dos, hija mía, y con ellos sufrió mi corazón... Me lo pagan con ingratitudes, pero yo les perdono y rezo a Dios por ellos. Sin embargo, tengo que ponerte en guardia...

Bajó la voz hasta terminar en un susurro casi tierno:

—Tu tío Juan se ha casado con una mujer nada conveniente. Una mujer que está estropeando su vida... Andrea; si yo algún día supiera que tú eras amiga de ella, cuenta con que me darías un gran disgusto, con que yo me quedaría muy apenada...

Yo estaba sentada frente a Angustias en una silla dura que se me iba clavando en los muslos bajo la falda. Estaba además desesperada porque me había dicho que no podría moverme sin su voluntad. Y la juzgaba, sin ninguna compasión, corta de luces y autoritaria. He hecho tantos juicios equivocados en mi vida, que aún no sé si éste era verdadero. Lo cierto es que cuando se puso blanda al hablarme mal de Gloria, mi tía me fue muy antipática. Creo que pensé que tal vez no me iba a resultar desagradable disgustarla un poco, y la empecé a observar de reojo. Vi que sus facciones, en conjunto, no eran feas y sus manos tenían, incluso, una gran belleza de líneas. Yo le buscaba un detalle repugnante mientras ella continuaba su monólogo de órdenes y consejos, y al fin, cuando ya me dejaba marchar, vi sus dientes de un color sucio...

—Dame un beso, Andrea —me pedía ella en ese momento.

Rocé su pelo con mis labios y corrí al comedor antes de que pudiera atraparme y besarme a su vez.

En el comedor había gente ya. Inmediatamente vi a Gloria que, envuelta en un quimono viejo, daba a cucharadas un plato de papilla espesa a un niño pequeño. Al verme, me saludó sonriente.

Yo me sentía oprimida como bajo un cielo pesado de tormenta, pero al parecer no era la única que sentía en la garganta el sabor a polvo que da la tensión nerviosa.

Un hombre con el pelo rizado y la cara agradable e inteligente se ocupaba de engrasar una pistola al otro lado de la mesa. Yo sabía que era otro de mis tíos: Román. Vino en seguida a abrazarme con mucho cariño. El perro negro que yo había visto la noche anterior, detrás de la criada, le seguía a cada paso. Me explicó que se llamaba *Trueno* y que era suyo; los animales parecían tener por él un afecto instintivo. Yo misma me sentí alcanzada por una ola de agrado ante su exuberancia afectuosa. En honor mío, él sacó el loro de la jaula y le hizo hacer algunas gracias. El animalejo seguía murmurando algo como para sí; entonces me di cuenta de que eran palabrotas. Román se reía con expresión feliz.

—Está muy acostumbrado a oírlas el pobre bicho.

Gloria, mientras tanto, nos miraba embobada, olvidando la papilla de su hijo. Román tuvo un cambio brusco que me desconcertó.

—Pero ¿has visto qué estúpida esa mujer? —me dijo casi gritando y sin mirarla a ella para nada—. ¿Has visto cómo me mira «ésa»?

Yo estaba asombrada. Gloria, nerviosa, gritó:

—No te miro para nada, chico.

—¿Te fijas? —siguió diciéndome Román—. Ahora tiene la desvergüenza de hablarme esa basura...

Creí que mi tío se había vuelto loco y miré aterrada hacia la puerta. Juan había venido al oír las voces.

—¡Me estás provocando, Román! —gritó.

—¡Tú, a sujetarte los pantalones y a callar! —dijo Román volviéndose hacia él.

Juan se acercó con la cara contraída y se quedaron los dos en la actitud, al mismo tiempo ridícula y siniestra, de gallos de pelea.

—¡Pégame, hombre, si te atreves! —dijo Román—. ¡Me gustaría que te atrevieras!

—¿Pegarte? ¡Matarte!... Te debería haber matado hace mucho tiempo...

Juan estaba fuera de sí, con las venas de la frente hinchadas, pero no avanzaba un paso. Tenía los puños cerrados.

Román le miraba con tranquilidad y empezó a sonreírse.

—Aquí tienes mi pistola —le dijo.

—No me provoques. ¡Canalla!... No me provoques o...

—¡Juan! —chilló Gloria—. ¡Ven aquí!

El loro empezó a gritar encima de ella, y la vi excitada bajo sus despeinados cabellos rojos. Nadie le hizo caso. Juan la miró unos segundos.

—¡Aquí tienes mi pistola!

Decía Román, y el otro apretaba más los puños. Gloria volvió a chillar:

—¡Juan! ¡Juan!

—¡Cállate, maldita!

—¡Ven aquí, chico! ¡Ven!

—¡Cállate!

La rabia de Juan se desvió en un instante hacia la mujer y la empezó a insultar. Ella gritaba también y al final lloró.

Román les miraba divertido; luego se volvió hacia mí y dijo para tranquilizarme:

—No te asustes, pequeña. Esto pasa aquí todos los días.

Guardó el arma en el bolsillo. Yo la miré relucir en sus manos, negra, cuidadosamente engrasada. Román me sonreía y me acarició las mejillas; luego se fue tranquilamente, mientras la discusión entre Gloria y Juan se hacía violentísima. En la puerta tropezó Román con la abuelita, que volvía de su misa diaria, y la acarició al pasar. Ella apareció en el comedor, en el instante en que tía Angustias se asomaba, enfadada también, para pedir silencio.

Juan cogió el plato de papilla del pequeño y se lo tiró a la cabeza. Tuvo mala puntería y el plato se estrelló contra la puerta que tía Angustias había cerrado rápidamente. El niño lloraba, babeando.

Juan entonces empezó a calmarse. La abuelita se quitó el manto negro que cubría su cabeza, suspirando.

Y entró la criada a poner la mesa para el desayuno. Como la noche anterior, esta mujer se llevó detrás toda mi atención. En su fea cara tenía una mueca desafiante, como de triunfo, y canturreaba provocativa mientras extendía el estropeado mantel y empezaba a colocar las tazas, como si cerrara ella, de esta manera, la discusión.

III

—¿Has disfrutado, hijita? —me preguntó Angustias cuando, todavía deslumbradas, entrábamos en el piso de vuelta de la calle.

Mientras me hacía la pregunta, su mano derecha se clavaba en mi hombro y me atraía hacia ella. Cuando Angustias me abrazaba o me dirigía diminutivos tiernos, yo experimentaba dentro de mí la sensación de que algo iba torcido y mal en la marcha de las cosas. De que no era natural aquello. Sin embargo debería haberme acostumbrado, porque Angustias me abrazaba y me dirigía palabras dulzonas con gran frecuencia.

A veces me parecía que estaba atormentada conmigo. Me daba vueltas alrededor. Me buscaba si yo me había escondido en algún rincón. Cuando me veía reír o interesarme en la conversación de cualquier otro personaje de la casa, se volvía humilde en sus palabras. Se sentaba a mi lado y apoyaba a la fuerza mi cabeza contra su pecho. A mí me dolía el cuello, pero, sujeta por su mano, así tenía que permanecer, mientras ella me amonestaba dulcemente. Cuando, por el contrario, le parecía yo triste o asustada, se ponía muy contenta y se volvía autoritaria.

Otras veces me avergonzaba secretamente al obligarme a salir con ella. La veía encasquetarse un fieltro marrón adornado por una pluma de gallo, que daba a su dura fisonomía un aire guerrero, y me obligaba a ponerme un viejo sombrero azul sobre mi traje mal cortado. Yo no concebía entonces más resistencia que la pasiva. Cogida de su brazo, corría las calles, que me parecían menos brillantes y menos fascinadoras de lo que yo había imaginado.

—No vuelvas la cabeza —decía Angustias—. No mires así a la gente.

Si me llegaba a olvidar de que iba a su lado, era por pocos minutos.

Alguna vez veía un hombre, una mujer, que tenía en su aspecto un algo interesante, indefinible, que se llevaba detrás mi fantasía hasta el punto de tener ganas de volverme y seguirles. Entonces recordaba mi facha y la de Angustias y me ruborizaba.

—Eres muy salvaje y muy provinciana, hija mía —decía Angustias con cierta complacencia—. Estás en medio de la gente, callada, encogida, con aire de querer escapar a cada instante. A veces, cuando estamos en una tienda y me vuelvo a mirarte, me das risa.

Aquellos recorridos de Barcelona eran más tristes de lo que se puede imaginar.

A la hora de la cena, Román me notaba en los ojos el paseo y se reía. Esto preludiaba una envenenada discusión con tía Angustias, en la que por fin se mezclaba Juan. Me di cuenta de que apoyaba siempre los argumentos de Román, quien, por otra parte, no aceptaba ni agradecía su ayuda.

Cuando sucedía algo así, Gloria salía de su placidez habitual. Se ponía nerviosa, casi gritaba:

—¡Si eres capaz de hablar con tu hermano, a mí no me hables!

—¡Naturalmente que soy capaz! ¡A ver si crees que soy tan cochino como tú y como él!

—Sí, hijo mío —decía la abuela envolviéndole en una mirada de adoración—, haces bien.

—¡Cállate, mamá, y no me hagas maldecir de ti! ¡No me hagas maldecir!

La pobre movía la cabeza y se inclinaba hacia mí, bisbiseando a mi oído:

—Es el mejor de todos, hija mía, el más bueno y el más desgraciado, un santo...

—¿Quieres hacer el favor de no enredar, mamá? ¿Quieres no meter en la cabeza de la sobrina majaderías que no le importan para nada?

El tono era ya destemplado y desagradable, perdido el control de los nervios.

Román, ocupado en preparar con la fruta de su plato una golosina para el loro, terminaba la cena sin preocuparse de ninguno de nosotros. Tía Angustias sollozaba a mi lado, mordiendo su pañuelo, porque no sólo se veía a sí misma fuerte y capaz de conducir multitudes, sino también dulce, desdichada y perseguida. No sé bien cuál de los dos papeles le gustaba más. Gloria apartaba de la mesa la silla alta del niño y, por detrás de Juan, me sonreía llevándose un índice a la sien.

Juan, abstraído, silencioso, parecía inquieto, a punto de saltar.

Cuando Román terminaba su tarea, daba unos golpecitos en el hombro a la abuela y se marchaba antes que nadie. En la puerta se detenía para encender un cigarrillo y para lanzar su última frase:

—Hasta la imbécil de tu mujer se burla ya de ti, Juan; ten cuidado...

Según su costumbre, no había mirado ni una vez a Gloria.

El resultado no se hacía esperar. Un puñetazo en la mesa y un barboteo de insultos contra Román, que no se cortaban cuando el ruido seco de la puerta del piso anunciaba que Román había salido ya.

Gloria tomaba en brazos al niño y se iba a su cuarto para dormirle. Me miraba un momento y me proponía:

—¿Vienes, Andrea?

Tía Angustias tenía la cara entre las manos. Sentía su mirada a través de los dedos entreabiertos. Una mirada ansiosa, seca de tanta súplica. Pero yo me levantaba.

—Bueno, sí.

Y me premiaba una sonrisa temblona de la abuelita. Entonces, la tía corría a encerrarse en su cuarto, indignada, y sospecho que temblando de celos.

El cuarto de Gloria se parecía algo al cubil de una fiera. Era un cuarto interior ocupado casi todo él por la cama de matrimonio y la cuna del niño. Había un tufo especial, mezcla de olor a criatura pequeña, a polvos para la cara y a ropa mal cuidada. Las paredes estaban llenas de fotografías, y entre ellas, en un lugar preferente, aparecía una postal vivamente iluminada representando dos gatitos.

Gloria se sentaba en el borde de la cama con el niño en las rodillas. El niño era guapo y sus piernecitas colgaban gordas y sucias mientras se dormía.

Cuando estaba dormido, Gloria lo metía en la cuna y se estiraba con delicia, metiéndose las manos entre la brillante cabellera. Luego se tumbaba en la cama, con sus gestos lánguidos.

—¿Qué opinas de mí? —me decía a menudo. A mí me gustaba hablar con ella porque no hacía falta contestarle nunca.

—¿Verdad que soy bonita y muy joven? ¿Verdad?...

Tenía una vanidad tonta e ingenua que no me resultaba desagradable; además, era efectivamente joven y sabía reírse locamente mientras me contaba sucesos de aquella casa. Cuando me hablaba de Antonia o de Angustias tenía verdadera gracia.

—Ya irás conociendo a estas gentes; son terribles, ya verás... No hay nadie bueno aquí, como no sea la abuelita, que la pobre está trastornada... Y Juan, Juan es buenísimo, chica. ¿Ves tú que chilla tanto y todo? Pues es buenísimo...

Me miraba y ante mi cerrada expresión se echaba a reír...

—Y yo, ¿no crees? —concluía—. Si yo no fuera buena, Andreíta, ¿cómo les iba a aguantar a todos?

Yo la veía moverse y la veía charlar con agrado inexplicable. En la atmósfera pesada de su cuarto ella estaba tendida sobre la cama igual que un muñeco de trapo a quien pesara demasiado la cabellera roja. Y por lo general me contaba graciosas mentiras intercaladas a sucesos reales. No me parecía inteligente, ni su encanto personal provenía de su espíritu. Creo que mi simpatía por ella tuvo origen el día en que la vi desnuda sirviendo de modelo a Juan.

Yo no había entrado nunca en la habitación donde mi tío trabajaba, porque Juan me inspiraba cierta prevención. Fui una mañana a buscar un lápiz, por consejo de la abuela, que me indicó que allí lo encontraría.

El aspecto de aquel gran estudio era muy curioso. Lo habían instalado en el antiguo despacho de mi abuelo. Siguiendo la tradición de las demás habitaciones de la casa, se acumulaban allí, sin orden ni concierto, libros, papeles y las figuras de yeso que servían de modelo a los discípulos de Juan. Las paredes estaban cubiertas de duros bodegones pintados por mi tío, en tonos estridentes. En un rincón aparecía, inexplicable, un esqueleto de estudiante de Anatomía sobre su armazón de alambre, y por la gran alfombra manchada de humedades se arrastraban el niño y el gato, que venía en busca del sol de oro de los balcones. El gato parecía moribundo, con su fláccido rabo, y se dejaba atormentar por el niño abúlicamente.

Vi todo este conjunto en derredor de Gloria, que estaba sentada sobre un taburete recubierto con tela de cortina, desnuda y en una postura incómoda.

Juan pintaba trabajosamente y sin talento, intentando reproducir pincelada a pincelada aquel fino y elástico cuerpo. A mí me parecía una tarea inútil. En el lienzo iba apareciendo un acartonado muñeco tan estúpido como la misma expresión de la cara de Gloria al escuchar cualquier conversación de Román conmigo. Gloria, enfrente de nosotros, sin su desastrado vestido, aparecía increíblemente bella y blanca entre la fealdad de todas las cosas, como un milagro del Señor. Un espíritu dulce y maligno a la vez palpitaba en la grácil forma de sus piernas, de sus brazos, de sus finos pechos. Una inteligencia sutil y diluida en la cálida superficie de la piel perfecta. Algo que en sus ojos no lucía nunca. Esta llamarada del espíritu que atrae en las personas excepcionales, en las obras de arte.

Yo, que había entrado sólo para unos segundos, me quedé allí fascinada. Juan parecía contento de mi visita y habló de prisa de sus proyectos pictóricos. Yo no le escuchaba.

Aquella noche, casi sin darme cuenta, me encontré iniciando una conversación con Gloria, y fui por primera vez a su cuarto. Su charla insubstancial me parecía el rumor de lluvia que se escucha con gusto y con pereza. Empezaba a acostumbrarme a ella, a sus rápidas preguntas incontestadas, a su estrecho y sinuoso cerebro.

—Sí, sí, yo soy buena... no te rías.

Estábamos calladas. Luego se acercaba para preguntarme:

—¿Y de Román? ¿Qué opinas de Román?

Luego hacía un gesto especial para decir:

—Ya sé que te parece simpático, ¿no?

Yo me encogía de hombros. Al cabo de un momento me decía:

—A ti te es más simpático que Juan, ¿no?

Un día, impensadamente, se puso a llorar. Lloraba de una manera extraña, cortada y rápida, con ganas de acabar pronto.

—Román es un malvado —me dijo—, ya lo irás conociendo. A mí me ha hecho un daño horrible, Andrea —se secó las lágrimas—. No te contaré de una vez las cosas que me ha hecho porque son demasiadas; poco a poco las sabrás. Ahora tú estás fascinada por él y ni siquiera me creerías.

Yo, honradamente, no me creía fascinada por Román, casi al contrario, a menudo le examinaba con frialdad. Pero en las raras noches en que Román se volvía amable después de la cena, siempre borrascosa, y me invitaba: «¿Vienes, pequeña?», yo me sentía contenta. Román no dormía en el mismo piso que nosotros: se había hecho arreglar un cuarto en las guardillas de la casa, que resultó un refugio confortable. Se hizo construir una chimenea con ladrillos antiguos y unas librerías bajas pintadas de negro. Tenía una cama turca y, bajo la pequeña ventana enrejada, una mesa muy bonita llena de papeles, de tinteros de todas épocas y formas con plumas de ave dentro. Un rudimentario teléfono servía, según me explicó, para comunicar con el cuarto de la criada. También había un pequeño reloj, recargado, que daba la hora con un tintineo gracioso, especial. Había tres relojes en la habitación, todos antiguos, adornando acompasadamente el tiempo. Sobre las librerías, monedas, algunas muy curiosas; lamparitas romanas de la última época y una antigua pistola con puño de nácar.

Aquel cuarto tenía insospechados cajones en cualquier rincón de la librería, y todos encerraban pequeñas curiosidades que Román me iba enseñando poco a poco. A pesar de la cantidad de cosas menudas, todo estaba limpio y en un relativo orden.

—Aquí las cosas se encuentran bien, o por lo menos eso es lo que yo procuro... A mí me gustan las cosas —se sonreía—; no creas que pretendo ser original con esto, pero es la verdad. Abajo no saben tratarlas. Parece que el aire está lleno siempre de gritos... y eso es culpa de las cosas, que están asfixiadas, doloridas, cargadas de tristeza. Por lo demás, no te forjes novelas: ni nuestras discusiones ni nuestros gritos tienen causa, ni conducen a un fin... ¿Qué te has empezado a imaginar de nosotros?

—No sé.

—Ya sé que estás siempre soñando cuentos con nuestros caracteres.

—No.

Román enchufaba, mientras tanto, la cafetera exprés y sacaba no sé de dónde unas mágicas tazas, copas y licor; luego, cigarrillos.

—Ya sé que te gusta fumar.

—No; pues no me gusta.

—¿Por qué me mientes a mí también?

El tono de Román era siempre de franca curiosidad respecto a mí.

—Sé perfectamente todo lo que tu prima escribió a Angustias... Es más: he leído la carta, sin ningún derecho, desde luego, por pura curiosidad.

—Pues no me gusta fumar. En el pueblo lo hacía expresamente para molestar a Isabel, sin ningún otro motivo. Para escandalizarla, para que me dejara venir a Barcelona, por imposible.

Como yo estaba ruborizada y molesta, Román no me creía más que a medias, pero era verdad lo que le decía. Al final aceptaba un cigarrillo, porque los tenía siempre deliciosos y su aroma sí que me gustaba. Creo que fue en aquellos ratos cuando empecé a encontrar placer en el humo. Román se sonreía.

Yo me daba cuenta de que él me creía una persona distinta; mucho más formada, y tal vez más inteligente y desde luego hipócrita y llena de extraños anhelos. No me gustaba desilusionarle, porque vagamente yo me sentía inferior; un poco insulsa con mis sueños y mi carga de sentimentalismo, que ante aquella gente procuraba ocultar.

Román tenía una agilidad enorme en su delgado cuerpo. Hablaba conmigo en cuclillas junto a la cafetera, que estaba en el suelo, y entonces parecía en tensión, lleno de muelles bajo los músculos morenos. Luego, inopinadamente, se tumbaba en la cama, fumando, relajadas las facciones como si el tiempo no tuviera valor, como si nunca hubiera de levantarse de allí. Casi como si se hubiera echado para morir fumando.

A veces, yo miraba sus manos, morenas como su cara, llenas de vida, de corrientes nerviosas, de ligeros nudos, delgadas. Unas manos que me gustaban mucho.

Sin embargo, yo, sentada en la única silla del cuarto, frente a su mesa de trabajo, me sentía muy lejos de él. La impresión de sentirme arrastrada por su simpatía, que tuve cuando me habló la primera vez, no volvió nunca.

Preparaba un café maravilloso, y la habitación se llenaba de vahos cálidos. Yo me sentía a gusto allí, como en un remanso de la vida de abajo.

—Aquello es como un barco que se hunde. Nosotros somos las pobres ratas que, al ver el agua, no sabemos qué hacer... Tu madre evitó el peligro antes que nadie marchándose. Dos de tus tías se casaron con el primero que llegó, con tal de huir. Sólo quedamos la infeliz de tu tía Angustias y Juan y yo, que somos dos canallas. Tú, que eres una ratita despistada, pero no tan infeliz como parece, llegas ahora.

—¿No quieres hacer música hoy, di?

Entonces Román abría el armarito en que terminaba la librería y sacaba de allí el violín. En el fondo del armario había unos cuantos lienzos arrollados.

—¿Tú sabes pintar también?

—Yo he hecho de todo. ¿No sabes que empecé a estudiar Medicina y lo dejé, que quise ser ingeniero y no pude llegar a hacer el ingreso? También he empezado a pintar de afición... Lo hacía mucho mejor que Juan, te aseguro.

Yo no lo dudaba: me parecía ver en Román un fondo inagotable de posibilidades. En el momento en que, de pie junto a la chimenea, empezaba a pulsar el arco, yo cambiaba completamente. Desaparecían mis reservas, la ligera capa de hostilidad contra todos que se me había ido formando. Mi alma, extendida como mis propias manos juntas, recibía el sonido como una lluvia la tierra áspera. Román me parecía un artista maravilloso y único. Iba hilando en la música una alegría tan fina que traspasaba los límites de la tristeza. La música aquella sin nombre. La música de Román, que nunca más he vuelto a oír.

El ventanillo se abría al cielo oscuro de la noche. La lámpara encendida hacía más alto y más inmóvil a Román, sólo respirando en su música. Y a mí llegaban en oleadas, primero ingenuos recuerdos, sueños, luchas, mi propio presente vacilante, y luego agudas alegrías, tristezas, desesperación, una crispación impotente de la vida y un anegarse en la nada. Mi propia muerte, el sentimiento de mi desaparición total hecha belleza, angustiosa armonía sin luz.

Y de pronto un silencio enorme y luego la voz de Román:

—A ti se te podría hipnotizar... ¿Qué te dice la música?

Inmediatamente se me cerraban las manos y el alma.

—Nada, no sé, sólo me gusta...

—No es verdad. Dime lo que te dice. Lo que te dice al final.

—Nada.

Me miraba defraudado un momento. Luego, mientras guardaba el violín:

—No es verdad.

Me alumbraba con su linterna eléctrica desde arriba, porque la escalera sólo se podía encender en la portería y yo tenía que bajar tres pisos hasta nuestra casa.

El primer día tuve la impresión de que, delante de mí, en la sombra, bajaba alguien. Me pareció pueril y no dije nada.

Otro día la impresión fue más viva. De pronto, Román me dejó a oscuras y enfocó la linterna hacia la parte de la escalera en que algo se movía. Y vi clara y fugazmente a Gloria que corría escaleras abajo hacia la portería.

IV

¡Cuántos días sin importancia! Los días sin importancia que habían transcurrido desde mi llegada me pesaban encima, cuando arrastraba los pies al volver de la Universidad. Me pesaban como una cuadrada piedra gris en el cerebro.

El tiempo era húmedo y aquella mañana tenía olor a nubes y a neumáticos mojados... Las hojas lacias y amarillentas caían en una lenta lluvia desde los árboles. Una mañana de otoño en la ciudad, como yo había soñado durante años que sería en la ciudad el otoño: bello, con la naturaleza enredada en las azoteas de las casas y en los troles de los tranvías; y sin embargo me envolvía la tristeza. Tenía ganas de apoyarme contra una pared con la cabeza entre los brazos, volver la espalda a todo y cerrar los ojos.

¡Cuántos días inútiles! Días llenos de historias, demasiadas historias turbias. Historias incompletas, apenas iniciadas e hinchadas ya como una vieja madera a la intemperie. Historias demasiado oscuras para mí. Su olor, que era el podrido olor de mi casa, me causaba cierta náusea... Y sin embargo habían llegado a constituir el único interés de mi vida. Poco a poco me había ido quedando ante mis propios ojos en un segundo plano de la realidad, abiertos mis sentidos sólo para la vida que bullía en el piso de la calle de Aribau. Me acostumbraba a olvidarme de mi aspecto y de mis sueños. Iba dejando de tener importancia el olor de los meses, las visiones del porvenir, y se iba agigantando cada gesto de Gloria, cada palabra oculta, cada reticencia de Román. El resultado parecía ser aquella inesperada tristeza.

Cuando entré en la casa empezó a llover detrás de mí y la portera me lanzó un gran grito de aviso para que me limpiara los pies en el felpudo.

Todo el día había transcurrido como un sueño. Después de comer me senté encogida, metidos los pies en unas grandes zapatillas de fieltro, junto al brasero de la abuela. Escuchaba el ruido de la lluvia. Los hilos del agua iban limpiando con su fuerza el polvo de los cristales del balcón. Primero habían formado una capa pegajosa de cieno, ahora las gotas resbalaban libremente por la superficie brillante y gris.

No tenía ganas de moverme ni de hacer nada, y por primera vez eché de menos uno de aquellos cigarrillos de Román. La abuelita vino a hacerme compañía. Vi que trataba de coser con sus torpes y temblonas manos un trajecito del niño. Gloria llegó un rato después y empezó a charlar con las manos cruzadas bajo la nuca. La abuelita hablaba también, como siempre, de los mismos temas. Eran hechos recientes, de la pasada guerra, y antiguos, de muchos años atrás, cuando sus hijos eran niños. En mi cabeza, un poco dolorida, se mezclaban las dos voces en una cantinela con fondo de lluvia y me adormecían.

ABUELA.—No había dos hermanos que se quisieran más. (¿Me escuchas, Andrea?) No había dos hermanos como Román y Juanito... Yo he tenido seis hijos. Los otros cuatro estaban siempre cada uno por su lado, las chicas reñían entre ellas, pero estos dos pequeños eran como dos ángeles... Juan era rubio y Román muy moreno, y yo siempre los vestía con trajes iguales. Los domingos iban a misa conmigo y con tu abuelo... En el colegio, si algún chico se peleaba con uno de ellos, ya estaba el otro allí para defenderlo. Román era más pícaro... pero ¡cómo se querían! Todos los hijos deben ser iguales para una madre, pero estos dos fueron sobre todos para mí... como eran los más pequeños... como fueron los más desgraciados... Sobre todo Juan.

GLORIA.—¿Tú sabías que Juan quiso ser militar y, como le suspendieron en el ingreso de la Academia, se marchó a África, al Tercio, y estuvo allí muchos años?

ABUELA.—Cuando volvió trajo muchos cuadros de allí... Tu abuelo se enfadó cuando dijo que se quería dedicar a la pintura, pero yo le defendí y Román también, porque entonces, hija mía, Román era bueno... Yo siempre he defendido a mis hijos, he querido ocultar sus picardías y sus diabluras. Tu abuelo se enfadaba conmigo, pero yo no podía soportar que los riñesen... Pensaba: «Más moscas se cogen con una cucharada de miel»... Yo sabía que salían por las noches de juerga, que no estudiaban... Les esperaba temblando de que tu abuelo se enterara... Me contaban sus picardías y yo no me sorprendía de nada, hijita... Confiaba en que, poco a poco, sabrían dónde estaba el bien, empujados por su corazón mismo.

GLORIA.—Pues Román no la quiere a usted, mamá; dice que los ha hecho desgraciados a todos con su procedimiento.

ABUELA.—¿Román?... ¡Je, je! Sí que me quiere, ya lo creo que me quiere... pero es más rencorosillo que Juan y está celoso de ti, Gloria; dice que te quiero más a ti...

GLORIA.—¿Dice eso Román?

ABUELA.—Sí; la otra noche, cuando yo buscaba mis tijeras... era ya muy tarde y todos estabais durmiendo, se abrió la puerta despacito y apareció Román. Venía a darme un beso. Yo le dije: «Es inicuo lo que haces con la mujer de tu hermano; es un pecado que Dios no te podrá perdonar...». Y entonces fue... Yo le dije: «Es una niña desgraciada por tu culpa, y tu hermano sufre también por tu causa. ¿Cómo te voy a querer igual que antes?»...

GLORIA.—Román antes me quería mucho. Y esto es un secreto grande, Andrea, pero estuvo enamorado de mí.

ABUELA.—Niña, niña. ¿Cómo iba a estar Román enamorado de una mujer casada? Te quería como a su hermana, nada más.

GLORIA.—Él me trajo a esta casa... Él mismo, que ahora no me habla, me trajo aquí en plena guerra... Tú te asustaste

cuando entraste aquí la primera vez, ¿verdad que sí, Andrea?
Pues para mí fue mucho peor... Nadie me quería...

ABUELA.—Yo sí que te quería, todos te quisimos. ¿Por qué
eres tan ingrata al hablar?

GLORIA.—Había hambre, tanta suciedad como ahora y un
hombre escondido porque le buscaban para matarle: el jefe de
Angustias, don Jerónimo; ¿no te han hablado de él? Angustias
le había cedido su cama y ella dormía donde tú ahora... A mí
me pusieron un colchón en el cuarto de la abuela. Todos me
miraban con desconfianza. Don Jerónimo no me quería hablar
porque, según él, yo era la querida de Juan y mi presencia le
resultaba intolerable...

ABUELA.—Don Jerónimo era un hombre raro; figúrate que
quería matar al gato... Ya ves tú, porque el pobre animal es
muy viejo y vomitaba por los rincones, decía que no lo podía
sufrir. Pero yo, naturalmente, lo defendí contra todos, como
hago siempre que alguien está perseguido y triste...

GLORIA.—Yo era igual que aquel gato y mamá me protegió.
Una vez me pegué con la criada esa, Antonia, que aún está en
la casa...

ABUELA.—Es incomprensible eso de pegarse con un criado...
Cuando yo era joven eso no se hubiera podido concebir... Cuando
yo era joven teníamos un jardín grande que llegaba hasta el
mar... Tu abuelo me dio una vez un beso... Yo no se lo perdoné
en muchos años. Yo...

GLORIA.—Yo, cuando llegamos aquí estaba muy asustada.
Román me decía: «No tengas miedo». Pero él también había
cambiado.

ABUELA.—Cambió en los meses que estuvo en la checa;
allí lo martirizaron; cuando volvió casi no le reconocimos.
Pero Juan había sido más desgraciado que él, por eso yo comprendo más a Juan. Me necesita más Juan. Y esta niña también
me necesita. Si no fuera por mí, ¿dónde estaría su reputación?

GLORIA.—Román había cambiado antes. En el momento
mismo que entramos en Barcelona en aquel coche oficial. ¿Tú
sabes que Román tenía un cargo importante con los rojos? Pero

era un espía, una persona baja y ruin que vendía a los que le favorecieron. Sea por lo que sea, el espionaje es de cobardes...

ABUELA.—¿Cobardes? Niña, en mi casa no hay cobardes... Román es bueno y valiente y exponía su vida por mí, porque yo no quería que estuviera con aquella gente. Cuando era pequeño...

GLORIA.—Te voy a contar una historia, mi historia, Andrea, para que veas que es como una novela de verdad... Ya sabes tú que yo estaba en un pueblo de Tarragona, evacuada... Entonces, en la guerra, siempre estábamos fuera de nuestras casas. Cogíamos los colchones, los trastos, y huíamos. Había quien lloraba. ¡A mí me parecía tan divertido!... Era por enero o febrero cuando conocí a Juan, tú ya lo sabes. Juan se enamoró de mí en seguida y nos casamos a los dos días... Le seguí a todos los sitios a donde iba... Era una vida maravillosa, Andrea. Juan era completamente feliz conmigo, te lo juro, y entonces estaba guapo, no como ahora, que parece un loco... Había muchas chicas que seguían a sus maridos y a sus novios a todos lados. Siempre teníamos amigos divertidos... Yo nunca tuve miedo a los bombardeos, ni a los tiros... Pero no nos acercábamos mucho a los sitios de peligro. Yo no sé bien cuál era el cargo que tenía Juan, pero también era importante. Te digo que yo era feliz. La primavera iba llegando y pasábamos por sitios muy bonitos. Un día me dijo Juan: «Te voy a presentar a mi hermano». Así mismo, Andrea. Román al principio me pareció simpático... ¿Tú lo encuentras más guapo que Juan? Pasamos algún tiempo con él, en aquel pueblo. Un pueblo que llegaba al mar. Todas las noches Juan y Román se encerraban para hablar, en un cuarto junto al que yo dormía. Yo quería saber lo que decían. ¿No te hubiera pasado a ti lo mismo? Y además había una puerta entre las dos habitaciones. Creía que hablaban de mí. Estaba segura de que hablaban de mí. Una noche me puse a escuchar. Miré por la cerradura: Estaban los dos inclinados sobre un plano y Román era el que decía:

«Yo tengo que volver aún a Barcelona. Pero tú puedes pasarte. Es sencillísimo...» Poco a poco empecé a comprender que Román estaba instando a Juan para que se pasara a los nacionales... Figúrate, Andrea, que por aquellos días fue cuando yo empecé a sentir que estaba embarazada. Se lo dije a Juan. Él se quedó pensativo... Aquella noche en que se lo dije ya te imaginarás mi interés al volver a escuchar tras de la puerta del cuarto de Román. Yo estaba en camisón, descalza, todavía me parece que siento aquella angustia. Juan decía: «Estoy decidido. Ya no hay nada que me detenga». Yo no lo podía creer. Si lo hubiera creído, en aquel mismo momento habría aborrecido a Juan...

ABUELA.—Juan hacía bien. Te mandó aquí, conmigo...

GLORIA.—Aquella noche no hablaron nada de mí, nada. Cuando Juan vino a acostarse me encontró llorando en la cama. Le dije que había tenido malos sueños. Que había creído que me abandonaba sola con el niño. Entonces me acarició y se durmió sin decirme nada. Yo me quedé despierta viéndole dormir, quería ver qué cosas soñaba...

ABUELA.—Es bonito ver dormir a las personas que se quieren. Cada hijo duerme de una manera diferente...

GLORIA.—Al día siguiente, Juan le pidió a Román, delante de mí, que me trajera a esta casa cuando viniese a Barcelona. Román se quedó sorprendido y dijo: «No sé si podré», mirando muy serio a Juan. Por la noche discutieron mucho. Juan decía: «Es lo menos que puedo hacer, que yo sepa no tiene ningún pariente». Entonces Román dijo: «¿Y Paquita?». Yo no había oído nunca ese nombre hasta entonces y estaba muy interesada. Pero Juan dijo otra vez: «Llévala a casa». Y aquella noche ya no hablaron más de eso. Sin embargo hicieron algo interesante: Juan le dio mucho dinero a Román y otras cosas que luego él se ha negado a devolverle. Usted lo sabe bien, mamá.

ABUELA.—Niña, no se debe escuchar por las cerraduras de las puertas. Mi madre no me lo hubiera permitido, pero tú eres huérfana... es por eso...

GLORIA.—Como se oía el mar, muchas frases se me perdían. No pude enterarme de quién era Paquita, ni de nada interesante. Al día siguiente me despedí de Juan y estaba yo muy triste, pero me consolaba pensar que iba a venir a su casa. Román conducía el coche y yo iba a su lado. Román empezó a bromear conmigo... Es muy simpático Román cuando quiere, pero en el fondo es malo. Nos parábamos muchas veces en el trayecto. Y en una aldea estuvimos cuatro días alojados en el castillo... Un castillo maravilloso; por dentro estaba restaurado y tenía todo el confort moderno... Algunas habitaciones estaban devastadas, sin embargo. Los soldados se alojaban en la planta baja. Nosotros con la oficialidad en las habitaciones altas... Entonces Román era muy distinto conmigo. Muy amable, chica. Afinó un piano y tocaba cosas, como ahora hace para ti. Y además me pidió que me dejara pintar desnuda, como ahora hace Juan... Es que yo tengo un cuerpo muy bonito.

ABUELA.—¡Niña! ¿Qué estás diciendo? Esta picarona inventa muchas cosas... No hagas caso...

GLORIA.—Es verdad. Y yo no quise, mamá, porque usted sabe muy bien que aunque Román ha dicho tantas cosas de mí, yo soy una chica muy decente...

ABUELA.—Claro, hijita, claro... Tu marido hace mal en pintarte así, si el pobre Juan tuviera dinero para modelos no lo haría... Ya sé, hija mía, que haces ese sacrificio por él, por eso yo te quiero tanto...

GLORIA.—Había muchos lirios morados en el parque del castillo. Román quería pintarme con aquellos lirios morados en los cabellos... ¿Qué te parece?

ABUELA.—Lirios morados... ¡Qué bonitos son! ¡Cuánto tiempo hace que no tengo flores para mi Virgen!

GLORIA.—Luego vinimos a esta casa. Ya te puedes imaginar lo desgraciada que me sentí. Toda la gente de aquí me parecía loca. Don Jerónimo y Angustias hablaban de que mi matrimonio no servía y de que Juan no se casaría conmigo cuando volviera, de que yo era ordinaria, ignorante... Un día llegó la mujer de don Jerónimo, que venía a veces, muy escondida, para ver a su marido y traerle cosas buenas. Cuando se enteró de que en casa había una mujerzuela, como ella decía, le dio un ataque. La mamá le roció la cara con agua... Yo le pedí a Román que me devolviera el dinero que Juan le había dado, porque quería marcharme de aquí. Aquel dinero era bueno, en plata, de antes de la guerra. Cuando Román supo que yo había estado escuchando las conversaciones que él tuvo con Juan en el pueblo, se puso furioso. Me trató peor que a un perro. Peor que a un perro rabioso...

ABUELA.—Pero ¿vas a llorar ahora, tontuela? Román estaría un poco enfadado. Los hombres son así, algo vivos de genio. Y escuchar detrás de las puertas es una cosa fea, ya te lo he dicho siempre. Una vez...

GLORIA.—Por aquellos días vinieron a buscar a Román y se lo llevaron a una checa, querían que hablara y por eso no le fusilaron. Antonia, la criada, que está enamorada de él, se puso hecha una fiera. Declaró a su favor. Dijo que yo era una sinvergüenza, una mujer mala. Que Juan, cuando viniese, me tiraría por la ventana. Que yo era la que había denunciado a Román. Dijo que me abriría el vientre con un cuchillo; entonces fue cuando yo le pegué...

ABUELA.—Esa mujer es una fiera. Pero gracias a ella no fusilaron a Román. Por eso la aguantamos... Y no duerme nunca: algunas noches, cuando yo vengo a buscar mi cestillo de costura, o las tijeras, que siempre se me pierden, aparece en la puerta de su cuarto y me grita: «¿Por qué no se va usted a la cama, señora? ¿Qué hace usted levantada?». La otra noche me dio un susto tan grande, que me caí...

GLORIA.—Yo pasaba hambre. Mamá, pobrecilla, me guardaba parte de su comida. Angustias y don Jerónimo tenían muchas cosas almacenadas, pero las probaban ellos solos. Yo rondaba su cuarto. A la criada le daban algo, de cuando en cuando, por miedo...

ABUELA.—Don Jerónimo era cobarde. A mí la gente cobarde no me gusta, no... Es mucho peor. Cuando vino un miliciano a registrar la casa yo le enseñé todos mis santos, tranquilamente. «Pero ¿usted cree en esas paparruchas de Dios?», me dijo.

«Claro que sí, ¿usted no?», le contesté. «No, ni permito que lo crea nadie.» «Entonces yo soy más republicana que usted, porque a mí me tiene sin cuidado lo que los demás piensen, creo en la libertad de ideas.» Entonces se rascó la cabeza y me dio la razón. Al otro día me trajo un rosario de regalo de los que tenían ellos requisados. Te advierto que ese mismo día a los vecinos de arriba, que sólo tenían un san Antonio sobre la cama, se lo tiraron por la ventana...

GLORIA.—No te quiero decir lo que padecí aquellos meses. Y al final fue peor. Mi niño nació cuando entraron los nacionales. Angustias me llevó a una clínica y me dejó allí... Era una noche de bombardeos terribles... Las enfermeras me dejaron sola. Luego tuve una infección. Una fiebre altísima más de un mes. No conocía a nadie. No sé cómo el niño pudo vivir. Cuando terminó la guerra aún estaba yo en la cama y pasaba los días atontada, sin fuerzas para pensar ni para moverme. Una mañana se abrió la puerta y entró Juan. No le reconocí al pronto. Me pareció altísimo y muy flaco. Se sentó en mi cama y me abrazó. Yo apoyé la cabeza en su hombro y empecé a llorar, entonces me dijo: «Perdóname, perdóname», así bajito. Yo le empecé a tocar las mejillas porque casi no podía creer que era él y así estuvimos mucho rato.

ABUELA.—Juan trajo muchas cosas buenas para comer, leche condensada y café y azúcar... Yo me alegré por Gloria, pensé: «Le haré un dulce a Gloria al estilo de mi tierra»... pero Antonia, esa mujer tan mala, no me deja meterme en la cocina...

GLORIA.—¡Estuvimos abrazados así tanto rato! ¿Cómo podía suponer yo lo que ha venido después? Era ya como el final de una novela. Como el final de todas las tristezas. ¿Cómo me podía imaginar yo que iba a empezar lo peor? Luego Román salió de la cárcel y era como si resucitara otro muerto. Me hizo todo el daño que pudo acerca de Juan. No quería que se casara conmigo de ninguna manera. Quería que nos echara a patadas a mí y al niño... Yo tuve que defenderme y decir cosas que eran verdad. Por eso Román no me puede ver.

ABUELA.—Niña, los secretos se deben guardar y nunca se deben decir para enemistar a los hombres. Cuando yo era muy jovencilla, una vez... una tarde del mes de agosto, muy azul, me acuerdo bien, y muy caliente, vi algo...

GLORIA.—Pero yo no me puedo olvidar de aquel rato en que estuve así, abrazada a Juan, y de cómo latía su corazón debajo de los huesos duros de su pecho... Me acordé que don Jerónimo y Angustias decían que tenía una novia guapa y rica y que se casaría con ella. Se lo dije y movió la cabeza para decirme que no. Y me besaba el pelo... Lo horrible fue que luego tuvimos que vivir aquí otra vez, que no teníamos dinero. Si no, hubiéramos sido una pareja muy feliz y Juan no estaría tan chiflado... Aquel momento fue como el final de una película.

ABUELA.—Yo fui la madrina del niño... Andrea, ¿estás dormida?

GLORIA.—¿Estás dormida, Andrea?

Yo no estaba dormida. Y creo que recuerdo claramente estas historias. Pero la fiebre que me iba subiendo me atontaba. Tenía escalofríos y Angustias me hizo acostar. Mi cama estaba húmeda, los muebles en la luz grisácea más tristes, monstruosos y negros. Cerré los ojos y vi una rojiza oscuridad detrás de los párpados. Luego la imagen de Gloria en la clínica, apoyada, muy blanca, contra el hombro de Juan, distinto y enternecido, sin aquellas sombras grises en las mejillas...

Estuve con fiebre varios días. Una vez recuerdo que vino a verme Antonia con su peculiar olor a ropa negra y su cara se mezcló a mis sueños afilando un largo cuchillo. Veía también a la abuelita, joven y vestida de azul, una tarde de agosto, junto al mar. Pero sobre todo a Gloria, llorando contra el hombro de Juan; y las grandes manos de él, acariciando sus cabellos. Y los ojos de Juan, que yo conocía extraviados e inquietos, enternecidos por una luz desconocida.

La última tarde de mi enfermedad vino Román a verme. Trajo el loro en el hombro y el perro entró también de una manera impetuosa, dispuesto a lamerme la cara.

—¿Por qué no tocas el piano un rato para mí? Me han dicho que tocas el piano muy bien...

—Sí, sólo de afición.

—¿Y no has compuesto algo para piano nunca?

—Sí, algunas veces, ¿por qué me lo preguntas?

—Yo creo que deberías haberte dedicado a la música exclusivamente, Román. Tócame eso que compusiste para el piano.

—Cuando estás enferma hablas como si dijeras las cosas con doble intención, no sé por qué.

Tecleó un poco y luego dijo:

—Esto está muy desafinado, pero te voy a tocar la canción de Xochipilli... ¿No te acuerdas del idolillo de barro que tengo arriba?... No vayas a creer que es auténtico. Lo fabriqué yo mismo. Pero representa a Xochipilli, el dios de los juegos y de las flores de los aztecas. En sus buenos tiempos, este dios recibía ofrendas de corazones humanos... Yo, muchos siglos más tarde, en un rapto de entusiasmo por él compuse un poco de música. El pobre Xochipilli está en decadencia, como verás...

Se sentó al piano y tocó algo alegre, contra su costumbre. Tocó algo parecido al resurgir de la vida en primavera, con notas roncas y agudas como un aroma que se extiende y embriaga.

—Tú eres un gran músico, Román —le dije y así lo creía de veras.

—No. Tú no tienes ni pizca de cultura musical, por eso me juzgas así. Pero me halaga.

—¡Ah! —dijo cuando estaba ya en la puerta—; puedes creer que he hecho un pequeño sacrificio en tu honor al tocar eso. Xochipilli me trae siempre mala suerte.

Aquella noche tuve un sueño clarísimo en que se repetía una vieja y obsesionante imagen: Gloria, apoyada en el hombro de Juan, lloraba... Poco a poco, Juan sufrió curiosas transformaciones. Le vi enorme y oscuro con la fisonomía enigmática del dios Xochipilli. La cara pálida de Gloria empezó a animarse y a revivir. Xochipilli sonreía también. Bruscamente su sonrisa me fue conocida: era la blanca y un poco salvaje sonrisa de Román. Era Román el que abrazaba ahora a Gloria y los dos reían. No estaban en la clínica, sino en el campo. En un campo con lirios morados y Gloria estaba despeinada por el viento.

Me desperté sin fiebre y confusa, como si realmente hubiera descubierto algún oscuro secreto.

V

No sé a qué fueron debidas aquellas fiebres, que pasaron como una ventolera dolorosa, removiendo los rincones de mi espíritu, pero barriendo también sus nubes negras. El caso es que desaparecieron antes de que nadie hubiera pensado en llamar al médico y que al cesar me dejaron una extraña y débil sensación de bienestar. El primer día que pude levantarme tuve la impresión de que al tirar la manta hacia los pies quitaba también de sobre mí aquel ambiente opresivo que me anulaba desde mi llegada a la casa.

Angustias, examinando mis zapatos, cuyo cuero arrugado como una cara expresiva delataba su vejez, señaló las suelas rotas que rezumaban humedad y dijo que yo había cogido un enfriamiento por llevar los pies mojados.

—Además, hija mía, cuando se es pobre y se tiene que vivir a costa de la caridad de los parientes, es necesario cuidar más las prendas personales. Tienes que andar menos y pisar con más cuidado... No me mires así, porque te advierto que sé perfectamente lo que haces cuando yo estoy en mi oficina. Sé que te vas a la calle y vuelves antes de que yo llegue, para que no pueda pillarte. ¿Se puede saber adónde vas?

—Pues a ningún sitio concreto. Me gusta ver las calles. Ver la ciudad...

—Pero te gusta ir sola, hija mía, como si fueras un golfo. Expuesta a las impertinencias de los hombres. ¿Es que eres una criada, acaso?... A tu edad, a mí no me dejaban ir sola ni a

la puerta de la calle. Te advierto que comprendo que es necesario que vayas y vengas de la Universidad... pero de eso a andar por ahí suelta como un perro vagabundo... Cuando estés
sola en el mundo haz lo que quieras. Pero ahora tienes una familia, un hogar y un nombre. Ya sabía yo que tu prima del pueblo no podía haberte inculcado buenos hábitos. Tu padre era
un hombre extraño... No es que tu prima no sea una excelente
persona, pero le falta refinamiento. A pesar de todo, espero
que no irías a corretear por las calles del pueblo.

—No.

—Pues aquí mucho menos. ¿Me has oído?

Yo no insistí, ¿qué podía decirle?

De pronto se volvió, espeluznada, cuando ya se iba.

—Espero que no habrás bajado hacia el puerto por las Ramblas.

—¿Por qué no?

—Hija mía, hay unas calles en las que si una señorita se me-
tiera alguna vez, perdería para siempre su reputación. Me refiero al barrio chino... Tú no sabes dónde comienza...

—Sí, sé perfectamente. En el barrio chino no he entrado...
pero ¿qué hay allí?

Angustias me miró furiosa.

—Perdidas, ladrones y el brillo del demonio, eso hay.

(Y yo, en aquel momento, me imaginé el barrio chino iluminado por una chispa de belleza.)

El momento de mi lucha contra Angustias se acercaba cada
vez más, como una tempestad inevitable. A la primera conversación que tuve con ella supe que nunca íbamos a entender-
nos. Luego, la sorpresa y la tristeza de mis primeras impresiones habían dado una gran ventaja a mi tía. «Pero —pensé yo,
excitada, después de esta conversación— este período se
acaba.» Me vi entrar en una vida nueva, en la que dispondría
libremente de mis horas y sonreí a Angustias con sorna.

Cuando volví a reanudar las clases en la Universidad me
parecía fermentar interiormente de impresiones acumuladas.
Por primera vez en mi vida me encontré siendo expansiva y

anudando amistades. Sin mucho esfuerzo conseguí relacionarme con un grupo de muchachas y muchachos compañeros de clase. La verdad es que me llevaba a ellos un afán indefinible que ahora puedo concretar como un instinto de defensa: sólo aquellos seres de mi misma generación y de mis mismos gustos podían respaldarme y ampararme contra el mundo un poco fantasmal de las personas maduras. Y verdaderamente, creo que yo en aquel tiempo necesitaba este apoyo.

Comprendí en seguida que con los muchachos era imposible el tono misterioso y reticente de las confidencias, al que las chicas suelen ser aficionadas, el encanto de desmenuzar el alma, el roce de la sensibilidad almacenado durante años... En mis relaciones con la pandilla de la Universidad me encontré hundida en un cúmulo de discusiones sobre problemas generales en los que no había soñado antes siquiera y me sentía descentrada y contenta al mismo tiempo.

Pons, el más joven de nuestro grupo, me dijo un día: —Antes, ¿cómo podías vivir, siempre huyendo de hablar con la gente? Te advierto que nos resultabas bastante cómica. Ena se reía de ti con mucha gracia. Decía que eras ridícula, ¿qué te pasaba?

Me encogí de hombros un poco dolida porque de toda la juventud que yo conocía Ena era mi preferida.

Aun en los tiempos en que no pensaba ser su amiga, yo le tenía simpatía a aquella muchacha y estaba segura de ser correspondida. Ella se había acercado algunas veces para hablarme cortésmente con cualquier pretexto. El primer día de curso me había preguntado que si yo era parienta de un violinista célebre. Recuerdo que la pregunta me pareció absurda y me hizo reír.

No era yo solamente quien sentía preferencia por Ena. Ella constituía algo así como un centro atractivo en nuestras conversaciones, que presidía muchas veces. Su malicia y su inteligencia eran proverbiales. Yo estaba segura de que si alguna vez me había tomado como blanco de sus burlas, realmente debería haber sido yo el hazmerreír de todo nuestro curso.

La miré desde lejos con cierto rencor. Ena tenía una agradable y sensual cara, en la que relucían unos ojos terribles. Era un poco fascinante aquel contraste entre sus gestos suaves, el aspecto juvenil de su cuerpo y de su cabello rubio, con la mirada verdosa cargada de brillo y de ironía que tenían sus grandes ojos.

Mientras yo hablaba con Pons, ella me saludó con la mano. Luego vino a buscarme atravesando los grupos bulliciosos que esperaban en el patio de Letras la hora de la clase. Cuando llegó a mi lado tenía las mejillas encarnadas y parecía de un humor excelente.

—Déjanos solas, Pons, ¿quieres?

—Con Pons —me dijo cuando vio la delgada figura del muchacho que se alejaba— hay que tener cuidado. Es de esas personas que se ofenden en seguida. Ahora mismo cree que le he hecho un agravio al pedirle que nos deje... pero tengo que hablarte.

Yo estaba pensando que hacía sólo unos minutos también me había sentido herida por burlas suyas de las que hasta entonces no tenía la menor idea... Pero ahora estaba ganada por su profunda simpatía.

Me gustaba pasear con ella por los claustros de piedra de la Universidad y escuchar su charla pensando en que algún día yo habría de contarle aquella vida oscura de mi casa, que en el momento en que pasaba a ser tema de discusión, empezaba a aparecer ante mis ojos cargada de romanticismo. Me parecía que a Ena le interesaría mucho y que entendería aún mejor que yo sus problemas. Hasta entonces sin embargo, no le había dicho nada de mi vida. Me iba haciendo amiga suya gracias a este deseo de hablar que me había entrado; pero hablar y fantasear eran cosas que siempre me habían resultado difíciles, y prefería escuchar su charla, con una sensación como de espera, que me desalentaba y me parecía interesante al mismo tiempo. Así, cuando nos dejó Pons aquella tarde, no podía imaginar que la agridulce tensión entre mis vacilaciones y mi anhelo de confidencias iba a terminarse.

—He averiguado hoy que un violinista de que te hablé hace tiempo... ¿te acuerdas?... además de llevar tu segundo apellido, tan extraño, vive en la calle de Aribau como tú. Su nombre es Román. ¿De veras no es pariente tuyo? —me dijo.

—Sí, es mi tío, pero no tenía idea de que realmente fuera un músico. Estaba segura de que aparte de su familia nadie más sabía que tocara el violín.

—Pues ya ves que yo sí que le conocía de oídas.

A mí me empezó a entrar una ligera excitación al pensar que Ena pudiera tener algún contacto con la calle de Aribau. Al mismo tiempo me sentí casi defraudada.

—Yo quiero que me presentes a tu tío.

—Bueno.

Nos quedamos calladas. Yo estaba esperando que Ena me explicara algo. Ella, tal vez que hablara yo. Pero sin saber por qué me pareció imposible comentar ya, con mi amiga, el mundo de la calle de Aribau. Pensé que me iba a ser terriblemente penoso llevar a Ena delante de Román —«un violinista célebre»— y presenciar la desilusión y la burla de sus ojos ante el aspecto descuidado de aquel hombre. Tuve uno de esos momentos de desaliento y vergüenza tan frecuentes en la juventud, al sentirme yo misma mal vestida, trascendiendo a lejía y áspero jabón de cocina junto al bien cortado traje de Ena y al suave perfume de su cabello.

Ena me miraba. Recuerdo que me pareció un alivio enorme que en aquel momento tuviéramos que entrar en clase.

—¡Espérame a la salida! —me gritó.

Yo me sentaba siempre en el último banco y a ella le reservaban un sitio sus amigos, en la primera fila. Durante toda la explicación del profesor yo estuve con la imaginación perdida. Me juré que no mezclaría aquellos dos mundos que se empezaban a destacar tan claramente en mi vida: el de mis amistades de estudiante con su fácil cordialidad y el sucio y poco acogedor de mi casa. Mi deseo de hablar de la música de Román, de la rojiza cabellera de Gloria, de mi pueril abuela vagando por la noche como un fantasma, me pareció idiota.

Aparte del encanto de vestir todo esto con hipótesis fantásticas en largas conversaciones, sólo quedaba la realidad miserable que me había atormentado a mi llegada y que sería la que Ena podría ver, si llegaba yo a presentarle a Román.

Así, en cuanto terminó la clase de aquel día, me escabullí fuera de la Universidad y corrí a mi casa como si hubiera hecho algo malo, huyendo de la segura mirada de mi amiga.

Cuando llegué a nuestro piso de la calle de Aribau deseé, sin embargo, encontrar a Román, porque era una tentación demasiado fuerte darle a entender que conocía el secreto —secreto que al parecer él guardaba celosamente— de su celebridad y de su éxito en un tiempo pasado. Pero aquel día no vi a Román a la hora de la comida. Esto me decepcionó aunque no llegó a extrañarme, porque Román se ausentaba con frecuencia. Gloria sonando los mocos a su niño me pareció un ser infinitamente vulgar y Angustias estuvo insoportable.

Al día siguiente y algunos otros días más rehuí a Ena hasta que pude convencerme de que al parecer ella había olvidado sus preguntas. A Román no se le veía por casa.

Gloria me dijo:

—¿Tú no sabes que él se va de cuando en cuando de viaje? No se lo dice a nadie, ni nadie sabe adónde va más que la cocinera...

(«¿Sabrá Román —pensaba yo— que algunas personas le consideran una celebridad, que la gente aún no le ha olvidado?»)

Una tarde me acerqué a la cocina.

—Diga, Antonia, ¿sabe usted cuándo volverá mi tío?

La mujer torció hacia mí, rápidamente, su risa espantosa.

Él volverá. Él nunca deja de volver. Se va y vuelve. Vuelve y se va... Pero no se pierde nunca ¿verdad, *Trueno?* No hay que preocuparse.

Se volvía hacia el perro que estaba, como de costumbre, detrás de ella, con su roja lengua fuera.

—¿Verdad, *Trueno,* que no se pierde nunca?

Los ojos del animal relucían amarillos mirando a la mujer y los ojos de ella brillaban también chicos y oscuros, entre los humos de la lumbre que estaba comenzando a encender.

Estuvieron así los dos unos instantes, fijos, hipnotizados.
Tuve la seguridad de que Antonia no añadiría una palabra a
sus poco informadores comentarios.

No hubo manera de saber nada de Román hasta que él
mismo apareció un atardecer. Estaba yo sola con la abuela y
con Angustias, y además me encontraba algo así como en pri-
sión correccional, pues Angustias me había cazado en el momento en que yo me disponía a escaparme a la calle andando
de puntillas. En un instante así, la llegada de Román me causó
una alegría inusitada.

Me pareció más moreno, con la frente y la nariz quemada
del sol, pero demacrado, sin afeitar y con el cuello de la camisa sucio.

Angustias le miró de arriba abajo.

—¡Quisiera yo saber dónde has estado!

Él la miró a su vez, maligno, mientras sacaba al loro para
acariciarle.

—Puedes estar segura de que te lo voy a decir... ¿quién me
ha cuidado al loro, mamá?

—Yo, hijo mío —dijo la abuela sonriéndole—, no me olvido nunca...

—Gracias, mamá.

La enlazó por la cintura, de modo que parecía que iba a le-
vantarla, y le dio un beso en el cabello.

—A ningún sitio muy bueno habrás ido. Ya me han puesto
sobre aviso de tus andanzas, Román. Te advierto que sé que
no eres el mismo de antes... Tu sentido moral deja bastante
que desear.

Román ensanchó el pecho, como para sacudirse del enerva-
miento del viaje.

—¿Y si te dijera que tal vez en mis andanzas he logrado
averiguar algo sobre el sentido moral de mi hermana?

—No digas absurdos, ¡necio! Y menos delante de mi sobrina.

—Nuestra sobrina no se espantará. Y mamá, aunque abra
esos ojillos redondos, tampoco...

Los pómulos de Angustias aparecieron amarillos y rojos y
me pareció curioso que su pecho ondulase como el de cualquier otra mujer agitada.

—He estado corriendo algo por el Pirineo —dijo Román—,
he parado unos días en Puigcerdá, que es un pueblo precioso,
y naturalmente he ido a visitar a una pobre señora a quien conocí en mejores tiempos y a la que su marido ha hecho encerrar
en su casona lúgubre, custodiada por criados como si fuese un
criminal.

—Si te refieres a la mujer de don Jerónimo, del jefe de mi
oficina, sabes perfectamente que la pobre se ha vuelto loca y
que antes de mandarla al manicomio él ha preferido...

—Sí, ya veo que estás muy al tanto de los asuntos de tu jefe,
me refiero a la pobre señora Sanz... En cuanto a que esté loca,
no lo dudo. Pero ¿quién ha tenido la culpa de que llegue a ese
estado?

—¿Qué eres capaz de insinuar? —gritó Angustias tan dolorida (esta vez de verdad), que me dio pena.

—¡Nada! —dijo Román con sorprendente ligereza, mientras flotaba bajo su bigote una sonrisa asombrada.

Yo me había quedado con la boca abierta, parada en medio
de mi deseo de hablar con Román. Había pasado días excitada
con la perspectiva de hablar a mi tío; tantas noticias que yo
creía interesantes y agradables para él me parecía guardar.

Cuando me levanté de la silla, para abrazarle con más ím-
petu del que solía poner en estas cosas, me saltaba la alegría
de esta sorpresa que le tenía preparada, en la punta de la lengua. La escena que siguió me había cortado el entusiasmo.

Con el rabillo del ojo vi a tía Angustias —mientras Román
me hablaba— apoyada en el aparador, muy pensativa, afeada
por una mueca dolorosa pero sin llorar, lo que era extraño en
ella.

Román se acomodó tranquilamente en una silla y empezó a
hablarme de los Pirineos. Dijo que aquellas magníficas arrugas de la tierra que se levantan entre nosotros —los españo-
les— y el resto de Europa eran uno de los sitios verdadera-

mente grandiosos del Globo. Me habló de la nieve, de los profundos valles, del cielo gélido y brillante.

—No sé por qué no puedo amar a la Naturaleza; tan terrible, tan hosca y magnífica como es a veces... Yo creo que he perdido el gusto por lo colosal. El tictac de mis relojes me despierta los sentidos más que el viento en los desfiladeros... Yo estoy cerrado —concluyó.

Al oírle estaba yo pensando que no valía la pena de hablar a Román de que una muchacha de mi edad conociera su talento, que la fama de ese talento a él no le interesaba. Que también para todo halago externo estaba él voluntariamente cerrado.

Román mientras hablaba acariciaba las orejas del perro, que entornaba los ojos de placer. La criada, en la puerta, los acechaba; se secaba las manos en el delantal —aquellas manos aporradas, con las uñas negras— sin saber lo que hacía y miraba, segura, insistente, las manos de Román en las orejas del perro.

VI

Con frecuencia me encontré sorprendida, entre aquellas gentes de la calle de Aribau, por el aspecto de tragedia que tomaban los sucesos más nimios, a pesar de que aquellos seres llevaban cada uno un peso, una obsesión real dentro de sí, a la que pocas veces aludían directamente.

El día de Navidad me envolvieron en uno de sus escándalos; y quizá porque hasta entonces solía estar yo apartada de ellos me hizo éste más impresión que otro alguno. O quizá por el extraño estado de ánimo en que me dejó respecto a mi tío Román, al que no tuve más remedio que empezar a ver bajo un aspecto desagradable en extremo.

Aquella vez la discusión tuvo sus raíces ocultas en mi amistad con Ena. Y mucho más tarde, recordándolo, he pensado que una especie de predestinación unió a Ena desde el principio a la vida de la calle de Aribau, tan impermeable a elementos extraños.

Mi amistad con Ena había seguido el curso normal de unas relaciones entre dos compañeras de clase que simpatizan extraordinariamente. Volví a recordar el encanto de mis amistades de colegio, ya olvidadas, gracias a ella. No se me ocultaban tampoco las ventajas que su preferencia por mí me reportaba. Los mismos compañeros me estimaban más. Seguramente les parecía más fácil acercarse así a mi guapa amiga.

Sin embargo, era para mí un lujo demasiado caro el participar de las costumbres de Ena. Ella me arrastraba todos los días al bar —el único sitio caliente que yo recuerdo, aparte del sol del jardín, en aquella Universidad de piedra— y pagaba mi consumición, ya que habíamos hecho un pacto para prohibir que los muchachos, demasiado jóvenes todos, y en su mayoría faltos de recursos, invitaran a las chicas. Yo no tenía dinero para una taza de café. Tampoco lo tenía para pagar el tranvía —si alguna vez podía burlar la vigilancia de Angustias y salía con mi amiga a dar un paseo— ni para comprar castañas calientes a la hora del sol. Y a todo proveía Ena. Esto me arañaba de un modo desagradable la vida. Todas mis alegrías de aquella temporada aparecieron un poco limadas por la obsesión de corresponder a sus delicadezas. Hasta entonces nadie a quien yo quisiera me había demostrado tanto afecto y me sentía roída por la necesidad de darle algo más que mi compañía, por la necesidad que sienten todos los seres poco agraciados de pagar materialmente lo que para ellos es extraordinario: el interés y la simpatía.

No sé si era un sentimiento bello o mezquino —y entonces no se me hubiera ocurrido analizarlo— el que me empujó a abrir mi maleta para hacer un recuento de mis tesoros. Apilé mis libros mirándolos uno a uno. Los había traído todos de la biblioteca de mi padre, que mi prima Isabel guardaba en el desván de su casa, y estaban amarillos y mohosos de aspecto. Mi ropa interior y una cajita de hoja de lata acababan de completar el cuadro de todo lo que yo poseía en el mundo. En la caja encontré fotografías viejas, las alianzas de mis padres y una medalla de plata con la fecha de mi nacimiento. Debajo de todo, envuelto en papel de seda, estaba un pañuelo de magnífico encaje antiguo que mi abuela me había mandado el día de mi primera comunión. Yo no me acordaba de que fuera tan bonito y la alegría de podérselo regalar a Ena me compensaba muchas tristezas. Me compensaba el trabajo que me llegaba a costar poder ir limpia a la Universidad, y sobre todo parecerlo junto al aspecto confortable de mis compañeros. Aquella tristeza de recoser los guantes, de lavar mis blusas en el agua turbia y helada del lavadero de la galería con el mismo trozo de jabón que Antonia empleaba para fregar sus cacerolas y que por las mañanas raspaba mi cuerpo bajo la ducha fría. Poder hacer a Ena un regalo tan delicadamente bello me compensaba de toda la mezquindad de mi vida. Me acuerdo de que se lo llevé a la Universidad el último día de clase antes de las vacaciones de Navidad y que escondí este hecho, cuidadosamente, a las miradas de mis parientes; no porque me pareciera mal regalar lo que era mío, sino porque entraba aquel regalo en el recinto de mis cosas íntimas del cual los excluía a todos. Ya en aquella época me parecía imposible haber pensado nunca en hablar de Ena a Román, ni aun para decirle que alguien admiraba su arte.

Ena se quedó conmovida y tan contenta cuando encontró en el paquete que le di la graciosa fruslería, que esta alegría suya me unió a ella más que todas sus anteriores muestras de afecto. Me hizo sentirme todo lo que no era: rica y feliz. Y yo no lo pude olvidar ya nunca.

Me acuerdo de que este incidente me había puesto de buen humor y de que empecé mis vacaciones con más paciencia y dulzura hacia todos de la que habitualmente tenía. Hasta con Angustias me mostraba amable. La Nochebuena me vestí, dispuesta a ir a Misa del Gallo con ella, aunque no me lo había pedido. Con gran sorpresa de mi parte se puso muy nerviosa.

—Prefiero ir sola esta noche, nena...

Creyó que me había quedado decepcionada y me acarició la cara.

—Ya irás mañana a comulgar con tu abuelita...

Yo no estaba decepcionada sino sorprendida, pues a todos los oficios religiosos Angustias me hacía ir con ella y le gustaba vigilar y criticar mi devoción.

La mañana de Navidad apareció espléndida cuando ya llevaba muchas horas durmiendo. Acompañé en efecto a la abuela a misa. A la fuerte luz del sol, la viejecilla, con su abrigo negro, parecía una pequeña y arrugada pasa. Iba a mi lado tan contenta, que me atormentó un turbio remordimiento de no quererla más.

Cuando ya volvíamos, me dijo que había ofrecido la comunión por la paz de la familia.

—Que se reconcilien esos hermanos, hija mía, es mi único deseo y también que Angustias comprenda lo buena que es Gloria y lo desgraciada que ha sido.

Cuando subíamos las escaleras de la casa oímos gritos que salían de nuestro piso. La abuela se cogió a mi brazo con más fuerza y suspiró.

Al entrar encontramos que Gloria, Angustias y Juan tenían un altercado de tono fuerte en el comedor. Gloria lloraba histérica.

Juan intentaba golpear con una silla la cabeza de Angustias y ella había cogido otra como escudo y daba saltos para defenderse.

Como el loro chillaba excitado y Antonia cantaba en la cocina, la escena no dejaba de tener su comicidad.

La abuelita se metió en seguida en la riña, aleteando e intentando sujetar a Angustias, que se puso desesperada.

Gloria corrió hacia mí.

—¡Andrea! ¡Tú puedes decir que no es verdad!

Juan dejó la silla para mirarme.

—¿Qué va a decir Andrea? —gritó Angustias—; sé muy bien que lo has robado...

—¡Angustias! ¡Como sigas insultando, te abro la cabeza, maldita!

—Bueno, ¿pero qué tengo que decir yo?

—Dice Angustias que te he quitado un pañuelo de encaje que tenías...

Sentí que me ponía estúpidamente encarnada, como si me hubieran acusado de algo. Una oleada de calor. Un chorro de sangre hirviente en las mejillas, en las orejas, en las venas del cuello...

—¡Yo no hablo sin pruebas! —dijo Angustias con el índice extendido hacia Gloria—. Hay quien te ha visto sacar de casa ese pañuelo para venderlo. Precisamente es lo único valioso que tenía la sobrina en su maleta y no me negarás que no es la primera vez que revuelves esa maleta para quitar de ella algo. Dos veces te he descubierto ya usando la ropa interior de Andrea.

Esto era efectivamente cierto. Una desagradable costumbre de Gloria, sucia y desastrada en todo y sin demasiados escrúpulos para la propiedad ajena.

—Pero eso de que me haya quitado el pañuelo no es verdad —dije oprimida por una angustia infantil.

—¿Ves? ¡Bruja indecente! Más valdría que tuvieras vergüenza en tus asuntos y que no te metieras en los de los demás.

Éste era Juan, naturalmente.

—¿No es verdad? ¿No es verdad que te han robado tu pañuelo de la primera comunión?... ¿Dónde está entonces? Porque esta misma mañana he estado viendo yo tu maleta y allí no hay nada.

—Lo he regalado —dije conteniendo los latidos de mi corazón—. Se lo he regalado a una persona.

Tía Angustias vino tan de prisa hacia mí, que cerré los ojos con un gesto instintivo, como si tratara de abofetearme. Se quedó tan cerca, que su aliento me molestaba.

—Dime a quién se lo has dado, ¡en seguida! ¿A tu novio? ¿Tienes novio?

Moví la cabeza en sentido negativo.

—Entonces no es verdad. Es una mentira que dices para defender a Gloria. No te importa dejarme en ridículo con tal de que quede bien esa mujerzuela...

Corrientemente tía Angustias era comedida en su modo de hablar. Aquella vez se debió contagiar del ambiente general. Lo demás fue muy rápido: un bofetón de Juan, tan brutal, que hizo tambalearse a Angustias y caer al suelo.

Me incliné rápidamente hacia ella y quise ayudarla a levantarse. Me rechazó, brusca, llorando. La escena, en realidad, había perdido todo su aspecto divertido para mí.

—Y escucha, ¡bruja! —gritó Juan—. No lo había dicho antes porque soy cien veces mejor que tú y que toda la maldita ralea de esta casa, pero me importa muy poco que todo dios se entere de que la mujer de tu jefe tiene razón en insultarte por teléfono, como hace a veces, y que anoche no fuiste a Misa del Gallo ni a nada por el estilo...

Creo que me va a ser difícil olvidar el aspecto de Angustias en aquel momento. Con los mechones grises despeinados, los ojos tan abiertos que me daban miedo y limpiándose con dos dedos un hilillo de sangre de la comisura de los labios... parecía borracha.

—¡Canalla! ¡Canalla!... ¡Loco! —gritó.

Luego se tapó la cara con las manos y corrió a encerrarse en su cuarto. Oímos el crujido de la cama bajo su cuerpo, y luego su llanto.

El comedor se quedó envuelto en una tranquilidad pasmosa. Miré a Gloria y vi que me sonreía. Yo no sabía qué hacer. Intenté una tímida llamada en el cuarto de Angustias y noté con alivio que no me contestaba.

Juan se fue al estudio y desde allí llamó a Gloria. Oí que empezaban una nueva discusión que hasta mí llegaba amortiguada como una tempestad que se aleja.

Yo me acerqué al balcón y apoyé la frente en los cristales. Aquel día de Navidad, la calle tenía aspecto de una inmensa pastelería dorada, llena de cosas apetecibles.

Sentí que la abuelita se acercaba a mi espalda y luego su mano estrecha, siempre azulosa de frío, inició una débil caricia sobre mi mano.

—Picarona —me dijo—, picarona... has regalado mi pañuelo.

La miré y vi que estaba triste, con un desconsuelo infantil en los ojos.

—¿No te gustaba mi pañuelo? Era de mi madre, pero yo quise que fuera para ti...

No supe qué contestar y volví su mano para besarle la palma, arrugada y suave. Me apretaba a mí también un desconsuelo la garganta, como una soga áspera. Pensé que cualquier alegría de mi vida tenía que compensarla algo desagradable. Que quizá esto era una ley fatal.

Llegó Antonia para poner la mesa. En el centro, como si fueran flores, colocó un plato grande con turrón. Tía Angustias no quiso salir de su cuarto para comer.

Estábamos la abuela, Gloria, Juan, Román y yo, en aquella extraña comida de Navidad, alrededor de una mesa grande, con su mantel a cuadros deshilachado por las puntas.

Juan se frotó las manos contento.

—¡Alegría! ¡Alegría! —dijo y descorchó una botella.

Como era día de Navidad Juan se sentía muy animado. Gloria empezó a comer trozos de turrón empleándolos como pan desde la sopa. La abuelita reía, dichosa, con la cabeza vacilante después de beber vino.

—No hay pollo ni pavo, pero un buen conejo es mejor que todo —dijo Juan.

Sólo Román parecía, como siempre, lejos de la comida. También cogía trozos de turrón para dárselos al perro.

Teníamos semejanza con cualquier tranquila y feliz familia, envuelta en su pobreza sencilla, sin querer nada más.

Un reloj que se atrasaba siempre dio unas campanadas intempestivas y el loro se esponjó, satisfecho, al sol.

De pronto a mí me pareció todo aquello idiota, cómico y risible otra vez. Y sin poderlo remediar empecé a reírme cuando nadie hablaba ni venía a cuento, y me atraganté. Me daban golpes en la espalda y yo, encarnada y tosiendo hasta saltárseme las lágrimas, me reía; luego terminé llorando en serio, acongojada, triste y vacía.

Por la tarde me hizo ir tía Angustias a su cuarto. Se había metido en la cama y se colocaba unos paños con agua y vinagre en la frente. Estaba ya tranquila y parecía enferma.

—Acércate, hijita, acércate —me dijo—, tengo que explicarte algo... Tengo interés de que sepas que tu tía es incapaz de hacer nada malo o indecoroso.

—Ya lo sé. No lo he dudado nunca.

—Gracias, hija, ¿no has creído las calumnias de Juan?

—¡Ah!... ¿que anoche no estabas en Misa del Gallo? —contuve las ganas de sonreírme—. No. ¿Por qué no ibas a estar? Además a mí eso no me parece importante.

Se removió inquieta.

—Me es muy difícil explicarte, pero...

Su voz venía cargada de agua, como las nubes hinchadas de primavera. Me resultaba insoportable otra nueva escena, y toqué su brazo con las puntas de mis dedos.

—No quiero que me expliques nada. No creo que tengas que darme cuenta de tus actos, tía. Y si te sirve de algo, te diré que creo imposible cualquier cosa poco moral que me dijeran de ti.

Ella me miró, aleteándole los ojos castaños bajo la visera del paño mojado que llevaba en la cabeza.

—Me voy a marchar muy pronto de esta casa, hija —dijo con voz vacilante—. Mucho más pronto de lo que nadie se imagina. Entonces resplandecerá mi verdad.

Traté de imaginarme lo que sería la vida sin tía Angustias, los horizontes que se me podrían abrir... Ella no me dejó.

—Ahora, Andrea, escúchame —había cambiado de tono—; si has regalado ese pañuelo tienes que pedir que te lo devuelvan.

—¿Por qué? Era mío.

—Porque yo te lo mando.

Me sonreí un poco, pensando en los contrastes de aquella mujer.

—No puedo hacer eso. No haré esa estupidez.

Algo ronco le subía a Angustias por la garganta, como a un gato el placer. Se incorporó en la cama, quitándose de la frente el pañuelo humedecido.

—¿Te atreverías a jurar que lo has regalado?

—¡Claro que sí! ¡Por Dios!

Yo estaba aburrida y desesperada de aquel asunto.

—Se lo he regalado a una compañera de la Universidad.

—Piensa que juras en falso.

—¿No te das cuenta, tía, que todo esto llega a ser ridículo? Digo la verdad. ¿Quién te ha metido en la cabeza que Gloria me lo quitó?

—Me lo aseguró tu tío Román, hija —se volvió a tender, lacia, sobre la almohada—, que Dios le perdone si ha dicho una mentira. Me dijo que él había visto a Gloria vendiendo tu pañuelo en una tienda de antigüedades, por eso fui yo a registrar la maleta esta mañana.

Me quedé perpleja, como si hubiera metido mis manos en algo sucio, sin saber qué hacer ni qué decir.

Terminé el día de Navidad en mi cuarto, entre aquella fantasía de muebles en el crepúsculo. Yo estaba sentada sobre la cama turca, envuelta en la manta, con la cabeza apoyada sobre las rodillas dobladas.

Fuera, en las tiendas, se trenzarían chorros de luz y la gente iría cargada de paquetes. Los Belenes armados con todo su aparato de pastores y ovejas estarían encendidos. Cruzarían las calles bombones, ramos de flores, cestas adornadas, felicitaciones y regalos.

Gloria y Juan habían salido de paseo con el niño. Pensé que sus figuras serían más flacas, más borrosas y perdidas entre las otras gentes. Antonia también había salido y escuché los pasos de la abuelita, nerviosa y esperanzada como un ratoncillo, husmeando en el prohibido mundo de la cocina; en los dominios de la terrible mujer. Arrastró una silla para alcanzar la puerta del armario. Cuando encontró la lata del azúcar oí crujir los terrones entre su dentadura postiza.

Los demás estábamos en la cama. Tía Angustias, yo, y allá arriba, separado por las capas amortiguadas de rumores (sonidos de gramófono, bailes, conversaciones bulliciosas) de cada piso, podía imaginarme a Román tendido también, fumando, fumando...

Y los tres pensábamos en nosotros mismos sin salir de los límites estrechos de aquella vida. Ni él, ni Román, con su falsa apariencia endiosada. Él, Román, más mezquino, más cogido que nadie en las minúsculas raíces de lo cotidiano. Chupada su vida, sus facultades, su arte, por la pasión de aquella efervescencia de la casa. Él, Román, capaz de fisgar en mis maletas y de inventar mentiras y enredos contra un ser a quien afectaba despreciar hasta la ignorancia absoluta de su existencia.

Así acabó para mí aquel día de Navidad, helada en mi cuarto y pensando estas cosas.

VII

Dos días después de la borrascosa escena que he contado, Angustias desempolvó sus maletas y se fue sin decirnos adónde, ni cuándo pensaba volver.

Sin embargo, aquel viaje no revistió el carácter de escapada silenciosa que daba Román a los suyos. Angustias revolvió la casa durante los dos días con sus órdenes y sus gritos. Estaba nerviosa, se contradecía. A veces lloraba.

Cuando las maletas estuvieron cerradas y el taxi esperando se abrazó a la abuela.

—¡Bendíceme, mamá!

—Sí, hija mía, sí, hija mía...

—Recuerda lo que te he dicho.

—Sí, hija mía...

Juan miraba la escena con las manos en los bolsillos, impaciente.

—¡Estás más loca que una cabra, Angustias!

Ella no le contestó. Yo la veía con su largo abrigo oscuro, su eterno sombrero, apoyada en el hombro de la madre, inclinándose hasta tocar con su cabeza la blanca cabeza y tuve la sensación de encontrarme ante una de aquellas últimas hojas de otoño, muertas en el árbol antes de que el viento las arranque.

Cuando al fin se marchó quedaron mucho rato vibrando sus ecos. Aquella misma tarde sonó el timbre de la puerta y yo abrí a un desconocido que venía en su busca.

—¿Se ha marchado ya? —añadió él mismo, ansioso, como si hubiera venido corriendo.

—Sí.

—¿Puedo entonces ver a su abuela?

Le hice pasar al comedor y él lanzó a toda aquella ruinosa tristeza una mirada inquieta. Era un hombre alto y grueso, con las cejas muy grises y espesas.

La abuelita apareció con el niño pegado a sus faldas, con su espectral y desastrado señorío, sonriéndole dulcemente sin reconocerle.

—No sé de dónde...

—He vivido muchos meses en esta casa, señora. Soy Jerónimo Sanz.

Miré al jefe de Angustias con curiosidad impertinente. Parecía un hombre de mal genio, que se contuviera con dificultad. Iba muy bien vestido. Sus ojos oscuros, casi sin blanco, me recordaron a los de los cerdos que criaba Isabel en el pueblo.

—¡Jesús! ¡Jesús! —decía la abuelita, temblona—. Claro que sí... Siéntese usted. ¿Conoce a Andrea?

—Sí, señora. Ya la vi la última vez que estuvo aquí. Ha cambiado muy poco... se parece a su madre en los ojos y en lo alta y delgada que es. En realidad Andrea tiene un gran parecido con la familia de ustedes.

—Es igual que mi hijo Román, si tuviera los ojos negros sería como mi hijo Román —dijo la abuela inesperadamente.

Don Jerónimo resopló en su sillón. La conversación sobre mí le interesaba tan poco como a mí misma. Se volvió a la abuela y vio que se había olvidado de él, ocupada en jugar con el niño.

—Señora. Yo quisiera la dirección de Angustias... Es un favor que le pido a usted. Ya sabe... tengo algunos asuntos en la oficina que sólo ella puede resolver, pues... no se ha acordado de eso... y...

—Sí, sí —dijo la abuela—. No se ha acordado... Se le ha olvidado a Angustias decir adónde iba. ¿Verdad, Andrea?

Sonrió a don Jerónimo con sus ojillos claros y dulces.

—Se ha olvidado de dar su dirección a todo el mundo —concluyó—, quizá escriba... Mi hija es un poco especial. Figúrese usted, tiene la manía de decir que su cuñada, que mi nuera Gloria no es perfecta...

Don Jerónimo, enrojecido sobre su blanco cuello duro, buscó un momento para despedirse. Desde la puerta me lanzó una mirada de odio singular. Tuve el impulso de correr tras él, de cogerle por las solapas y de gritarle furiosa:

«¿Por qué me mira usted así? ¿Qué tengo yo que ver con usted?»

Pero, naturalmente, le sonreí y cerré la puerta con cuidado. Al volverme encontré la cara de la abuelita, infantil, contra mi pecho.

—Estoy contenta, hijita. Estoy contenta, pero me parece que esta vez me tendré que confesar. Estoy segura, sin embargo, de que no será un pecado muy grande. Pero de todas maneras... como quiero comulgar mañana...

—¿Es que le has dicho una mentira a don Jerónimo?

—Sí, sí... —y la abuela se reía.

—¿Dónde está Angustias, abuela?

—A ti tampoco puedo decírtelo, picarona... Y me gustaría, porque tus tíos creen muchas barbaridades de la pobre Angustias que no son verdad y tú podrías creerlas también. La pobre hija mía lo único que tiene es muy mal genio... pero no hay que hacerle caso.

Gloria y Juan vinieron.

—¿De modo que no se ha fugado Angustias con don Jerónimo? —dijo Juan brutalmente.

—¡Calla!, ¡calla!... De sobra sabes que tu hermana es incapaz.

—Pues nosotros, mamá, la vimos la noche de Nochebuena volver a casa con don Jerónimo casi de madrugada. Juan y yo nos escondimos en la sombra para verlos pasar. Debajo del farol que hay a la entrada se despidieron, don Jerónimo le besó la mano y ella lloraba...

—Hija —dijo la abuela moviendo la cabeza—, no todas las cosas que se ven son lo que parecen.

Un rato después la vimos salir desafiando la sombra helada de la tarde para confesarse en una iglesia cercana.

Entré en el cuarto de Angustias y el blando colchón desguarnecido me dio la idea de dormir allí mientras ella estuviera fuera. Sin consultarlo a nadie trasladé mis ropas a aquella cama, no sin cierta inquietud, pues todo el cuarto estaba impregnado del olor a naftalina e incienso que su dueña despedía, y el orden de las tímidas sillas parecía obedecer aún a su voz. Aquel cuarto era duro como el cuerpo de Angustias, pero más limpio y más independiente que ninguno en la casa. Me repelía instintivamente y a la vez atraía a mi deseo de comodidad.

Horas más tarde, cuando la casa estaba en la paz de la noche —corta tregua obligatoria—, ya de madrugada, me despertó la luz eléctrica en los ojos.

Me incorporé sobresaltada en la cama y vi a Román.

—¡Ah! —dijo con el ceño fruncido pero esbozando una sonrisa—, te aprovechas de la ausencia de Angustias para dormir en su alcoba... ¿No tienes miedo a que te ahogue cuando se entere?

Yo no le contesté, pero le miré interrogante.

—Nada —dijo él—, nada... no quería nada aquí.

Brusco, apagó otra vez la luz y se fue. Luego le oí salir de la casa.

Durante los siguientes días yo tuve la impresión de que esta aparición de Román a altas horas de la noche había sido un sueño; pero la recordé vívidamente poco tiempo después.

Fue una tarde de luz muy triste. Yo me cansé de ver los retratos antiguos que me enseñaba la abuela en su alcoba. Tenía un cajón lleno de fotografías en el más espantoso desorden, algunas con el cartón mordisqueado de ratones.

—¿Ésta eres tú, abuela?

—Sí...

—¿Éste es el abuelito?

—Sí, es tu padre.

—¿Mi padre?

—Sí, mi marido.

—Entonces no es mi padre, sino mi abuelo...

—¡Ah!... Sí, sí.

—¿Quién es esta niña tan gorda?

—No sé.

Pero detrás de la fotografía había una fecha antigua y un nombre: «Amalia».

—Es mi madre cuando pequeña, abuela.

—Me parece que estás equivocada.

—No, abuela.

De sus antiguos amigos de juventud se acordaba de todos.

—Es mi hermano... Es un primo que ha estado en América...

Al final me cansé y fui hacia el cuarto de Angustias. Quería estar allí sola y a oscuras un rato. «Si tengo ganas —pensé con el ligero malestar que siempre me atacaba al reflexionar sobre esto— estudiaré un rato.»

Empujé la puerta con suavidad y de pronto retrocedí, asustada: junto al balcón, aprovechando para leer la última luz de la tarde, estaba Román, con una carta en la mano.

Se volvió con impaciencia, pero al verme esbozó una sonrisa.

—¡Ah!... ¿eres tú, pequeña?... Bueno, ahora no me huyas, haz el favor.

Me quedé quieta y vi que él con gran tranquilidad y destreza doblaba aquella carta y la colocaba sobre un fajo de ellas que había sobre el pequeño escritorio (yo miraba sus ágiles manos, morenas, vivísimas). Abrió uno de los cajones de Angustias. Luego sacó un llavero de bolsillo, encontró en seguida la llavecita que buscaba y cerró el cajón silenciosamente después de haber metido las cartas dentro.

Mientras efectuaba estas operaciones me iba hablando:

—Precisamente tenía yo muchas ganas de charlar esta tarde contigo, pequeña. Tengo arriba un café buenísimo y quería invitarte a una taza. Tengo también cigarrillos y unos bombones que compré ayer pensando en ti... Y... ¿bien? —dijo al terminar, en vista de que yo no contestaba.

Se había recostado contra el escritorio de Angustias y la última luz del balcón le daba de espaldas. Yo estaba enfrente.

—Se te ven brillar los ojos grises como a un gato —dijo.

Yo descargué mi atontamiento y mi tensión en algo parecido a un suspiro.

—Bueno, ¿qué me contestas?

—No, Román, gracias. Esta tarde quiero estudiar.

Román frotó una cerilla para encender el cigarrillo; vi un instante, entre las sombras, su cara iluminada por un resplandor rojizo y su singular sonrisa, luego las doradas hebras ardiendo. En seguida un punto rojo y alrededor otra vez la luz gris-violeta del crepúsculo.

—No es verdad que tengas ganas de estudiar, Andrea... ¡Anda! —dijo acercándose rápidamente hacia mí y cogiéndome del brazo—. ¡Vamos!

Me sentí rígida y suavemente empecé a despegar sus dedos de mi brazo.

—Hoy, no... gracias.

Me soltó en seguida; pero estábamos muy cerca y no nos movíamos.

Se encendieron los faroles de la calle y un reguero amarillento se reflejó en la vacía silla de Angustias, corrió sobre los baldosines...

—Puedes hacer lo que quieras, Andrea —dijo él al fin—, no es cuestión de vida o muerte para mí.

La voz le sonaba profunda, con un tono nuevo.

«Está desesperado», pensé sin saber a ciencia cierta por qué encontraba desesperación en su voz. Él se marchó rápidamente y dio un portazo al salir del piso, como siempre. Yo me sentía emocionada de una manera desagradable. Me entró un inmediato deseo de seguirle, pero al llegar al recibidor me detuve otra vez. Hacía días que yo rehuía la afectuosidad de Román, me parecía imposible volver a sentirme amiga suya después del desagradable episodio del pañuelo. Pero aún me inspiraba él más interés que los demás de la casa juntos... «Es mezquino, es una persona innoble», pensé en alta voz, allí, en la tranquila oscuridad de la casa...

Sin embargo, me decidí a abrir la puerta y subir las escaleras. Sintiendo por primera vez, aun sin comprenderlo, que el interés y la estimación que inspire una persona son dos cosas que no siempre van unidas.

Por el camino iba pensando en que la primera noche que dormí en el cuarto de Angustias después de la aparición de Román y de haber oído el portazo que dio a su marcha y sus pasos en la escalera, oí salir de la casa a Gloria. El cuarto de Angustias recibía directamente los ruidos de la escalera. Era como una gran oreja en la casa... Cuchicheos, portazos, voces, todo resonaba allí. Impresionada como estaba, me había puesto a escuchar. Había cerrado los ojos para oír mejor; me parecía ver a Gloria, con su cara blanca y triangular, rondando por el descansillo sin decidirse. Dio unos cuantos pasos y se detuvo luego vacilante, otra vez comenzó a pasear y a detenerse. Me empezó a latir el corazón de excitación porque estaba segura de que ella no podría resistir el deseo de subir los peldaños que separaban nuestra casa del cuarto de Román. Tal vez no podía resistir la tentación de espiarle... Sin embargo, los pasos de Gloria se decidieron, bruscamente, a lanzarse escalera abajo, hacia la calle. Todo esto resultaba tan asombroso que contribuyó a que yo lo achacara a trastornos de mi imaginación medio dormida.

Ahora era yo quien subía despacio, latiéndome el corazón, al cuarto de Román. En realidad me parecía que le hacía yo verdadera falta, que le hacía verdadera falta hablar, como me había dicho. Tal vez quería confesarse conmigo; arrepentirse delante de mí o justificarse.

Cuando llegué le encontré tumbado, acariciando la cabeza del perro.

—¿Crees que has hecho una gran cosa con venir?

—No... Pero tú querías que viniera.

Román se incorporó mirándome con una expresión de curiosidad en sus ojos brillantes.

—Quisiera saber hasta qué punto puedo contar contigo; hasta qué punto puedes llegar a quererme... ¿Tú me quieres, Andrea?

—Sí, es natural... —dije cohibida—, no sé hasta qué punto las sobrinas corrientes quieren a sus tíos...

Román se echó a reír.

—¿Las sobrinas corrientes? ¿Es que tú te consideras sobrina extraordinaria...? ¡Vamos, Andrea! ¡Mírame!... ¡Tonta! A las sobrinas de todas clases les suelen tener sin cuidado los tíos...

—Sí, a veces pienso que es mejor la amistad que la familia. Puede uno, en ocasiones, unirse más a un extraño a su sangre...

La imagen de Ena, borrada todos aquellos días, se dibujaba en mi imaginación con un vago perfil. Perseguida por esta idea pregunté a Román:

—¿Tú no tienes amigos?

—No —Román me observaba—. Yo no soy un hombre de amigos. Ninguno de esta casa necesita amigos. Aquí nos bastamos a nosotros mismos. Ya te convencerás de ello...

—No lo creo. No estoy tan segura de eso... Hablarías mejor con un hombre de tu edad que conmigo...

Las ideas me apretaban la garganta sin poderlas expresar.

Román tenía un tono irritado, aunque sonreía.

—Si necesitara amigos los tendría, los he tenido y los he dejado perder. Tú también te hartarás de todo... ¿Qué persona hay, en este cochino y bonito mundo, que tenga bastante interés para aguantarla? Tú también mandarás a la gente al diablo dentro de poco, cuando se te pase el romanticismo de colegiala por las amistades.

—Pero tú, Román, te vas al diablo también detrás de esa gente a la que despides... Nunca he hecho tanto caso yo de la gente como tú, ni he tenido tanta curiosidad de sus asuntos íntimos... Ni registro sus cajones, ni me importa lo que tienen en sus maletas los demás.

Me puse encarnada y lo sentí, porque estaba encendida la luz y estaba encendido un claro fuego en la chimenea. Al darme cuenta, me subió una nueva oleada de sangre, pero me atreví a mirar la cara de mi tío.

Román levantaba una ceja.

—¡Ah! ¿Conque es eso lo que motivaba las huidas de estos días?

—Sí.

—Mira —cambió de tono—, no te metas en lo que no puedes comprender, mujer... No sabrías entenderme si te explicara mis acciones. Y por lo demás, no he soñado en darte a ti
explicaciones de mis actos.

—Yo no te las pido.

—Sí... Pero tengo ganas de hablar yo... Tengo ganas de con-
tarte cosas.

Aquella tarde me pareció Román trastornado. Por primera
vez, tuve frente a él la misma sensación de desequilibrio que
me hacía siempre tan desagradable la permanencia junto a
Juan. En el curso de aquella conversación que tuvimos hubo
momentos en que toda la cara se le iluminaba de malicioso
buen humor, otras veces me miraba medio fruncido el ceño,
tan intensos los ojos, como si realmente fuera apasionante para
él lo que me contaba. Como si fuera lo más importante de su
vida.

Al principio parecía que no sabía cómo empezar. Manipuló
con la cafetera. Apagó la luz y nos quedamos con la claridad
única de la chimenea para beber más confortablemente el café.
Yo me senté sobre la estera del suelo, junto al fuego, y él estuvo a mi lado un rato, en cuclillas, fumando. Luego se levantó.

«¿Le pediré que haga un poco de música como siempre?»,
pensé, al ver que el silencio se hacía tan largo. Parecía que habíamos recobrado nuestro ambiente normal. De pronto me
asustó su voz.

—Mira, quería hablar contigo, pero es imposible. Tú eres
una criatura... «lo bueno», «lo malo», «lo que me gusta», «lo
que me da la gana de hacer»... todo eso es lo que tú tienes metido en tu cabeza, con una claridad de niño. Algunas veces
creo que te pareces a mí, que me entiendes, que entiendes mi
música, la música de esta casa... La primera vez que toqué el
violín para ti, yo estaba temblando por dentro de esperanza, de
una alegría tan terrible cuando tus ojos cambiaban con la música, cuando tus manos cambiaban con la música... Pensaba,
pequeña, que tú me ibas a entender hasta sin palabras; que tú

eras mi auditorio, el auditorio que me hacía falta... Y tú no te has dado cuenta siquiera de que yo tengo que saber —de que de hecho sé— todo, absolutamente todo, lo que pasa abajo. Todo lo que siente Gloria, todas las ridículas historias de Angustias, todo lo que sufre Juan... ¿Tú no te has dado cuenta de que yo los manejo a todos, de que dispongo de sus vidas, de que dispongo de sus nervios, de sus pensamientos...? ¡Si yo te pudiera explicar que a veces estoy a punto de volver loco a Juan!... Pero ¿tú misma no lo has visto? Tiro de su comprensión, de su cerebro, hasta que casi se rompe... A veces, cuando grita con los ojos abiertos me llega a emocionar. ¡Si tú sintieras alguna vez esta emoción tan espesa, tan extraña, secándote la lengua, me entenderías! Pienso que con una palabra lo podría calmar, apaciguar, hacerle mío, hacerle sonreír... Tú eso lo sabes, ¿no? Tú sabes muy bien hasta qué punto Juan me pertenece, hasta qué punto se arrastra tras de mí, hasta qué punto le maltrato. No me digas que no te has dado cuenta... Y no quiero hacerle feliz. Y le dejo, así, que se hunda solo... Y a los demás... Y a toda la vida de la casa, sucia como un río revuelto... Cuando vivas más tiempo aquí, esta casa y su olor, y sus cosas viejas, si eres como yo, te agarrarán la vida. Y tú eres como yo... ¿No eres como yo? Di, ¿no te pareces a mí algo?

Así estábamos; yo sobre la estera del suelo y él de pie. No sabía yo si gozaba asustándome o realmente estaba loco. Había terminado de hablar casi en un susurro al hacerme la última pregunta. Estaba yo, quieta, con muchas ganas de escapar, nerviosa.

Rozó con las puntas de los dedos mi cabeza y me levanté de un salto, ahogando un grito.

Entonces se echó a reír de verdad, entusiasmado, infantil, encantador como siempre.

—¡Qué susto! ¿Verdad, Andrea?

—¿Por qué me has dicho tantos disparates, Román?

—¿Disparates? —pero se reía—. No estoy tan seguro de que lo sean... ¿No te he contado la historia del dios Xochipilli, mi pequeño idolillo acostumbrado a recibir corazones humanos? Algún día se cansará de mis débiles ofrendas de música y entonces...

—Román, ya no me asustas, pero estoy nerviosa... ¿No puedes hablar en otro tono? Si no puedes, me voy...

—Y entonces —Román se reía más, con sus blancos dientes bajo el bigotillo negro—, entonces le ofreceré Juan a Xochipilli, le ofreceré el cerebro de Juan y el corazón de Gloria...

Suspiró.

—Mezquinos ofrecimientos, a pesar de todo. Tu hermoso y ordenado cerebro quizá fuera mejor...

Bajé las escaleras hasta la casa, corriendo, perseguida por la risa divertida de Román. Porque de hecho me escapé. Me escapé y los escalones me volaban bajo los pies. La risa de Román me alcanzaba, como la mano huesuda de un diablo que me cogiera la punta de la falda...

No quise cenar para no encontrarme con Román. No porque le tuviera miedo, no, un minuto después de terminada me había parecido absurda la conversación, pero me había trastornado, me sentía enervada y sin ganas de afrontar sus ojos. Ahora y no cuando le vi husmear mezquino, sin respeto a la vida de los demás, ahora y no todos aquellos días anteriores en que me escapaba de él creyendo despreciarle, era cuando empezaba a sentir contra Román una repulsión indefinible.

Me acosté y no podía dormirme. La luz del comedor ponía una raya brillante debajo de la puerta del cuarto; oía voces. Los ojos de Román estaban sobre los míos: «No necesitarás nada cuando las cosas de la casa te agarren los sentidos»... Me pareció un poco aterrador este continuo rumiar de las ideas que él me había sugerido. Me encontré sola y perdida debajo de mis mantas. Por primera vez sentía un anhelo real de compañía humana. Por primera vez sentía en la palma de mis manos el ansia de otra mano que me tranquilizara...

Entonces el timbre del teléfono, allí, en la cabecera de la cama, empezó a sonar. Me había olvidado de que existía ese chisme en la casa porque sólo Angustias lo utilizaba. Descolgué el auricular sacudida aún por el escalofrío de la impresión de su sonido agudo, y se me entró por los oídos una alegría tan grande (porque era como una respuesta a mi estado de ánimo) que al pronto ni la sentí.

Era Ena, que había encontrado mi número en el listín de teléfonos y me llamaba.

VIII

Angustias volvió en un tren de medianoche y se encontró a Gloria en la escalera de la casa. A mí me despertó el ruido de las voces. Rápidamente me di cuenta de que estaba durmiendo en un cuarto que no era el mío y de que su dueña me lo reclamaría.

Salté de la cama traspasada de frío y de sueño. Tan asustada, que tenía la sensación de no poder moverme aunque, en realidad, no hice otra cosa: en pocos segundos arranqué las ropas de la cama y me envolví con ellas. Tiré la almohada, al pasar, en una silla del comedor y llegué hasta el recibidor envuelta en una manta, descalza sobre las baldosas heladas, en el momento en que Angustias entraba de la calle seguida del chófer con sus maletas y conduciendo a Gloria por un brazo. La abuelita apareció también, aturrullada y balbuciente al ver a Gloria.

—Vamos, hija, vamos... ¡Corre a mi cuarto! —le dijo.

Pero Angustias no soltaba el brazo de Gloria.

—No, mamá. No, de ninguna manera.

El chófer miraba de reojo la escena. Angustias le pagó y cerró la puerta. En seguida se volvió a Gloria.

—¡Sinvergüenza! ¿Qué hacías a estas horas en la escalera, di?

Gloria estaba reconcentrada como un gato. Su boca pintada resultaba muy oscura.

—Ya te dije, chica, que te había sentido llegar y que iba a recibirte.

—¡Qué descaro! —gritó Angustias.

Mi tía presentaba un aspecto lamentable. Llevaba su sombrero inmutable, lo mismo que el día que se fue; pero la pluma, torcida, apuntaba como un cuerno feroz. Se santiguó y empezó a rezar con las manos sobre el pecho.

—¡Dios mío, dame paciencia! ¡Dame paciencia, Dios mío!

Yo sentía el frío quemándome las plantas de los pies y temblaba violentamente debajo de mi manta.

(«¿Qué dirá —pensaba yo— cuando sepa que he utilizado su cuarto?»)

La abuelita empezó a llorar:

—Angustias, suelta a esta niña, suelta a esta niña...

Parecía una criatura.

—¡Parece mentira, mamá! ¡Parece mentira! —volvió a gritar Angustias—. Ni siquiera le preguntas dónde ha estado... ¿Te hubiera gustado a ti que una hija tuya hiciera eso? ¡Tú, mamá, que ni siquiera nos permitías ir a las fiestas en casa de nuestros amigos cuando éramos jóvenes, proteges las escapadas nocturnas de esta infame!

Se llevó las manos a la cabeza quitándose el sombrero. Se sentó en la maleta y empezó a gemir:

—¡Me vuelvo loca! ¡Me vuelvo loca!

Gloria se escabulló como una sombra hacia el cuarto de la abuela, en el momento en que Antonia aparecía husmeadora y luego Juan, embutido en su abrigo viejo.

—¿Se puede saber a qué vienen esos gritos? ¡Animal! —dijo dirigiéndose a Angustias—. ¿No te das cuenta de que mañana me tengo yo que levantar a las cinco y me hace falta sueño?

—¡Más valdría que preguntaras a tu mujer qué es lo que hace en la calle a estas horas, en vez de insultarme!

Juan se quedó parado, con la mandíbula apuntada hacia la abuela.

—¿Qué tiene que ver Gloria con esto?

—Gloria está en su cuarto, hijito... quiero decir en mi cuarto con el niño... Salió a recibir a Angustias a la escalera y ella creyó que se iba a la calle. Es un malentendido.

Angustias contemplaba furiosa a la abuela y Juan estaba en medio de todos nosotros, gigantesco. Su reacción no se hizo esperar.

—¿Por qué mientes, mamá? ¡Maldita sea!... Y tú, bruja, ¿por qué te metes en lo que no te importa? ¿Qué tienes que ver tú con mi mujer? ¿Quién eres para impedirle que salga de noche, si le da la gana? Yo soy el único de esta casa a quien ella tiene que pedir permiso, y el que se lo concede... conque ¡métete en tu cuarto y no aúlles más!

Angustias se metió en su cuarto, en efecto, y Juan se quedó mordiéndose las mejillas, como siempre que estaba nervioso. La criada dio un chillido de gozo, ansiosa como estaba, en la puerta de su cubil. Juan se volvió hacia ella con el puño levantado, y luego lo volvió a dejar caer, fláccido, a lo largo del cuerpo.

Yo entré en el salón donde tenía mi alcoba y me sorprendió el olor a aire enmohecido y a polvo. ¡Qué frío hacía! Sobre el colchón de aquella cama turca, fino como una hoja, yo no podía hacer más que tiritar.

Se abrió la puerta en seguida detrás de mí y apareció otra vez ante mis ojos la figura de Angustias. Gimió al tropezar con un mueble, en la oscuridad.

—¡Andrea! —gritó—. ¡Andrea!

—Estoy aquí.

La sentía respirar fuerte.

—Ofrezco al Señor toda la amargura que me causáis... ¿Se puede saber qué hace tu traje en mi cuarto?

Me reconcentré un momento. En aquel silencio se empezó a oír una discusión en la lejana alcoba de la abuela.

—He dormido estos días allí —dije al fin.

Angustias abrió los brazos como si se fuera a caer o a tantear el aire para encontrarme. Yo cerré los ojos, pero ella volvió a tropezar y a gemir.

—Dios te perdone el disgusto que me das... Pareces un cuervo sobre mis ojos... Un cuervo que me quisiera heredar en vida.

En aquel momento cruzó el recibidor un grito de Gloria y luego el golpe de la puerta de la alcoba que compartían ella y Juan al cerrarse. Angustias se irguió escuchando. Ahora parecía venir un llanto ahogado.

—¡Dios mío! ¡Es para volverse loca! —murmuró mi tía.

Cambió de tono:

—Contigo, señorita, ajustaré las cuentas mañana. En cuanto te levantes ven a mi cuarto. ¿Oyes?

—Sí.

Cerró la puerta y se fue. La casa se quedó llena de ecos, gruñendo como un animal viejo. El perro, detrás de la puerta de la criada, empezó a ulular, a gemir y a su voz se mezcló otro grito de Gloria, y al llanto de ella que siguió, otro llanto más lejano del niño. Luego este lloro del niño fue el que predominó, el que llenó todos los rincones de la casa ya apaciguada. Oí salir a Juan nuevamente de su alcoba, para ir a buscar a su hijo al cuarto de la abuela. Oí después cómo él mismo lo paseaba monótonamente por el recibidor, cómo le hablaba para tranquilizarlo y dormirlo. No era la primera vez que las cantinelas de Juan a su hijo llegaban a mí en las noches frías. Juan tenía para la criatura ternuras insospechadas, íntimas y casi feroces. Sólo una vez cada quince días Gloria se iba a dormir a la alcoba de la abuela con el pequeño, para que el llanto caprichoso de éste no despertara a Juan, que estaba precisado a salir de casa cuando aún no había amanecido y luego habría de pasar la jornada haciendo unos duros trabajos suplementarios de los que volvía, rendido, a la noche siguiente.

Aquélla tan desgraciada en que llegó Angustias era una de estas noches en que mi tío tenía que madrugar.

Despierta todavía, le oí salir antes de que las sirenas de las fábricas rompieran a pitidos la neblina de la mañana. Todavía estaba el cielo de Barcelona cargado de humedades del mar y de estrellas cuando Juan se fue a la calle.

Me acababa de dormir, encogida y helada, cuando me desperté bajo la impresión de los ojos de Antonia. Aquella mujer respiraba un íntimo regodeo.

Chilló:

—Su tía dice que vaya usted...

Y se quedó en jarras mirándome, mientras yo me restregaba los ojos y me vestía.

Cuando me desperté del todo, sentada en el borde de la cama, me encontré en uno de mis períodos de rebeldía contra Angustias; el más fuerte de todos. Súbitamente me di cuenta de que no la iba a poder sufrir más. De que no la iba a obedecer más, después de aquellos días de completa libertad que había gozado en su ausencia. La noche inquieta me había estropeado los nervios y me sentí histérica yo también, llorosa y desesperada. Me di cuenta de que podía soportarlo todo: el frío que calaba mis ropas gastadas, la tristeza de mi absoluta miseria, el sordo horror de aquella casa sucia. Todo menos su autoridad sobre mí. Era aquello lo que me había ahogado al llegar a Barcelona, lo que me había hecho caer en la abulia, lo que mataba mis iniciativas; aquella mirada de Angustias. Aquella mano que me apretaba los movimientos y la curiosidad de la vida nueva... Angustias, sin embargo, era un ser recto y bueno a su manera entre aquellos locos. Un ser más completo y vigoroso que los demás... Yo no sabía por qué aquella terrible indignación contra ella subía en mí, por qué me tapaba la luz la sola visión de su larga figura y sobre todo de sus inocentes manías de grandezas. Es difícil entenderse con las gentes de otra generación, aun cuando no quieran imponernos su modo de ver las cosas. Y en estos casos en que quieren hacernos ver con sus ojos, para que resulte medianamente bien el experimento, se necesita gran tacto y sensibilidad en los mayores y admiración en los jóvenes.

Rebelde, estuve largo rato sin acudir a su llamada. Me lavé y me vestí para ir a la Universidad y ordené mis cuartillas en la cartera, antes de decidirme a entrar en su cuarto.

En seguida vi a mi tía sentada frente al escritorio. Tan alta y familiar con su rígido guardapolvo como si nunca —desde nuestra primera conversación en la mañana de mi llegada a la casa— se hubiera movido de aquella silla. Como si la luz que nimbaba sus cabellos entrecanos y abultaba sus labios gruesos fuera aún la misma luz. Como si aún no hubiera retirado los dedos pensativos de su frente.

(Era una imagen demasiado irreal la visión de aquel cuarto con luz de crepúsculo, con la silla vacía y las vivas manos de Román, diabólicas y atractivas, revolviendo aquel pequeño y pudibundo escritorio.)

Noté que Angustias tenía su aire lánguido y desamparado. Los ojos cargados y tristes. Durante tres cuartos de hora había estado proveyendo de dulzura su voz.

—Siéntate, hija. Tengo que hablarte seriamente.

Eran palabras rituales que yo conocía hasta la saciedad. La obedecí resignada y tiesa; pronta a saltar, como otras veces había estado dispuesta a tragar silenciosamente todas las majaderías. Sin embargo, lo que me dijo era extraordinario:

—Estarás contenta, Andrea (porque tú no me quieres...), dentro de unos días me voy de esta casa para siempre. Dentro de unos días, podrás dormir en mi cama que tanto envidias. Mirarte en el espejo de mi armario. Estudiar en esta mesa... Anoche me enfadé contigo porque lo que sucedía era inaguantable... He cometido un pecado de soberbia. Perdóname.

Me observaba de reojo al pedirme un perdón tan poco sincero que me hizo sonreír. Entonces se le quedó la cara tiesa, sembrada de arrugas verticales.

—No tienes corazón, Andrea.

Yo tenía miedo de haber entendido mal su primer discurso. De que no fuera verdad aquel anuncio fantástico de liberación.

—¿Adónde te irás?

Entonces me explicó que volvía al convento donde había pasado aquellos días de intensa preparación espiritual. Era una orden de clausura para ingresar en la cual hacía muchos años que estaba reuniendo una dote y ya la tenía ahorrada. A mí, mientras tanto, me iba pareciendo un absurdo la idea de Angustias sumergida en un ambiente contemplativo.

—¿Siempre has tenido vocación?

—Cuando seas mayor entenderás por qué una mujer no debe andar sola en el mundo.

—¿Según tú una mujer si no puede casarse, no tiene más remedio que entrar en el convento?

—No es ésa mi idea.

(Se removió inquieta.)

—Pero es verdad que sólo hay dos caminos para la mujer. Dos únicos caminos honrosos... Yo he escogido el mío, y estoy orgullosa de ello. He procedido como una hija de mi familia debía hacer. Como tu madre hubiera hecho en mi caso. Y Dios sabrá entender mi sacrificio...

Se quedó abstraída.

(«¿Dónde se ha ido —pensaba yo— aquella familia que se reunía en las veladas alrededor del piano, protegida del frío de fuera por feas y confortables cortinas de paño verde? ¿Dónde se han ido las hijas pudibundas, cargadas con enormes sombreros, que al pisar —custodiadas por su padre— la acera de la alegre y un poco revuelta calle de Aribau, donde vivían, bajaban los ojos para mirar a escondidas a los transeúntes?» Me estremecí al pensar que una de ellas había muerto y que su larga trenza de pelo negro estaba guardada en un viejo armario de pueblo muy lejos de allí. Otra, la mayor, desaparecería de su silla, de su balcón, llevándose su sombrero —el último sombrero de la casa— dentro de poco.)

Angustias suspiró al fin y me volvió a los ojos tal como era. Empuñó el lápiz.

—Todos estos días he pensado en ti... Hubo un tiempo —cuando llegaste— en que me pareció que mi obligación era hacerte de madre. Quedarme a tu lado, protegerte. Tú me has fallado, me has decepcionado. Creí encontrar una huerfanita ansiosa de cariño y he visto un demonio de rebeldía, un ser que se ponía rígido si yo lo acariciaba. Tú has sido mi última ilusión y mi último desengaño, hija. Sólo me resta rezar por ti, que ¡bien lo necesitas!, ¡bien lo necesitas!

Luego me dijo:

—¡Si te hubiera cogido más pequeña, te habría matado a palos!

Y en su voz se notaba cierta amarga fruición que me hacía sentirme a salvo de un peligro cierto.

Hice un movimiento para marcharme y me detuvo.

—No importa que hoy pierdas tus clases. Tienes que oírme... Durante quince días he estado pidiendo a Dios tu muerte... o el milagro de tu salvación. Te voy a dejar sola en una casa que no es ya lo que ha sido... porque antes era como el paraíso y ahora —tía Angustias tuvo una llama de inspiración— con la mujer de tu tío Juan ha entrado la serpiente maligna. Ella lo ha emponzoñado todo. Ella, únicamente ella, ha vuelto loca a mi madre... porque tu abuela está loca, hija mía, y lo peor es que la veo precipitarse a los abismos del infierno si no se corrige antes de morir. Tu abuela ha sido una santa, Andrea. En mi juventud, gracias a ella he vivido en el más puro de los sueños, pero ahora ha enloquecido con la edad. Con los sufrimientos de la guerra, que aparentemente soportaba tan bien, ha enloquecido. Y luego esa mujer, con sus halagos, le ha acabado de trastornar la conciencia. Yo no puedo comprender sus actitudes más que así.

—La abuela intenta entender a cada uno.

(Yo pensaba en sus palabras: «No todas las cosas son lo que parecen», cuando ella intentaba proteger a Angustias... pero ¿podía yo atreverme a hablar a mi tía de don Jerónimo?)

—Sí, hija, sí... Y a ti te viene muy bien. Parece que hayas vivido suelta en zona roja y no en un convento de monjas durante la guerra. Aun Gloria tiene más disculpas que tú en sus ansias de emancipación y desorden. Ella es una golfilla de la calle, mientras que tú has recibido una educación... y no te disculpes con tu curiosidad de conocer Barcelona. Barcelona te la he enseñado.

Miré el reloj instintivamente.

—Me oyes como quien oye llover, ya lo veo... ¡infeliz! ¡Ya te golpeará la vida, ya te triturará, ya te aplastará! Entonces me recordarás... ¡Oh! ¡Hubiera querido matarte cuando pequeña antes de dejarte crecer así!... Y no me mires con ese asombro. Ya sé que hasta ahora no has hecho nada malo. Pero lo harás en cuanto yo me vaya... ¡Lo harás! ¡Lo harás! Tú no dominarás tu cuerpo y tu alma. Tú no, tú no... Tú no podrás dominarlos.

Yo veía en el espejo, de refilón, la imagen de mis dieciocho años áridos, encerrados en una figura alargada, y veía la bella y torneada mano de Angustias crispándose en el respaldo de una silla. Una mano blanca, de palma abultada y suave. Una mano sensual, ahora desgarrada, gritando con la crispación de sus dedos más que la voz excitada de mi tía.

Empecé a sentirme conmovida y un poco asustada, pues el desvarío de Angustias amenazaba abrazarme, arrastrarme también.

Terminó temblorosa y llorando. Pocas veces lloraba Angustias sinceramente. Siempre el llanto la afeaba, pero éste, espantoso, que la sacudía ahora, no me causaba repugnancia sino cierto placer. Algo así como ver descargar una tormenta.

—Andrea —dijo al fin, suave—, Andrea... Tengo que hablar contigo de otras cosas —se secó los ojos y empezó a hacer cuentas—. En adelante recibirás tú misma, directamente, tu pensión. Tú misma le darás a la abuela lo que creas conveniente para contribuir a tu alimentación y tú misma harás equilibrios para comprarte lo más necesario... No te tengo que decir que gastes en ti el mínimo posible. El día que falte mi sueldo, esta casa va a ser un desastre. Tu abuela ha preferido siempre sus hijos varones, pero esos hijos —aquí me pareció que se alegraba— le van a hacer pasar mucha penuria... En esta casa las mujeres hemos sabido conservar mejor la dignidad.

Suspiró.

—Y aún. ¡Si no se hubiese introducido Gloria!

Gloria, la mujer serpiente, durmió enroscada en su cama hasta el mediodía, rendida y gimiendo en sueños. Por la tarde me enseñó las señales de la paliza que le había dado Juan la noche antes y que empezaban a amoratarse en su cuerpo.

IX

Como una bandada de cuervos posados en las ramas del árbol del ahorcado, así las amigas de Angustias estaban sentadas, vestidas de negro, en su cuarto, aquellos días. Angustias era el único ser que se conservaba asido desesperadamente a la sociedad, en la casa nuestra.

Las amigas eran las mismas que habían valsado a los compases del piano de la abuelita. Las que los años y los vaivenes habían alejado y que ahora volvían aleteando al enterarse de aquella púdica y bella muerte de Angustias para la vida de este mundo. Habían llegado de diferentes rincones de Barcelona y estaban en una edad tan extraña de su cuerpo como la adolescencia. Pocas conservaban un aspecto normal. Hinchadas o flacas, las facciones les solían quedar pequeñas o grandes según las ocasiones, como si fueran postizas. Yo me divertía mirándolas. Algunas estaban encanecidas y eso les daba una nobleza de que las otras carecían.

Todas recordaban los tiempos viejos de la casa.

—Tu padre, ¡qué gran señor!, con su barba corrida...

—Tus hermanas, ¡qué traviesas eran!... Señor, Señor, lo que ha cambiado tu casa.

—¡Lo que han cambiado los tiempos!

—Sí, los tiempos...

(Y se miraban azoradas.)

—¿Te acuerdas, Angustias, de aquel traje verde que llevabas el día que cumpliste veinte años? La verdad es que nos reunimos aquella tarde una caterva de buenas mozas... ¿Y aquel pretendiente tuyo, aquel Jerónimo Sanz por el que estabas tan loca? ¿Qué se hizo de él?

Alguien pisa el pie de la charlatana, que se calla asustada. Pasan unos segundos angustiosos y luego todas rompen a hablar a la vez.

(La verdad es que eran como pájaros envejecidos y oscuros, con las pechugas palpitantes de haber volado mucho en un trozo de cielo muy pequeño.)

—Yo no sé, chica —decía Gloria—, por qué Angustias no se ha marchado con don Jerónimo, ni por qué se mete a monja, si ella no sirve para rezar...

Gloria estaba tumbada en su cama, por donde gateaba el niño, y se esforzaba en pensar, quizá por primera vez en su vida.

—¿Por qué crees que no sirve Angustias para rezar? —le pregunté admirada—. Ya sabes cuánto le gusta ir a la iglesia.

—Porque la comparo con tu abuelita, que sí que es buena rezadora, y veo la diferencia... Mamá se queda toda traspasada como si le vinieran músicas del cielo a los oídos. Por las noches habla con Dios y con la Virgen. Dice que Dios es capaz de bendecir todos los sufrimientos y que por eso Dios me bendice a mí, aunque yo no rezo tanto como debiera... ¡Y qué buena es! Nunca ha salido de su casa y, sin embargo, entiende todas las locuras y las perdona. A Angustias no le da Dios ninguna calidad de comprensión, y cuando reza en la iglesia no oye músicas del cielo, sino que mira a los lados para ver quién ha entrado en el templo con mangas cortas y sin medias... Yo creo que en el fondo el rezo le importa tan poco como a mí, que no sirvo para rezar... Pero la verdad —concluía—, ¡qué bien que se marche!... La otra noche me pegó Juan por su culpa. Por su culpa nada más...

—¿Adónde ibas, Gloria?

—¡Ay, chica! A nada malo. A ver a mi hermana, ya ves tú... Ya sé que no me crees, pero a eso iba y te lo puedo jurar. Es que Juan no me deja ir, y de día me vigila. Pero no me mires así, no me mires así, Andrea, que me da muchas ganas de reír esa cara que pones.

—¡Bah! —dijo Román—. Me alegro de que se vaya Angustias, porque ahora es un trozo viviente del pasado que estorba la marcha de las cosas... De mis cosas. Que nos molesta a todos, que nos recuerda a todos que no somos seres maduros, redondos, parados, como ella; sino aguas ciegas que vamos golpeando, como podemos, la tierra para salir a algo inesperado... Por todo eso me alegro. Cuando se vaya la querré, Andrea, ¿sabes? Y me conmoverá el recuerdo de su feísimo gorro de fieltro con la pluma erguida, hasta el último momento, como un pabellón... indicando que aún late el corazón de un hogar que fue y que nosotros, los demás, hemos perdido... —se volvió hacia mí sonriendo como si compartiéramos los dos un secreto—. Al mismo tiempo siento que se vaya, porque ya no podré leer las cartas de amor que recibe, ni su diario... ¡Qué cartas tan sentimentales y qué diario tan masoquista! Satisfacía todos mis instintos de crueldad leerlo.

Y Román se pasó la lengua por los labios rojos.

Juan y yo parecíamos ser los únicos sin opinión ante el desarrollo de los acontecimientos. Yo estaba demasiado maravillada, pues el único deseo de mi vida ha sido que me dejen en paz hacer mi capricho y en aquel momento parecía que había llegado la hora de conseguirlo sin el menor trabajo por mi parte. Recordaba la lucha sorda que tuve durante dos años con mi prima Isabel para que al fin me permitiera marchar de su lado y seguir una carrera universitaria. Cuando llegué a Barcelona venía disparada por mi primer triunfo, pero en seguida encontré otros ojos vigilantes sobre mí y me acostumbré al juego de esconderme, de resistirme... Ahora, de pronto, me iba a encontrar sin enemigo.

Me volví humilde con Angustias aquellos días. Hubiera besado sus manos si ella lo hubiera querido. La alegría espantosa parecía socavarme el pecho algunos ratos. En los demás no pensaba; en Angustias no pensaba: sólo en mí.

Me extrañó, sin embargo, la falta de don Jerónimo en aquel interminable desfilar de amistades. Todas eran mujeres, exceptuando algún raro marido tripudo que aparecía alguna vez.

—Parecen días de entierro, ¿eh? —gritó Antonia desde su cocina.

A todos se nos vinieron a la imaginación pensamientos macabros en aquellas horas.

Gloria me dijo que don Jerónimo y Angustias se veían todas las mañanas en la iglesia, que ella lo sabía bien... Toda la historia de Angustias resultaba como una novela del siglo pasado.

El día en que se marchó tía Angustias recuerdo que los diferentes personajes de la familia nos encontramos levantados casi con el alba. Nos tropezábamos por la casa poseídos de nerviosismo. Juan empezó a rugir palabrotas por cualquier cosa. A última hora decidimos ir todos a la estación, menos Román. Román fue el único que no apareció en todo el día. Luego, mucho más tarde, me contó que había estado muy de mañana en la iglesia siguiendo a Angustias y viendo cómo se confesaba. Yo me imaginé a Román con las orejas tendidas hacia aquella larga confesión, envidiando al pobre cura, viejo y cansado, que derramaba desapasionadamente la absolución sobre la cabeza de mi tía.

El taxi que nos condujo estaba repleto. Con nosotros venían tres amigas de Angustias, las tres más íntimas.

El niño, espantadizo, se agarraba al cuello de Juan. No le sacaban de paseo casi nunca, y aunque estaba gordo, su piel tenía un tono triste al darle el sol.

En el andén estábamos agrupados alrededor de Angustias, que nos besaba y nos abrazaba. La abuelita apareció llorosa después del último abrazo.

Formábamos un conjunto tan grotesco que algunas gentes volvían la cabeza a mirarnos.

Cuando faltaban unos minutos para salir el tren, Angustias subió al vagón y desde la ventanilla nos miraba hierática, llorosa y triste, casi bendiciéndonos como una santa.

Juan estaba nervioso; lanzando muecas irónicas a todos lados, espantando a las amigas de Angustias —que se agruparon lo más distantes posible— con el girar de sus ojos. Las piernas le empezaron a temblar en los pantalones. No podía contenerse.

—¡No te hagas la mártir, Angustias, que no se la pegas a nadie! Estás sintiendo más placer que un ladrón con los bolsillos llenos... ¡Que a mí no me la pegas con esa comedia de tu santidad!

El tren empezó a alejarse y Angustias se santiguó y se tapó los oídos porque la voz de Juan se levantaba sobre todo el andén.

Gloria agarró a su marido por la americana, aterrada. Y él se revolvió con sus ojos de loco, furioso, temblando como si le fuera a dar un ataque epiléptico. Luego echó a correr detrás de la ventanilla que se le escapaba, dando gritos que Angustias ya no podía oír.

—¡Eres una mezquina! ¿Me oyes? No te casaste con él porque a tu padre se le ocurrió decirte que era poco el hijo de un tendero para ti... ¡Por esooo! Y cuando volvió casado y rico de América lo has estado entreteniendo, se lo has robado a su mujer durante veinte años... y ahora no te atreves a irte con él porque crees que toda la calle de Aribau y toda Barcelona están pendientes de ti... ¡Y desprecias a mi mujer! ¡Malvada! ¡Y te vas con tu aureola de santa!...

La gente empezó a reírse y a seguirle hasta la punta del andén, donde, cuando el tren se había marchado, seguía él gritando. Le corrían las lágrimas por las mejillas y se reía satisfecho. La vuelta a casa fue una calamidad.

SEGUNDA PARTE

X

Salí de casa de Ena aturdida, con la impresión de que debía de ser muy tarde. Todos los portales estaban cerrados y el cielo se descargaba en una apretada lluvia de estrellas sobre las azoteas.

Por primera vez me sentía suelta y libre en la ciudad, sin miedo al fantasma del tiempo. Había tomado algunos licores aquella tarde. El calor y la excitación brotaban de mi cuerpo de tal modo que no sentía el frío ni tan siquiera —a momentos— la fuerza de la gravedad bajo mis pies.

Me detuve en medio de la Vía Layetana y miré hacia el alto edificio en cuyo último piso vivía mi amiga. No se traslucía la luz detrás de las persianas cerradas, aunque aún quedaban, cuando yo salí, algunas personas reunidas, y, dentro, las confortables habitaciones estarían iluminadas. Tal vez la madre de Ena había vuelto a sentarse al piano y a cantar. Me corrió un estremecimiento al recordar aquella voz ardorosa que al salir parecía quemar y envolver en resplandores el cuerpo desmedrado de su dueña.

Aquella voz había despertado todos los posos de sentimentalismo y de desbocado romanticismo de mis dieciocho años. Desde que ella había callado yo estuve inquieta, con ganas de escapar a todo lo demás que me rodeaba. Me parecía imposible que los otros siguieran fumando y comiendo golosinas. Ena misma, aunque había escuchado a su madre con una sombría y reconcentrada atención, volvía a expandirse, a reír y a brillar entre sus amigos, como si aquella reunión comenzada a última hora de la tarde, improvisadamente, no fuera a tener fin. Yo, de pronto, me encontré en la calle. Casi había huido impelida por una inquietud tan fuerte y tan inconcreta como todas las que me atormentaban en aquella edad.

No sabía si tenía necesidad de caminar entre las casas silenciosas de algún barrio adormecido, respirando el viento negro del mar o de sentir las oleadas de luces de los anuncios de colores que teñían con sus focos el ambiente del centro de la ciudad. Aún no estaba segura de lo que podría calmar mejor aquella casi angustiosa sed de belleza que me había dejado escuchar a la madre de Ena. La misma Vía Layetana, con su suave declive desde la plaza de Urquinaona, donde el cielo se deslustraba con el color rojo de la luz artificial, hasta el gran edificio de Correos y el puerto, bañados en sombras, argentados por la luz estelar sobre las llamas blancas de los faroles, aumentaba mi perplejidad.

Oí, gravemente, sobre el aire libre de invierno, las campanadas de las once formando un concierto que venía de las torres de las iglesias antiguas.

La Vía Layetana, tan ancha, grande y nueva, cruzaba el corazón del barrio viejo. Entonces supe lo que deseaba: quería ver la Catedral envuelta en el encanto y el misterio de la noche. Sin pensarlo más me lancé hacia la oscuridad de las callejas que la rodean. Nada podía calmar y maravillar mi imaginación como aquella ciudad gótica naufragando entre húmedas casas construidas sin estilo en medio de sus venerables sillares, pero a las que los años habían patinado también con un encanto especial, como si se hubieran contagiado de belleza.

El frío parecía más intenso encajonado en las calles torcidas. Y el firmamento se convertía en tiras abrillantadas entre las azoteas casi juntas. Había una soledad impresionante, como si todos los habitantes de la ciudad hubiesen muerto. Algún quejido del aire en las puertas palpitaba allí. Nada más.

Al llegar al ábside de la Catedral me fijé en el baile de luces que hacían los faroles contra sus mil rincones, volviéndolos románticos y tenebrosos. Oí un áspero carraspeo, como si a alguien se le desgarrara el pecho entre la maraña de callejuelas. Era un sonido siniestro, cortejado por los ecos, que se iba acercando. Pasé unos momentos de miedo. Vi salir a un viejo grande, con un aspecto miserable, de entre la negrura. Me apreté contra el muro. Él me miró con desconfianza y pasó de largo. Llevaba una gran barba canosa que se le partía con el viento. Me empezó a latir el corazón con inusitada fuerza y, llevada por aquel impulso emotivo que me arrastraba, corrí tras él y le toqué en el brazo. Luego empecé a buscar en mi cartera, nerviosa, mientras el viejo me miraba. Le di dos pesetas. Vi lucir en sus ojos una buena chispa de ironía. Se las guardó en su bolsillo sin decirme una palabra y se fue arrastrando la bronca tos que me había alterado. Este contacto humano entre el concierto silencioso de las piedras calmó un poco mi excitación. Pensé que obraba como una necia aquella noche actuando sin voluntad, como una hoja de papel en el viento. Sin embargo, apreté el paso hasta llegar a la fachada principal de la Catedral y al levantar mis ojos hacia ella encontré al fin el cumplimiento de lo que deseaba.

Una fuerza más grande que la que el vino y la música habían puesto en mí me vino al mirar el gran corro de sombras de piedra fervorosa. La Catedral se levantaba en una armonía severa, estilizada en formas casi vegetales, hasta la altura del limpio cielo mediterráneo. Una paz, una imponente claridad, se derramaba de la arquitectura maravillosa. En derredor de sus trazos oscuros resaltaba la noche brillante, rodando lentamente al compás de las horas. Dejé que aquel profundo hechizo de las formas me penetrara durante unos minutos. Luego di la vuelta para marcharme.

Al hacerlo me di cuenta de que no estaba sola en la plaza. Una silueta que me pareció algo diabólica se alargaba en la

parte más oscura. Confieso ingenuamente que me sentí poseída por todos los terrores de mi niñez y que me santigüé. El
bulto se movía hacia mí y vi que era un hombre embutido en
un buen gabán y con un sombrero hasta los ojos. Me alcanzó
cuando yo me lanzaba hacia las escaleras de piedra.

—¡Andrea! ¿No te llamas tú Andrea?

Había algo insultante que me molestó en ese modo de llamar, pero me detuve asombrada. Él se reía ante mí con unos
dientes sólidos, de grandes encías.

—Estos sustos los pasan las niñas por andar solas a desho-
ras... ¿No me recuerdas de casa de Ena?

—¡Ah!... Sí, sí —dije, hosca.

(«¡Maldito! —pensé—; me has quitado toda la felicidad que
me iba a llevar de aquí.»)

—Pues sí —continuó, satisfecho—: yo soy Gerardo.

Estaba inmóvil, con las manos en los bolsillos, mirándome. Yo
di un paso para bajar el primer escalón, pero me sujetó del brazo.

—¡Mira! —me ordenó.

Yo vi, al pie de la escalinata, apretándose contra ella, un
conjunto de casas viejas que la guerra había convertido en ruinas, iluminadas por faroles.

—Todo eso desaparecerá. Por aquí pasará una gran avenida
y habrá espacio y amplitud para ver la Catedral.

No me dijo nada más por entonces y empezamos a descen-
der juntos los peldaños de piedra. Ya habíamos recorrido un
buen trecho, cuando insistió:

—¿No te da miedo andar tan solita por las calles? ¿Y si
viene el lobito y te come?...

No le contesté.

—¿Eres muda?

—Prefiero ir sola —confesé con aspereza.

—No, eso sí que no, niña... Hoy te acompaño yo a tu casa...
En serio, Andrea, si yo fuera tu padre no te dejaría tan suelta.

Me desahogué insultándole interiormente. Desde que le había visto en casa de Ena me había parecido necio y feo aquel
muchacho.

Cruzamos las Ramblas, conmovidas de animación y de luces, y subimos por la calle de Pelayo hasta la Plaza de la Universidad. Allí me despedí.

—No, no; hasta tu casa.

—Eres un imbécil —le dije sin contemplaciones—; vete en seguida.

—Quisiera ser amigo tuyo. Eres una «peque» muy original. Si me prometes que algún día me llamarás por teléfono para salir conmigo, te dejo aquí. A mí también me gustan mucho las calles viejas y sé todos los rincones pintorescos de la ciudad. Conque, ¿prometido?

—Sí —dije, nerviosa.

Me alargó su tarjeta y se fue.

Entrar en la calle de Aribau era como entrar ya en mi casa. El mismo vigilante del día de mi llegada a la ciudad me abrió la puerta. Y la abuelita, como entonces, salió a recibirme helada de frío. Todos los demás se habían acostado.

Entré en el cuarto de Angustias, que desde unos días atrás había heredado yo, y al encender la luz encontré que habían colocado sobre el armario una pila de sillas de las que sobraban en todas partes de la casa y que allí amenazaban caerse, sombrías. También habían instalado en el cuarto el mueble que servía para guardar la ropa del niño y un gran costurero con patas que antes estaba arrinconado en la alcoba de la abuela. La cama, deshecha, conservaba las huellas de una siesta de Gloria. Comprendí en seguida que mis sueños de independencia, aislada de la casa en aquel refugio heredado, se venían al suelo. Suspiré y empecé a desnudarme. Sobre la mesilla de noche había un papel con una nota de Juan: «Sobrina, haz el favor de no encerrarte con llave. En todo momento debe estar libre tu habitación para acudir al teléfono». Obediente, volví a cruzar el suelo frío para abrir la puerta, luego me tendí en la cama, envolviéndome voluptuosamente en la manta.

Oí en la calle palmadas llamando al vigilante. Mucho después el pitido de un tren al pasar por la calle de Aragón, lejano y nostálgico. El día me había traído el comienzo de una vida nueva; comprendía que Juan había querido estropeármela en lo posible al darme a entender que, si bien se me cedía una cama en la casa, era sólo eso lo que se me daba...

La misma noche en que se marchó Angustias, yo había dicho que no quería comer en la casa y que, por lo tanto, sólo pagaría una mensualidad por mi habitación. Había cogido la ocasión por los pelos cuando Juan, todavía borracho y excitado por las emociones del día aquél, se había encarado conmigo.

—Y a ver, sobrina, con lo que tú contribuyes a la casa... porque yo, la verdad te digo, no estoy para mantener a nadie...

—No, lo que yo puedo dar es tan poco que no valdría la pena —dije, diplomática—. Ya me las arreglaré comiendo por mi cuenta. Sólo pagaré mi racionamiento de pan y mi habitación.

Juan se encogió de hombros.

—Haz lo que quieras —dijo de mal humor.

La abuelita escuchó moviendo la cabeza con aire de reprobación, pendiente de los labios de Juan. Luego empezó a llorar.

—No, no, que no pague la habitación... que mi nieta no pague la habitación en casa de su abuela.

Pero así quedó decidido. Yo no tendría que pagar más que mi pan diario.

Había cobrado aquel día mi paga de febrero y poseída de las delicias de poderla gastar, me lancé a la calle y adquirí en seguida aquellas fruslerías que tanto deseaba... jabón bueno, perfume y también una blusa nueva para presentarme en casa de Ena, que me había invitado a comer. Además unas rosas para su madre. Comprar las rosas me emocionó especialmente. Eran magníficas flores, caras en aquella época. Se podía decir que eran inasequibles para mí. Y, sin embargo, yo las tuve entre mis brazos y las regalé. Este placer, en el que encontraba el gusto de rebeldía que ha sido el vicio —por otra parte vulgar— de mi juventud, se convirtió más tarde en una obsesión.

Me acordaba —tumbada en mi cama— de la cordial acogida que me hicieron en casa de Ena sus parientes y de cómo, acostumbrada a las caras morenas con las facciones bien marcadas de las gentes de mi casa, me empezó a marear la cantidad de cabezas rubias que me rodeaban en la mesa.

Los padres de Ena y sus cinco hermanos eran rubios. Estos cinco hermanos, todos varones y más pequeños que mi amiga, se confundían en mi imaginación con sus rostros afables, risueños y vulgares. Ni siquiera el benjamín, de siete años, a quien el cambio de los dientes daba una expresión cómica cuando se reía, y que se llamaba Ramón Berenguer, como si fuera un antiguo conde de Barcelona, se distinguía de sus hermanos más que en estas dos particularidades.

El padre parecía participar de las mismas condiciones de buen carácter que su prole y era además un hombre realmente guapo, a quien Ena se parecía. Tenía, como ella, los ojos verdes, aunque sin la extraña y magnífica luz que animaba los de su hija. En él todo parecía sencillo y abierto, sin malicias de ninguna clase. Durante la comida le recuerdo riéndose al contarme anécdotas de sus viajes, pues habían vivido todos, durante muchos años, en diferentes sitios de Europa. Parecía que me conocía de toda la vida, que sólo por el hecho de tenerme en su mesa me agregaba a la patriarcal familia.

La madre de Ena, por el contrario, daba la impresión de ser reservada, aunque contribuía sonriendo al ambiente agradable que se había formado. Entre su marido y sus hijos —todos altos y bien hechos— ella parecía un pájaro extraño y raquítico. Era pequeñita y yo encontraba asombroso que su cuerpo estrecho hubiera soportado seis veces el peso de un hijo. La primera impresión que me hizo fue de extraña fealdad. Luego resaltaban en ella dos o tres toques de belleza casi portentosa: un cabello más claro que el de Ena, sedoso, abundantísimo, unos largos ojos dorados y su voz magnífica.

—Ahí donde la ve usted, Andrea —dijo el jefe de familia—, mi mujer tiene algo de vagabunda. No puede estar tranquila en ningún sitio y nos arrastra a todos.

—No exageres, Luis —la señora se sonreía con suavidad.

—En el fondo es cierto. Claro que tu padre es el que me destina para representarle y dirigir sus negocios en los sitios más extraños —mi suegro es al mismo tiempo mi jefe comercial, ¿sabe usted, Andrea?—; pero tú estás en el fondo de todos los manejos. Si quisieras no me negarías que tu padre te haría vivir tranquila en Barcelona. Bien se vio la influencia que tienes sobre él en aquel asunto de Londres... Claro que yo estoy encantado con tus gustos, mi niña; no soy yo quien te los reprocha —y la envolvió con una sonrisa cariñosa—. Toda mi vida me ha gustado viajar y ver cosas nuevas... Yo tampoco puedo dominar una especie de fiebre de actividad que casi es un placer cuando entro en un nuevo ambiente comercial, con gente de psicología tan desconocida. Es como empezar otra vez la lucha y se siente uno rejuvenecido...

—Pero a mamá —afirmó Ena— le gusta más Barcelona que ningún sitio del mundo. Yo lo sé.

La madre le dirigió una sonrisa especial que me pareció soñadora y divertida al mismo tiempo.

—En cualquier sitio en que estéis vosotros me encuentro siempre bien. Y tiene razón tu padre en esto de que a veces siento la inquietud de viajar; claro que de ahí a manejar a mi padre —sonrió más acentuadamente— va mucha diferencia...

—Y ya que estamos hablando de estas cosas, Margarita —continuó su marido—, ¿sabes lo que me ha dicho tu padre ayer? Pues que es posible que la temporada que viene seamos necesarios en Madrid... ¿Qué te parece? La verdad es que en estos momentos yo prefiero estar en Barcelona que en ningún sitio, sobre todo teniendo en cuenta que tu hermano...

—Sí, Luis, creo que tenemos que hablar de eso. Pero ahora estamos aburriendo a esta niña. Andrea, tiene que perdonarnos usted. Al fin y al cabo somos una familia de comerciantes que acaba todas sus conversaciones en asuntos de negocios...

Ena había escuchado la última parte de la conversación con extraordinario interés.

—¡Bah!... El abuelo está un poco chiflado, me parece. Tan emocionado y lloroso cuando vuelve a ver a mamá después de tenerla lejos, y en seguida ideando que nos marchemos. Yo no quiero irme de Barcelona por ahora... ¡Es una cosa tonta!... Al fin y al cabo, Barcelona es mi pueblo y se puede decir que sólo la conozco desde que se terminó la guerra.

(Me miró rápidamente y yo recogí su mirada, porque sabía que ella se había enamorado por aquellos tiempos y que éste era su argumento supremo y secreto para no querer salir de la ciudad.)

Entre mis sábanas, en la calle de Aribau, yo evocaba esta conversación con todos sus detalles y me sacudió la alarma a la idea de separarme de mi amiga cuando me había encariñado con ella. Pensé que los planes de aquel viejo importante —aquel rico abuelo de Ena— movían a demasiada gente y herían demasiados afectos.

En la agradable confusión de ideas que precede al sueño se fueron calmando mis temores para ser sustituidos por vagas imágenes de calles libres en la noche. El alto sueño de la Catedral volvió a invadirme.

Me dormí agitada con la visión final de los ojos de la madre de Ena, que cuando ya nos despedíamos se habían levantado hacia mí, fugazmente, con una extraña mirada de angustia y temor.

Aquellos ojos se metieron en lo profundo de mi sueño y levantaron pesadillas.

XI

—No seas tozuda, sobrina —me dijo Juan—. Te vas a morir de hambre.

Y me puso las manos en el hombro con una torpe caricia.

—No, gracias; me las arreglo muy bien...

Mientras tanto eché una mirada de reojo a mí tío y vi que tampoco a él parecían irle bien las cosas. Me había cogido bebiendo el agua que sobraba de cocer la verdura y que estaba fría y olvidada en un rincón de la cocina, dispuesta a ser tirada.

Antonia había gritado con asco:

—¿Qué porquerías hace usted?

Me puse encarnada.

—Es que a mí este caldo me gusta. Y como veía que lo iban a tirar...

A los gritos de Antonia acudieron los demás de la casa. Juan me propuso una conciliación de nuestros intereses económicos. Yo me negué.

La verdad es que me sentía más feliz desde que estaba desligada de aquel nudo de las comidas en la casa. No importaba que aquel mes hubiera gastado demasiado y apenas me alcanzara el presupuesto de una peseta diaria para comer: la hora del mediodía es la más hermosa en invierno. Una hora buena para pasarla al sol en un parque o en la plaza de Cataluña. A veces se me ocurría pensar, con delicia, en lo que sucedería en casa. Los oídos se me llenaban con los chillidos del loro y las palabrotas de Juan. Prefería mi vagabundeo libre.

Aprendí a conocer excelencias y sabores en los que antes no había pensado; por ejemplo, la fruta seca fue para mí un descubrimiento. Las almendras tostadas, o mejor, los cacahuetes, cuya delicia dura más tiempo porque hay que desprenderlos de su cáscara, me producían fruición.

La verdad es que no tuve paciencia para distribuir las treinta pesetas que me quedaron el primer día, en los treinta días del mes. Descubrí en la calle de Tallers un restaurante barato y cometí la locura de comer allí dos o tres veces. Me pareció aquella comida más buena que ninguna de las que había probado en mi vida, infinitamente mejor que la que preparaba Antonia en la calle de Aribau. Era un restaurante curioso. Oscuro, con unas mesas tristes. Un camarero abstraído me servía. La gente comía de prisa, mirándose unos a otros, y no hablaban ni una palabra. Todos los restaurantes y comedores de fondas en los que yo había entrado hasta entonces eran bulliciosos menos aquél. Daban una sopa que me parecía buena, hecha con agua hirviente y migas de pan. Esta sopa era siempre la misma, coloreada de amarillo por el azafrán o de rojo por el pimentón; pero en la «carta» cambiaba de nombre con frecuencia. Yo salía de allí satisfecha y no me hacía falta más.

Por la mañana cogía el pan —apenas Antonia subía las raciones de la panadería— y me lo comía entero, tan caliente y apetitoso estaba. Por las noches no cenaba, a no ser que la madre de Ena insistiese en que me quedase en su casa alguna vez. Yo había tomado la costumbre de ir a estudiar con Ena muchas tardes y la familia empezaba a considerarme como cosa suya.

Pensé que realmente estaba comenzando para mí un nuevo renacer, que era aquélla la época más feliz de mi vida, ya que nunca había tenido una amiga con quien me compenetrara tanto, ni esta magnífica independencia de que disfrutaba. Los últimos días del mes los pasé alimentándome exclusivamente del panecillo de racionamiento que devoraba por las mañanas —por esta época fue cuando me cogió Antonia bebiendo el agua de hervir la verdura—, pero empezaba a acostumbrarme y la prueba es que en cuanto recibí mi paga del mes de marzo la gasté exactamente igual. Me acuerdo que sentía un hambre extraordinaria cuando tuve el nuevo dinero en mis manos, que era una sensación punzante y deliciosa pensar que podría satisfacerla en seguida. Más que cualquier clase de alimento, deseaba dulces. Compré una bandeja y me fui a un cine caro. Tenía tal impaciencia que antes de que se apagara la luz corté un trocito de papel para comer un poco de crema, aunque miraba de reojo a todo el mundo poseída de vergüenza. En cuanto se iluminó la pantalla y quedó la sala en penumbra, yo abrí el paquete y fui tragando los dulces uno a uno. Hasta entonces no había sospechado que la comida pudiera ser algo tan bueno, tan extraordinario... Cuando se volvió a encender la luz no quedaba nada en la bandeja. Vi que una señora, a mi lado, me miraba de soslayo y cuchicheaba con su compañero. Los dos se reían.

En la calle de Aribau también pasaban hambre sin las compensaciones que a mí me reportaba. No me refiero a Antonia y a *Trueno*. Supongo que estos dos tenían el sustento asegurado gracias a la munificencia de Román. El perro estaba reluciente y muchas veces le vi comer sabrosos huesos. También la criada se cocinaba su comida aparte. Pero pasaban hambre Juan y Gloria y también la abuela y hasta a veces el niño.

Román estuvo otra vez de viaje cerca de dos meses. Antes de marcharse dejó algunas provisiones para la abuela, leche condensada y otras golosinas difíciles de conseguir en aquellos tiempos. Nunca vi que la viejecilla las probara. Desaparecían misteriosamente y aparecían sus huellas en la boca del niño.

El día mismo en que Juan me invitó a unirme otra vez a la familia, tuvo una terrible discusión con Gloria. Todos oímos los gritos que daban en el estudio. Salí al recibidor y vi que el pasillo estaba interceptado por la silueta de la criada, que aplicaba el oído.

—Estoy harto de tanta majadería —gritó Juan—, ¿entiendes? ¡Ni siquiera puedo renovar los pinceles! Esa gente nos debe mucho dinero aún. Lo que no comprendo es que no quieras que vaya yo a reclamárselo.

—Pues, chico, si me diste palabra que no te meterías en nada y que me dejarías hacer, ahora no te puedes volver atrás. Y ya sabes que estabas muy contento cuando pudiste vender esa porquería de cuadro a plazos...

—¡Te voy a estrangular! ¡Maldita!

La criada suspiró con deleite y yo me marché a la calle a respirar su aire frío, cargado de olores de las tiendas. Las aceras teñidas de la humedad crepuscular reflejaban las luces de los faroles recién encendidos.

Cuando volví, la abuela y Juan estaban cenando. Juan comía distraído y la abuela, sosteniendo al niño en sus rodillas, llevaba una conversación incoherente desmenuzando pan en el tazón de malta que iba bebiendo sin leche ni azúcar. Gloria no estaba. Había salido poco después que yo a la calle.

Aún no había llegado ella cuando, con el estómago angustiado y vacío, me metí en la cama. En seguida caí en un ensueño pesado en el que el mundo se movía como un barco en alta mar... Tal vez estaba en el comedor de un barco y comía algún buen postre de fruta. Me despertaron unos gritos pidiendo socorro.

En seguida me di cuenta de que era Gloria la que gritaba y de que Juan le debería estar pegando una paliza bárbara. Me senté en la cama pensando en si valdría la pena de acudir. Pero los gritos continuaban seguidos de las maldiciones y blasfemias más atroces de nuestro rico vocabulario español. Allí, en su furia, Juan empleaba los dos idiomas, castellano y catalán, con pasmosa facilidad y abundancia.

Me detuve a ponerme el abrigo y me asomé por fin a la oscuridad de la casa. En la cerrada puerta del cuarto de Juan golpeaban la abuela y la criada.

—¡Juan! ¡Juan! ¡Hijo mío, abre!

—Señorito Juan, ¡abra!, ¡abra usted!

Oíamos dentro tacos, insultos. Carreras y tropezones con los muebles. El niño comenzó a llorar allí encerrado también y la abuela se desesperó. Alzó las manos para golpear la puerta y vi sus brazos esqueléticos.

—¡Juan! ¡Juan! ¡Ese niño!

De pronto se abrió la puerta de una patada de Juan y Gloria salió despedida, medio desnuda y chillando. Juan la alcanzó y aunque ella trataba de arañarle y morderle, la cogió debajo del brazo y la arrastró al cuarto de baño...

—¡Pobrecito mío!

Gritó la abuela corriendo al niño, que se había puesto de pie en la cuna, agarrándose a la barandilla y gimoteando... Luego, cargada con el nieto, acudió a la refriega.

Juan metió a Gloria en la bañera y, sin quitarle las ropas, soltó la ducha helada sobre ella. Le agarraba brutalmente la cabeza, de modo que si abría la boca no tenía más remedio que tragar agua. Mientras tanto, gritó, volviéndose a nosotras:

—¡Y vosotras a la cama! ¡Aquí no tiene que hacer nada nadie!

Pero no nos movíamos. La abuela suplicaba:

—¡Por tu hijo, por tu niño! ¡Vuelve en ti, Juanito!

De pronto Juan soltó a Gloria —cuando ella ya no se resistía— y vino hacia nosotras con tal rabia que Antonia se escabulló inmediatamente, seguida del perro, que iba gruñendo con el rabo entre las piernas.

—¡Y tú, mamá! ¡Llévate inmediatamente a ese niño donde no le vea o le estrello!

Gloria, de rodillas en el fondo de la bañera, empezó a llorar con la cabeza apoyada en el borde, ahogándose, con grandes sollozos.

Yo estaba encogida en un rincón del oscuro pasillo. No sabía qué hacer. Juan me descubrió. Estaba ahora más calmado.

—¡A ver si sirves para algo en tu vida! —me dijo—. ¡Trae una toalla!

Las costillas se le destacaban debajo de la camiseta que llevaba y le palpitaban violentamente.

Yo no tenía idea de dónde se guardaba la ropa en aquella casa. Traje mi toalla y además una sábana de mi cama por si hacía falta. Me daba miedo de que Gloria pudiera atrapar una pulmonía. Yo misma sentí un frío espantoso.

Juan intentó sacar a Gloria de la bañera de un solo tirón, pero ella le mordió la mano. Él soltó una blasfemia y le empezó a dar puñetazos en la cabeza. Luego se quedó otra vez quieto y jadeante.

—Por mí puedes morirte, ¡bestia! —le dijo al fin.

Y se fue dando un portazo y dejándonos a las dos.

Me incliné hacia Gloria.

—¡Vamos! ¡Sal en seguida, mujer!

Ella continuaba temblando, sin moverse, y, al sentir mi voz, empezó a llorar insultando a su marido. No opuso resistencia cuando empecé a sacudirla y a tratar de que saliera de la bañera. Ella misma se quitó las ropas chorreantes, aunque sus dedos le obedecían con dificultad. Frotando su cuerpo lo mejor que pude, entré yo en calor. Luego me sobrevino un cansancio tan espantoso que me temblaban las rodillas.

—Ven a mi cuarto si quieres —le dije, pareciéndome imposible volver a dejarla en manos de Juan.

Me siguió envuelta en la sábana y castañeteándole los dientes. Nos acostamos juntas, envueltas en mis mantas. El cuerpo de Gloria estaba helado y me enfriaba, pero no era posible huir de él; sus cabellos mojados resultaban oscuros y viscosos como sangre sobre la almohada y me rozaban la cara a veces. Gloria hablaba continuamente. A pesar de todo esto mi necesidad de sueño era tan grande que se me cerraban los ojos.

—El bruto... El animal... Después de todo lo que hago por él. Porque yo soy buenísima, chica, buenísima... ¿Me escuchas, Andrea? Está loco. Me da miedo. Un día me va a matar... No te duermas, Andreíta... ¿Qué te parece si me escapara de esta casa? ¿Verdad que tú lo harías, Andrea? ¿Verdad que tú en mi caso no te dejarías pegar?... Y yo que soy tan joven, chica... Román me dijo un día que yo era una de las mujeres más lindas que había visto. A ti te diré la verdad, Andrea. Román me pintó en el Parque del Castillo... Yo misma me quedé asom-

brada de ver lo guapa que era cuando me enseñó el retrato...
¡Ay, chica! ¿Verdad que soy muy desgraciada?

El sueño me volvía a pesar en las sienes. De cuando en
cuando me espabilaba, sobresaltada, para atender a un sollozo
o a una palabra más fuerte de Gloria.

—Yo soy buenísima, buenísima... Tu abuelita misma lo dice.
Me gusta pintarme un poco y divertirme un poquito, chica, pero
es natural a mi edad... ¿Y qué te parece eso de no dejarme ver a
mi propia hermana? Una hermana que me ha servido de madre... Todo porque es de condición humilde y no tiene tantas
pamplinas... Pero en su casa se come bien. Hay pan blanco,
chica, y buenas butifarras... ¡Ay, Andrea! Más me valdría haberme casado con un obrero. Los obreros viven mejor que los
señores, Andrea; llevan alpargatas, pero no les falta su buena
comida y su buen jornal. Ya quisiera Juan tener el buen jornal
de un obrero de fábrica... ¿Quieres que te diga un secreto? Mi
hermana me proporciona a veces dinero cuando estamos apura-
dos. Pero si Juan lo supiera me mataría. Yo sé que me mataría
con la pistola de Román... Yo misma le oí a Román decírselo:
«Cuando quieras saltarte la tapa de los sesos o saltársela a la imbécil de tu mujer, puedes utilizar mi pistola»... ¿Tú sabes, Andrea, que tener armas está prohibido? Román va contra la ley...

El perfil de Gloria se inclinaba para acechar mi sueño. Su
perfil de rata mojada.

—... ¡Ay, Andrea! A veces voy a casa de mi hermana sólo
para comer bien, porque ella tiene un buen establecimiento,
chica, y gana dinero. Allí hay de todo lo que se quiere... Man-
tequilla fresca, aceite, patatas, jamón... Un día te llevaré.

Suspiré completamente despierta ya al oír hablar de comida.
Mi estómago empezó a esperar con ansia mientras escuchaba
la enumeración de los tesoros que guardaba en su despensa la
hermana de Gloria. Me sentí hambrienta como nunca lo he estado. Allí, en la cama, estaba unida a Gloria por el feroz deseo
de mi organismo que sus palabras habían despertado, con los
mismos vínculos que me unían a Román cuando evocaba en
su música los deseos impotentes de mi alma.

Algo así como una locura se posesionó de mi bestialidad al sentir tan cerca el latido de aquel cuello de Gloria, que hablaba y hablaba. Ganas de morder en la carne palpitante, masticar. Tragar la buena sangre tibia... Me retorcí sacudida de risa de mis propios espantosos desvaríos, procurando que Gloria no sorprendiera aquel estremecimiento de mi cuerpo.

Fuera, el frío se empezó a deshacer en gotas de agua que golpearon los cristales. Yo pensé que siempre que hablaba Gloria conmigo largamente, llovía. Parecía que aquella noche no iba a acabarse nunca. El sueño había huido. Gloria cuchicheó de pronto poniéndome una mano en el hombro.

—¿No oyes?... ¿No oyes?

Se sentían los pasos de Juan. Debía de estar nervioso. Los pasos llegaban hasta nuestra puerta. Se separaban, retrocedían. Al fin volvieron otra vez y entró Juan en el cuarto, encendiendo la luz, que nos hizo parpadear deslumbradas. Sobre la camiseta de algodón y los pantalones que llevaba anteriormente se había puesto su abrigo nuevo. Estaba despeinado y unas sombras tremendas le comían los ojos y las mejillas. Tenía un tipo algo cómico. Se quedó en el centro de la habitación con las manos puestas en los bolsillos moviendo la cabeza y sonriendo con una especie de ironía feroz.

—Bueno. ¿Qué hacéis que no continuáis hablando?... ¿Qué importa que esté yo aquí?... No te asustes, mujer, que no te voy a comer... Andrea, sé perfectamente lo que te está diciendo mi mujer. Sé perfectamente que me cree un loco porque pido por mis cuadros el justo valor... ¿Crees tú que el desnudo que he pintado a Gloria vale sólo diez duros? ¡Sólo en tubos y en pinceles he gastado más en él!... ¡Esta bestia se cree que mi arte es igual que el de un albañil de brocha gorda!

—¡Vete a la cama, chico, y no fastidies! Éstas no son horas de molestar a nadie con tus dichosos cuadros... He visto otros que pintaban mejor que tú y no se envanecían tanto. Me has pintado demasiado fea para poder gustar a nadie...

—No me acabes la paciencia. ¡Maldita! O...

Gloria, debajo de la manta, se volvió de espaldas y se echó a llorar.

—Yo no puedo vivir así, no puedo...

—Pues te vas a tener que aguantar, ¡sinvergüenza!, y cualquier día te mataré como te vuelvas a meter con mis cuadros... Mis cuadros desde hoy no los venderá nadie más que yo... ¿Entiendes? ¿Entiendes lo que te digo? ¡Como te vuelvas a meter en el estudio te abriré la cabeza! Prefiero que se muera de hambre todo dios a...

Empezó a pasearse por la habitación con una rabia tan grande que sólo podía mover los labios y lanzar sonidos incoherentes...

Gloria tuvo una buena idea. Se levantó de la cama, erizada de frío, se acercó a su marido y le empujó por la espalda.

—¡Vamos, chico! ¡Bastante hemos molestado a Andrea!

Juan la rechazó con rudeza.

—¡Que se aguante Andrea! ¡Que se aguante todo el mundo! También yo los soporto a todos.

—Anda, vamos a dormir...

Juan empezó a mirar a todos lados nervioso. Cuando ya salía dijo:

—Apaga la luz para que pueda dormir la sobrina...

XII

La temprana primavera mediterránea comenzó a enviar sus ráfagas entre las ramas aún heladas de los árboles. Había una alegría deshilvanada en el aire, casi tan visible como esas nubes transparentes que a veces se enganchan en el cielo.

—Tengo ganas de ir al campo y de ver árboles —dijo Ena, y se le dilataron un poco las aletas de la nariz...—. Tengo ganas de ver pinos (no estos plátanos de la ciudad que huelen a tristes y a podridos desde una legua) o quizá lo que más deseo es ver el mar... El domingo que viene iré al campo con Jaime y tú también vendrás, Andrea... ¿No te parece?

Yo sabía casi tan bien como Ena la manera de ser de Jaime: sus gustos, su pereza, sus melancolías —que desesperaban y encantaban a mi amiga—, su aguda inteligencia, aunque no le había visto nunca. Muchas tardes, inclinadas sobre el diccionario griego, interrumpíamos la traducción para hablar de él. Ena se ponía más bonita, con los ojos dulcificados por la alegría. Cuando su madre aparecía en la puerta nos callábamos rápidamente porque Jaime era el gran secreto de mi amiga.

—Creo que me moriría si lo supieran en casa. Tú no sabes... Yo soy muy orgullosa. Mi madre me conoce sólo en un aspecto: como persona burlona y malintencionada y así le gusto. A todos los de casa les hago reír con los desplantes que doy a mis pretendientes... A todos menos al abuelo, naturalmente, el abuelo casi tuvo un ataque de apoplejía cuando rechacé este verano a un señor respetable y riquísimo con quien estuve coqueteando... Porque a mí me gusta que los hombres se enamoren, ¿sabes? Me gusta mirarlos por dentro. Pensar... ¿De qué clase de ideas están compuestos sus pensamientos? ¿Qué sienten ellos al enamorarse de mí? La verdad es que razonándolo resulta un juego un poco aburrido porque ellos tienen sus añagazas infantiles, siempre las mismas. Sin embargo, para mí es una delicia tenerles entre mis manos, enredarles con sus propias madejas y jugar como los gatos con los ratones... Bueno, el caso es que tengo a menudo ocasiones para divertirme porque los hombres son idiotas y les gusto yo mucho... En mi casa están seguros de que nunca me enamoraré. Yo no puedo aparecer ahora ilusionada como una tonta y presentar a Jaime... Además, intervendrían todos: tíos, tías..., habría que enseñárselo al abuelo como un bicho raro... luego lo aprobarían porque es rico, pero se quedarían desesperados porque no entiende una palabra de administrar sus riquezas. Sé lo que diría cada uno. Querrían que viniera a casa cada día... Tú me entiendes, ¿verdad, Andrea? Acabaría por no poder soportar a Jaime. Si alguna vez nos casamos, entonces no habrá más remedio que decirlo, pero no todavía. De ninguna manera.

—¿Por qué quieres que vaya con vosotros al campo? —dije, asombrada.

—Le diré a mamá que me voy contigo para todo el día... y siempre es más agradable que sea verdad. Tú no me estorbas nunca y Jaime estará encantado de conocerte. Ya verás. Le he hablado mucho de ti.

Yo sabía que Jaime se parecía al san Jorge pintado en la tabla central del retablo de Jaime Huguet. El san Jorge que se cree que es un retrato del príncipe de Viana. Me lo había dicho Ena muchas veces, y juntas estuvimos viendo una fotografía de la pintura que ella había puesto en su mesilla de noche. Cuando vi a Jaime noté efectivamente el parecido y me impresionó la misma fina melancolía de la cara. Cuando se reía, la semejanza se esfumaba de un modo desconcertante, quedando él mucho más guapo y vigoroso que el cuadro. Parecía feliz con la idea de llevarnos a las dos a la orilla del mar, en aquella época del año en que no iba nadie. Tenía un auto muy grande. Ena frunció el ceño.

—Has estropeado el coche poniéndole gasógeno.

—Bueno, pero gracias a eso puedo llevaros adonde queráis.

Salimos los cuatro domingos de marzo y alguno más de abril. Íbamos a la playa más que a la montaña. Me acuerdo de que la arena estaba sucia de algas de los temporales de invierno. Ena y yo corríamos descalzas por la orilla del agua, que estaba helada, y gritábamos al sentirla rozarnos. El último día hacía ya casi calor y nos bañamos en el mar. Ena bailó una danza de su invención para reaccionar. Yo estaba tumbada en la arena, junto a Jaime, y los dos veíamos su figura graciosa recortada contra el Mediterráneo cabrilleante y azul. Vino hacia nosotros luego, riéndose, y Jaime la besó. La vi apoyada contra él, cerrando un momento sus doradas pestañas.

—¡Cómo te quiero!

Lo dijo asombrada, como si hiciera un gran descubrimiento. Jaime me miró sonriéndose, emocionado y confuso a la vez. Ena me miró también y me tendió la mano.

—Y a ti también, queridísima... Tú eres mi hermana. De veras, Andrea. Ya ves... ¡He besado a Jaime delante de ti!

Volvimos de noche, por la carretera junto al mar. Yo veía el encaje fantástico que formaban las olas en la negrura y las misteriosas lucecitas lejanas de las barcas...

—Sólo hay una persona a quien quiera tanto como a vosotros dos. Quizá más que a vosotros dos juntos... o quizá no, Jaime, quizá no la quiera tanto como a ti... Yo no sé. No me mires así, que va a volcar el auto. A veces me atormenta la duda de a quién quiero más, si a ti o...

Yo escuchaba atentamente.

—¿Sabes, querida —dijo Jaime con un tono en el que se traslucía una ironía tan rabiosa que llegaba al despecho infantil—, que es ya hora de que empieces a decirnos su nombre?

—No puedo —estuvo callada unos momentos—. No os lo diré por nada del mundo. También para vosotros puedo tener un secreto.

¡Qué días incomparables! Toda la semana parecía estar alboreada por ellos. Salíamos muy temprano y ya nos esperaba Jaime con el auto en cualquier sitio convenido. La ciudad se quedaba atrás y cruzábamos sus arrabales tristes, con la sombría potencia de las fábricas a las que se arrimaban altas casas de pisos, ennegrecidas por el humo. Bajo el primer sol los cristales de estas casas negruzcas despedían destellos diamantinos. De los alambres de telégrafos salían chillando bandadas de pájaros espantados por la bocina insistente y enronquecida...

Ena iba al lado de Jaime. Yo, detrás, me ponía de rodillas, vuelta de espaldas en el asiento, para ver la masa informe y portentosa que era Barcelona y que se levantaba y esparcía al alejarnos, como un rebaño de monstruos. A veces Ena dejaba a Jaime y saltaba a mi lado para mirar también, para comentar conmigo aquella dicha.

Ningún día de la semana se parecía Ena a esta muchacha alocada, casi infantil de puro alegre, en que se convertía los domingos. A mí —que venía del campo— me hizo ella ver un nuevo sentido de la Naturaleza en el que ni siquiera había pensado. Me hizo conocer el latido del barro húmedo cargado de jugos vitales, la misteriosa emoción de los brotes aún cerrados, el encanto melancólico de las algas desmadejadas en la arena, la potencia, el ardor, el encanto esplendoroso del mar.

—¡No hagas Historia! —me gritaba desesperada cuando yo veía en el mar latino el recuerdo de los fenicios y de los griegos. Y lo imaginaba surcado (tan quieto, esplendente y azul) de naves extrañas.

Ena nadaba con el deleite de quien abraza a un ser amado. Yo gozaba una dicha concedida a pocos seres humanos: la de sentirse arrastrada en ese halo casi palpable que irradia una pareja de enamorados jóvenes y que hace que el mundo vibre más, huela y resuene con más palpitaciones y sea más infinito y más profundo.

Comíamos en fondas a lo largo de la costa o en merenderos entre pinos, al aire libre. A veces llovía. Entonces Ena y yo nos refugiábamos bajo el impermeable de Jaime, quien se mojaba tranquilamente... Muchas tardes me he puesto algún chaleco de lana, o un jersey suyo. Él tenía una pila de estas cosas en el automóvil en previsión de la traidora primavera. Aquel año, por otra parte, hizo un tiempo maravilloso. Me acuerdo de que en marzo volvíamos cargadas de ramas de almendro florecidas y en seguida empezó la mimosa a amarillear y a temblar sobre las tapias de los jardines.

Estos chorros de luz que recibía mi vida gracias a Ena, estaban amargados por el sombrío tinte con que se teñía mi espíritu otros días de la semana. No me refiero a los sucesos de la calle de Aribau, que apenas influían ya en mi vida, sino a la visión desenfocada de mis nervios demasiado afilados por un hambre que a fuerza de ser crónica llegué casi a no sentirla. A veces me enfadaba con Ena por una nadería. Salía de su casa desesperada. Luego regresaba sin decirle una palabra y me ponía a estudiar junto a ella. Ena se hacía la desentendida y seguíamos como si tal cosa. El recuerdo de estas escenas me hacía llorar de terror algunas veces cuando las razonaba en mis paseos por las calles de los arrabales, o por la noche, cuando el dolor de cabeza no me dejaba dormir y tenía que quitar la almohada para que se disipara. Pensaba en Juan y me encontraba semejante a él en muchas cosas. Ni siquiera se me ocurría pensar que estaba histérica por la falta de alimento. Cuando recibía mi mensualidad iba a casa de Ena cargada de flores, compraba dulces a mi abuela y también me acostumbré a comprar cigarrillos, que ahorraba para las épocas de escasez de comida, ya que me aliviaban y me ayudaban a soñar proyectos deshilvanados. Cuando Román volvió de su viaje estos cigarrillos me los proporcionaba él, regalándomelos. Me seguía con una sonrisa especial cuando yo andaba por la casa, cuando me paraba en la puerta de la cocina olfateando, o cuando me tumbaba horas enteras en la cama, con los ojos abiertos.

Una de aquellas tardes en que me enfadé con Ena la indignación me duró más tiempo. Caminaba con el ceño fruncido, llevada de un monólogo interior exaltado y largo. «No volveré a su casa.» «Estoy harta de sus sonrisas de superioridad.» «Me ha seguido con los ojos, divertida, convencida de que voy a volver a los dos minutos otra vez.» «Cree que no puedo prescindir de su amistad. ¡Qué equivocación!» «Juega conmigo como con todo el mundo hace —pensé injustamente—, como con sus padres, con sus hermanos, como con los pobres muchachos que le hacen el amor, a los que ella alienta para luego gozarse en verlos sufrir...» Cada vez se me hacía más evidente el carácter maquiavélico de mi amiga. Casi me parecía despreciable... Llegué a mi casa más pronto que nunca. Me puse a ordenar los apuntes de clase, nerviosa y casi llorando porque no entendía mi propia letra. Del fondo de mi cartera de estudiante cayó la tarjeta que me había dado Gerardo aquella primera noche de la liberación de mi vida, cuando lo había encontrado entre las sombras que rodeaban la Catedral.

El recuerdo de Gerardo me distrajo un momento. Recordé que le había prometido llamarle para salir con él y recorrer los rincones pintorescos de Barcelona. Pensé que tal vez esto podría distraerme de mis ideas y, sin reflexionar más, marqué su número de teléfono. Se acordó en seguida de mí y quedamos citados para salir a la tarde siguiente. Luego, aunque era aún muy temprano, me acosté y me dormí viendo alborear las luces de la calle en el recuadro del balcón, con un sueño pesado, como si descansara de las fatigas de un gran trabajo.

Cuando desperté me pareció que algo marchaba mal en el curso de las cosas. Tenía una sensación parecida a la que hubiera sentido de decirme alguien que Angustias iba a volver. Aquél iba a ser un día de esos que en apariencia son iguales a los otros, inofensivos como todos, pero en los que de pronto, una ligerísima raya hace torcerse el curso de nuestra vida en una época nueva.

No fui a la Universidad por la mañana, poseída de la estúpida tozudez de no ver a Ena, aunque a cada hora que pasaba se me hacía más penoso estar enfadada con mi amiga y recordaba sus mejores cualidades y su cariño sincero por mí. El único espontáneo y desinteresado que yo había encontrado hasta entonces.

Por la tarde vino a buscarme Gerardo. Le reconocí porque esperaba delante de la portería de casa, e inmediatamente se volvió hacia mí, sin sacar las manos de los bolsillos, según su costumbre. Sus gruesas facciones se habían borrado de mi memoria por completo. Ahora no llevaba gabán ni sombrero. Iba metido en un bien cortado traje gris. Resultaba alto y robusto y su cabello se parecía al de los negros.

—¡Hola, bonita!

Me dijo. Y luego, con un movimiento de cabeza como si yo fuera un perro:

—¡Vamos!

Me quedé un poco intimidada.

Echamos a andar uno al lado del otro. Gerardo hablaba tanto como el día en que le conocí. Me fijé que hablaba como un libro, citando a cada paso trozos de obras que había leído. Me dijo que yo era inteligente, que él lo era también. Luego, que él no creía en la inteligencia femenina. Más tarde, que Schopenhauer había dicho...

Me preguntó que si prefería ir al Puerto o al Parque de Montjuich. A mí me daba igual un sitio que otro. Iba callada a su lado. Cuando cruzábamos las calles él me cogía del brazo. Caminamos por la calle de Cortes hasta los jardines de la Exposición. Una vez allí me empecé a distraer porque la tarde estaba azul y resplandecía en las cúpulas del palacio y en las blancas cascadas de las fuentes. Multitud de flores primaverales cabeceaban al viento, lo invadían todo con su llama de colores. Nos perdimos por los senderos del parque inmenso. En una plazoleta —verde oscura por los recortados cipreses— vimos la estatua blanca de Venus reflejándose en el agua. Alguien le había pintado los labios de rojo groseramente. Gerardo y yo nos miramos indignados y en aquel momento me fue simpático. Mojó su pañuelo y con un impulso de su fuerte cuerpo subió a la estatua y estuvo frotando los labios de mármol hasta que quedaron limpios.

Desde aquel momento pudimos charlar con más cordialidad. Dimos un paseo larguísimo. Gerardo me habló abundantemente de él mismo y luego quiso informarse de mi situación en Barcelona.

—Conque solita, ¿eh? ¿De modo que no tienes padres?

Otra vez me empezaba a parecer fastidioso.

Fuimos hacia Miramar y nos acodamos en la terraza del Restaurante para ver el Mediterráneo, que en el crepúsculo tenía reflejos de color de vino. El gran puerto parecía pequeño bajo nuestras miradas, que lo abarcaban a vista de pájaro. En las dársenas salían a la superficie los esqueletos oxidados de los buques hundidos en la guerra. A nuestra derecha yo adivinaba los cipreses del Cementerio del Sudoeste y casi el olor de melancolía frente al horizonte abierto del mar.

Cerca de nosotros, en las mesitas de la terraza, merendaban algunas personas. El paseo y el aire salinos habían despertado aquella cavernosa sensación de hambre que tenía siempre adormecida. Además estaba cansada. Contemplé las mesas y las apetitosas meriendas con ojos ávidos. Gerardo siguió la dirección de mi mirada y dijo en tono despectivo, como si el contestarle afirmativamente fuera una barbaridad:

—Tú no querrás tomar nada, ¿verdad?

Y me cogió del brazo, arrastrándome fuera del lugar peligroso, con el pretexto de enseñarme otra vista espléndida. En aquel momento él me pareció aborrecible.

Un poco después, de espaldas al mar, veíamos toda la ciudad imponente debajo de nosotros.

Gerardo estaba erguido mirándola.

—¡Barcelona! Tan soberbia y tan rica y sin embargo, ¡qué dura llega a ser la vida ahí! —dijo pensativo.

Me lo decía como una confesión y me sentí súbitamente conmovida, porque creí que se refería a su grosería de un momento antes. Una de las pocas cosas que en aquel tiempo estaba yo capacitada para entender era la miseria en cualquier aspecto que se presentase: aun bajo la buena tela y la camisa de hilo de Gerardo... Puse, en un gesto impulsivo, mi mano sobre la suya y él me la estrechó comunicándome su calor. En aquel momento tuve ganas de llorar, sin saber por qué. Él me besó el cabello.

Súbitamente me quedé rígida aunque seguíamos unidos. Yo era neciamente ingenua en aquel tiempo —a pesar de mi pretendido cinismo— en estas cuestiones. Nunca me había besado un hombre y tenía la seguridad de que el primero que lo hiciera sería escogido por mí entre todos. Gerardo apenas había rozado mi cabello. Me pareció que era una consecuencia de aquella emoción que habíamos sentido juntos y que no podía hacer el ridículo de rechazarle indignada. En aquel momento me volvió a besar con suavidad. Tuve la sensación absurda de que me corrían sombras por la cara como en un crepúsculo y el corazón me empezó a latir furiosamente, en una estúpida indecisión, como si tuviera la obligación de soportar aquellas caricias. Me parecía que a él le sucedía algo extraordinario, que súbitamente se había enamorado de mí. Porque entonces era lo suficientemente atontada para no darme cuenta de que aquél era uno de los infinitos hombres que nacen sólo para sementales y junto a una mujer no entienden otra actitud que ésta. Su cerebro y su corazón no llegan a más. Gerardo súbitamente me atrajo hacia él y me besó en la boca. Sobresaltada le di un empujón, y me subió una oleada de asco por la saliva y el calor de sus labios gordos. Le empujé con todas mis fuerzas y eché a correr. Él me siguió. Me encontró un poco temblorosa, tratando de reflexionar. Se me ocurrió pensar que quizá habría tomado mi apretón de manos como una prueba de amor.

—Perdóname, Gerardo —le dije con la mayor ingenuidad—, pero ¿sabes?... es que yo no te quiero. No estoy enamorada de ti.

Y me quedé aliviada de haberle explicado todo satisfactoriamente.

Él me cogió del brazo como quien recobra algo suyo y me miró de una manera tan grosera y despectiva que me dejó helada.

Luego, en el tranvía que tomamos para la vuelta, me fue dando paternales consejos sobre mi conducta en lo sucesivo y sobre la conveniencia de no andar suelta y loca y de no salir sola con los muchachos. Casi me pareció estar oyendo a tía Angustias.

Le prometí que no volvería a salir con él y se quedó un poco aturdido.

—No, «peque», no, conmigo es distinto. Ya ves que te aconsejo bien... Yo soy tu mejor amigo.

Estaba muy satisfecho de sí mismo.

Yo me encontraba desalentada, como el día que una buena monja de mi colegio, un poco ruborizada, me explicó que había dejado de ser una niña, que me había convertido en mujer. Inoportunamente recordaba las palabras de la monjita: «No hay que asustarse, no es una enfermedad, es algo natural que-Dios manda»... Yo pensaba: «De modo que este hombre estúpido es quien me ha besado por primera vez... Es muy posible que esto tampoco tenga importancia»...

Subí las escaleras de mi casa desmadejada. Ya era completamente de noche. Antonia me abrió la puerta con cierta zalamería.

—Ha venido una señorita rubia a preguntar por usted.

Debilitada y triste como me encontraba, casi tuve ganas de llorar. Ena, que era mejor que yo, había venido a buscarme.

—Está en la sala, con el señorito Román —añadió la criada—. Han estado allí toda la tarde...

Me quedé reflexionando un momento. «Por fin ha conocido a Román como ella quería —pensé—. ¿Qué le habrá parecido?» Pero sin saber bien por qué, una profunda irritación sucedió a mi curiosidad. En aquel momento oí que Román empezaba a tocar el piano. Rápida fui a la puerta de la sala, di en ella dos golpes y entré. Román dejó de tocar inmediatamente, con el ceño fruncido. Ena estaba recostada en el brazo de uno de los derrengados sillones y parecía despertar de un largo ensueño.

Sobre el piano, un cabo de vela —recuerdo de las noches en que yo dormía en aquella habitación— ardía, y su llama alargada y llena de inquietudes era la única luz del cuarto.

Los tres estuvimos mirándonos durante un segundo. Luego, Ena corrió hacia mí y me abrazó. Román me sonrió con afecto y se levantó.

—Os dejo, pequeñas.

Ena le tendió la mano y los dos se estuvieron mirando, callados. Los ojos de Ena fosforescían como los de un felino. Me empezó a entrar miedo. Era algo helado sobre la piel. Entonces fue cuando tuve la sensación de que una raya, fina como un cabello, partía mi vida y como a un vaso la quebraba. Cuando levanté los ojos del suelo, Román se había ido. Ena me dijo:

—Yo también me voy. Es muy tarde... Quería esperarte porque a veces haces cosas de loca y no puede ser... Bueno, adiós... Adiós, Andrea...

Estaba nerviosísima.

XIII

Al día siguiente fue Ena la que me rehuyó en la Universidad. Me había acostumbrado tanto a estar con ella entre clase y clase que estaba desorientada y no sabía qué hacer. A última hora se acercó a mí.

—No vengas esta tarde a casa, Andrea. Tendré que salir... Lo mejor es que no vengas estos días hasta que yo te avise. Yo te avisaré. Tengo un asunto entre manos... Puedes venir a buscar los diccionarios... (porque yo, que carecía de textos, no tenía tampoco diccionario griego, y el de latín, que conservaba del Bachillerato, era pequeño y malo: las traducciones las hacía siempre con Ena)... Lo siento —continuó al cabo de un momento, con una sonrisa mortificada—, tampoco voy a poder prestarte los diccionarios... ¡Qué fastidio! Pero como se acercan los exámenes, no puedo dejar de hacer las traducciones por la noche... Tendrás que venir a estudiar a la Biblioteca... Créeme que lo siento, Andrea.

—No te preocupes, mujer.

Me sentía envuelta en la misma opresión que la tarde anterior. Pero ahora no era un presentimiento, sino la certeza de que algo malo había sucedido. Resultaba de todas maneras menos angustioso que aquel primer escalofrío de los nervios sentido cuando vi a Ena mirar a Román.

—Bueno... me voy de prisa, Andrea. No puedo esperarte porque le he prometido a Bonet... ¡Ah! Allí veo a Bonet que me hace señas. Adiós, querida.

Me besó en las mejillas, contra su costumbre, aunque muy fugazmente, y se fue después de volver a advertirme:

—No vengas a casa hasta que yo te lo diga... Es que no me ibas a encontrar, ¿sabes? No quiero que te molestes.

—Descuida.

La vi salir acompañada de uno de sus enamorados menos favorecidos, que aquel día aparecía radiante.

Desde entonces, tuve ya que pasarme sin Ena. Llegó el domingo y ella, que no me había dado el célebre aviso y que se había limitado a sonreírme y a saludarme desde lejos en la Universidad, tampoco me habló nada de nuestra excursión con Jaime. La vida volvía a ser solitaria para mí. Como era algo que parecía no tener remedio, lo tomé con resignación. Entonces fue cuando empecé a darme cuenta de que se aguantan mucho mejor las contrariedades grandes que las pequeñas nimiedades de cada día.

En casa, Gloria recibía la primavera —cada, vez más cargada de efluvios— con una gran nerviosidad que nunca había visto en ella. Estaba llorosa a menudo. La abuela me dijo, como un gran secreto, que tenía miedo de que estuviese embarazada otra vez.

—En otros tiempos no te lo hubiera dicho... porque tú eres una niña. Pero ahora, después de la guerra...

La pobre vieja no sabía a quién confiar sus inquietudes.

Sin embargo, no sucedía nada de esto. El aire de abril y de mayo es irritante, excita y quema más que el de plena canícula, sólo esto sucedía. Los árboles de la calle de Aribau —aquellos árboles ciudadanos, que según Ena olían a podrido, a cementerio de plantas— estaban llenos de delicadas hojitas casi transparentes. Gloria, ceñuda en la ventana, miraba toda esta sonrisa y suspiraba. Un día la vi lavando su traje nuevo y queriendo cambiarle el cuello. Lo tiró al suelo desesperada.

—¡Yo no sé hacer estas cosas! —dijo—. ¡No sirvo!

Nadie le había mandado que lo hiciera. Se encerró en su cuarto.

Román parecía de excelente humor. Algunos días hasta se dignaba hablar con Juan. La actitud de Juan conmovía entonces, se reía por cualquier cosa. Daba palmaditas en la espalda a su hermano. Luego tenía terribles broncas con su mujer, como consecuencia de todo esto.

Un día oí tocar el piano a Román. Tocaba algo que yo conocía. Su canción de primavera, compuesta en honor del dios Xochipilli. Aquella canción que, según él, le daba mala suerte. Gloria estaba en un rincón oscuro del recibidor esforzándose en escuchar. Yo entré y empecé a mirar sus manos sobre el teclado. Al final, dejó la música con cierta irritación.

—¿Quieres algo, pequeña?

También Román parecía haber cambiado respecto a mí.

—¿Qué hablasteis el otro día Ena y tú, Román?

Pareció sorprenderse.

—Nada de particular, creo yo, ¿qué te ha dicho?

—No me ha dicho nada. Desde ese día ya no somos amigas.

—Bueno, pequeña... Yo no tengo nada que ver con vuestras tontas historias de colegialas... Hasta ese punto no he llegado.

Y se marchó.

Las tardes se me hacían particularmente largas. Estaba acostumbrada a pasarlas arreglando mis apuntes, luego solía dar un buen paseo y antes de las siete ya estaba en casa de Ena. Ella veía a Jaime todos los días después de comer, pero volvía a esa hora para hacer conmigo la traducción. Algunos días se quedaba toda la tarde en su casa y era entonces cuando nos reuníamos allí la pandilla de la Universidad. Los chicos, que pasaban el sarampión literario, nos leían sus poesías. Al final, la madre de Ena cantaba algo. Eran los días en que yo me quedaba a cenar allí. Todo esto pertenecía ya al pasado (alguna vez me aterraba pensar en cómo los elementos de mi vida aparecían y se disolvían para siempre apenas empezaba a considerarlos como inmutables). Las reuniones de amigos en casa de Ena dejaron de hacerse en virtud de la sombra amenazadora del final de curso que se nos venía encima. Y ya no se habló más entre Ena y yo de la cuestión de que yo volviera a su casa.

Una tarde encontré a Pons en la biblioteca de la Universidad. Se puso muy contento al verme.

—¿Vienes mucho por aquí? Antes no te veía.

—Sí, vengo a estudiar... Es que no tengo libros...

—¿De veras? Yo te puedo prestar los míos. Mañana te los traeré.

—¿Y tú?

—Ya te los pediré cuando me hagan falta.

Al día siguiente, Pons llegó a la Universidad con unos libros nuevos, sin abrir.

—Puedes conservarlos... Este año han comprado en casa los textos por partida doble.

Yo estaba tan avergonzada que tenía ganas de llorar. Pero ¿qué le iba a decir a Pons? Él estaba entusiasmado.

—¿Ya no eres amiga de Ena? —me preguntó.

—Sí, es que la veo menos, por los exámenes...

Pons era un muchacho muy infantil. Pequeño y delgado, con unos ojos a los que daban dulzura las pestañas, muy largas. Un día lo encontré en la Universidad terriblemente excitado.

—Oye, Andrea, escucha... No te lo había dicho antes porque no teníamos permiso para llevar a chicas. Pero yo he hablado tanto de ti, he dicho que eras distinta... en fin, se trata de mi amigo Guíxols y él ha dicho que sí, ¿entiendes?

Yo no había oído hablar nunca de Guíxols.

—No, ¿cómo voy a entender?

—¡Ah! Es verdad. Ni siquiera te he hablado nunca de mis amigos... Éstos de aquí, de la Universidad, no son realmente mis amigos. Se trata de Guíxols, de Iturdiaga principalmente... en fin, ya los conocerás. Todos son artistas, escritores, pintores... un mundo completamente bohemio. Completamente pintoresco. Allí no existen convencionalismos sociales... Pujol, un amigo de Guíxols —y mío también, claro—, lleva chalina y el cabello largo. Es un tipo estupendo... Nos reunimos en el estudio de Guíxols, que es pintor... un muchacho muy joven —vamos, quiero decir joven como artista, por lo demás tiene

ya veinte años—, pero con un talento enorme. Hasta ahora no
ha ido ninguna muchacha allí. Tienen miedo a que se asusten
del polvo y que digan tonterías de esas que suelen decir todas.
Pero les llamó la atención lo que yo les dije de que tú no te
pintabas en absoluto y que tienes la tez muy oscura y los ojos
claros. Y, en fin, me han dicho que te lleve esta tarde. El estudio está en el barrio antiguo...

Ni siquiera había soñado que yo pudiera rechazar la tenta-
dora invitación. Naturalmente, lo acompañé.

Fuimos andando, dando un largo paseo, por las calles antiguas. Pons parecía muy feliz. A mí me había sido siempre extraordinariamente simpático.

—¿Conoces la iglesia de Santa María del Mar? —me dijo
Pons.

—No.

—Vamos a entrar un momento si quieres. La ponen como
ejemplo del puro gótico catalán. A mí me parece una maravilla. Cuando la guerra la quemaron...

Santa María del Mar apareció a mis ojos adornada de un
singular encanto, con sus peculiares torres y su pequeña plaza,
amazacotada de casas viejas, enfrente.

Pons me dejó su sombrero, sonriendo al ver que lo torcía
para ponérmelo. Luego entramos. La nave resultaba grande y
fresca y rezaban en ella unas cuantas beatas. Levanté los ojos
y vi los vitrales rotos de las ventanas, entre las piedras que habían ennegrecido las llamas. Esta desolación colmaba de poesía y espiritualizaba aún más el recinto. Estuvimos allí un rato
y luego salimos por una puerta lateral junto a la que había ven-
dedoras de claveles y de retama. Pons compró para mí pequeños manojos de claveles bien olientes, rojos y blancos. Veía
mi entusiasmo, con ojos cargados de alegría. Luego me guió
hasta la calle de Montcada, donde tenía su estudio Guíxols.

Entramos por un portalón ancho donde campeaba un escudo
de piedra. En el patio, un caballo comía tranquilamente, un-
cido a un carro, y picoteaban gallinas produciendo una impresión de paz. De allí partía la señorial y ruinosa escalera de pie-

dra, que subimos. En el último piso, Pons llamó tirando de una cuerdecita que colgaba en la puerta. Se oyó una campanilla muy lejos. Nos abrió un muchacho a quien Pons llegaba más abajo del hombro. Creí que sería Guíxols. Pons y él se abrazaron con efusión. Pons me dijo:

—Aquí tienes a Iturdiaga, Andrea... Este hombre acaba de llegar del Monasterio de Veruela, donde ha pasado una semana siguiendo las huellas de Bécquer...

Iturdiaga me estudió desde su altura. Sujetaba una pipa entre los largos dedos y vi que a pesar de su aspecto imponente, era tan joven como nosotros.

Le seguimos, atravesando un largo dédalo de habitaciones destartaladas y completamente vacías, hasta el cuarto donde Guíxols tenía su estudio. Un cuarto grande, lleno de luz, con varios muebles enfundados —sillas y sillones—, un gran canapé y una mesita donde, en un vaso —como un ramo de flores—, habían colocado un manojo de pinceles.

Por todos lados se veían las obras de Guíxols: en los caballetes, en la pared, arrimadas a los muebles o en el suelo...

Allí estaban reunidos dos o tres muchachos que se levantaron al verme. Guíxols era un chico con tipo de deportista. Fuerte y muy jovial, completamente tranquilo, casi la antítesis de Pons. Entre los otros vi al célebre Pujol que, con su chalina y todo, era terriblemente tímido. Más tarde llegué a conocer sus cuadros, que hacía imitando punto por punto los defectos de Picasso —la genialidad no es susceptible de imitarse, naturalmente. No era esto culpa de Pujol ni de sus diecisiete años ocupados en calcar al maestro—. El más notable de todos parecía ser Iturdiaga. Hablaba con gestos ampulosos y casi siempre gritando. Luego me enteré de que tenía escrita una novela de cuatro tomos, pero no encontraba editor para ella.

—¡Qué belleza, amigos míos! ¡Qué belleza! —decía hablando del Monasterio de Veruela—. ¡Comprendí la vocación religiosa, la exaltación mística, el encierro perpetuo en la soledad!... Sólo me faltabais vosotros y el amor... Yo sería libre

como el aire si el amor no me enganchara en su carro continuamente, Andrea —añadió, dirigiéndose a mí.

Luego se puso serio.

—Pasado mañana me bato con Martorell, no hay remedio.
Tú, Guíxols, serás mi padrino.

—No, ya lo arreglaremos antes de que llegue el caso —dijo
Guíxols, ofreciéndome un cigarrillo—. Puedes estar seguro de
que lo arreglaré... Es una estupidez el que te batas porque Martorell haya dicho una grosería a una florista de la Rambla.

—¡Una florista de la Rambla es una dama como cualquier
mujer!

—No lo dudo, pero tú no la habías visto hasta entonces, y
en cambio Martorell es nuestro amigo. Quizá un poco aturdido, pero un chico excelente. Te advierto que él toma todo
esto a broma. Tenéis que reconciliaros.

—¡No, señor! —gritó Iturdiaga—. Martorell dejó de ser mi
amigo cuando...

—Bueno. Ahora vamos a merendar si Andrea tiene la bondad de hacernos unos bocadillos con el pan y el jamón que en-
contrará escondido detrás de la puerta...

Pons observaba continuamente el efecto que me producían
sus amigos y buscaba mis ojos para sonreírme. Hice café y lo
tomamos en tazas de diferentes tamaños y formas, pero todas
de porcelana fina y antigua, que Guíxols guardaba en una vi-
trina. Pons me informó que Guíxols las adquiría en los En-
cantes.

Yo observaba los cuadros de Guíxols: marinas sobre todo.
Me interesó un dibujo de la cabeza de Pons. Al parecer, Guíxols tenía suerte y vendía bien sus cuadros, aunque aún no
había hecho ninguna exposición. Sin querer comparé su pintura con la de Juan. La de Guíxols era mejor, indudablemente.
Al oír hablar de miles de pesetas, me pasó como un rayo de
crueldad la voz de Juan por mis orejas... «¿Crees tú que el
desnudo que he pintado a Gloria vale sólo diez duros?» A mí
aquel ambiente «bohemio» me pareció muy confortable. El
único mal vestido y con las orejas sucias era Pujol, que comía

con gran apetito y gran silencio. A pesar de esto, me enteré de que era rico. Guíxols mismo era hijo de un fabricante riquísimo. Iturdiaga y Pons pertenecían también a familias conocidas en la industria catalana. Pons además era hijo único, y muy mimado, según me enteré mientras él enrojecía hasta las orejas.

—A mí, mi padre no me comprende —gritó Iturdiaga—. ¿Cómo me va a comprender si sólo sabe almacenar millones? De ninguna manera ha querido costearme la edición de la novela. ¡Dice que es negocio perdido!... Y lo peor es que desde la última jugarreta me ata corto y me tiene sin un céntimo.

—Es que fue buena —dijo Guíxols con una sonrisa.

—¡No! ¡Yo no le mentí!.. Un día me llamó a su cuarto: «Gaspar, hijo mío... ¿he oído bien? Me has dicho que ya no te queda nada de las dos mil pesetas que te di como aguinaldo de Navidad» (esto era quince días después de Navidad). Yo le dije: «Sí, papá, ni un céntimo»... Entonces entornó los ojos como una fiera y me dijo:

—«Pues ahora mismo me vas a decir en lo que te lo has gastado.»

—Yo le conté lo contable a un padre como el mío y no se quedaba satisfecho. Luego se me ocurrió decir:

—Lo demás se lo di a López Soler, se lo presté al pobre... entonces hubierais visto a mi padre rugir como un tigre:

—«¡Prestar dinero a un sinvergüenza semejante que no te lo devolverá jamás! Estoy por darte una paliza... Si no me traes ese dinero antes de veinticuatro horas meto a López Soler en la cárcel y a ti te tengo un mes a pan y agua... Ya te enseñaré a ser derrochador»...

»—Nada de eso puede ser, padre mío; López Soler está en Bilbao.

»Mi padre dejó caer los brazos desalentados, y luego recobró otra vez las fuerzas.

—«Esta misma noche te vas a Bilbao acompañado de tu hermano mayor, ¡botarate! Ya te enseñaré yo a derrochar mi dinero...

»Y por la noche estábamos mi hermano y yo en el coche-
cama. Ya sabéis cómo es mi hermano, un tío serio como hay
pocos y con una cabezota de piedra. En Bilbao visitó él a todos los parientes de mi padre y me hizo acompañarle. López
Soler se había marchado a Madrid. Mi hermano puso una conferencia con Barcelona: «Id a Madrid —dijo mi padre—. Ya
sabes que confío en ti, Ignacio... Estoy decidido a educar a
Gaspar a la fuerza»... Otra vez el coche-cama y a Madrid. Allí
encontré a López Soler en el Café Castilla y me abrió los brazos llorando de alegría. Cuando se enteró a lo que iba me
llamó asesino y me dijo que antes me mataría que devolverme
el dinero. Luego, en vista de que estaba detrás mi hermano Ignacio con sus puños de boxeador, entre todos sus amigos reu-
nieron la cantidad y me la entregaron. Ignacio mismo la
guardó, satisfecho, en su cartera, quedando yo enemigo de López Soler...

»Volvimos a casa. Mi padre me hizo un discurso solemne y
me dijo luego que en castigo se quedaría él con la cantidad re-
cuperada, y que no me daría dinero en ocho días para cobrarse
los gastos de nuestro viaje. Entonces, Ignacio, con su cara
tranquila, sacó el billete de veinticinco pesetas que me había
devuelto López Soler y se lo tendió a mi padre. El pobre hombre se quedó como un castillo que se derrumba.

—«¿Qué es esto?» —gritó.

—El dinero que había prestado a López Soler, padre mío
—contesté yo—. Y de ahí viene la catástrofe de mi vida, amigos míos... Ahora que yo pensaba ahorrar para editar el libro
por mi cuenta...

Yo estaba muy divertida y contenta.

—¡Ah! —dijo Iturdiaga, mirando hacia un cuadrito que estaba vuelto hacia la pared—. ¿Qué hace de espaldas el cuadro
de la Verdad?

—Es que ha estado antes Romances, el crítico, y, como
tiene cincuenta años, no me pareció delicado...

Pujol se levantó rápidamente y dio la vuelta al cuadrito. Sobre fondo negro habían pintado en blanco con grandes letras:

«Demos gracias al cielo de que valemos infinitamente más que nuestros antepasados. —Homero.»

La firma era imponente. Tuve que reírme. Me encontraba muy bien allí; la inconsciencia absoluta, la descuidada felicidad de aquel ambiente me acariciaban el espíritu.

XIV

Los exámenes de aquel curso eran fáciles, pero yo tenía miedo y estudiaba todo lo que podía.

—Te vas a poner enferma —me dijo Pons—. Yo no me preocupo. El curso que viene será otra cosa, cuando tengamos que hacer la reválida.

La verdad es que yo estaba empezando a perder la memoria. A menudo me dolía la cabeza.

Gloria me dijo que Ena había venido a ver a Román a su cuarto y que Román había estado tocando sus composiciones de violín para ella. Gloria, de estas cosas, estaba siempre bien informada.

—¿Tú crees que se casará con ella? —me preguntó de improviso, con aquella especie de ardor que le comunicaba la primavera.

—¡Ena casarse con Román! ¡Qué estupidez más grande!

—Lo digo, chica, porque ella parece bien vestida, como de buena familia... Tal vez Román quiere casarse.

—No digas necedades. No hay nada entre ellos en ese sentido... ¡Vamos! ¡No seas tonta, mujer! Si Ena ha venido, puedes estar segura de que ha sido sólo por oír la música.

—¿Y por qué no ha entrado a saludarte a ti?

El corazón parecía que se me iba a saltar del pecho, tanto me interesaba todo aquello.

Veía a Ena en la Universidad todos los días. A veces cambiamos algunas palabras. Pero ¿cómo íbamos a hablar de nada íntimo? Ella me había alejado por completo de su vida. Un día le pregunté cortésmente por Jaime.

—Está bien —me dijo—. Ahora ya no salimos los domingos. (Evitaba mirarme, quizá para que yo no notara en sus ojos la tristeza. ¿Quién podía comprenderla?)

—Román está de viaje —le dije de improviso.

—Ya lo sé —me contestó.

—¡Ah!...

Nos quedamos calladas.

—¿Y tu familia? —aventuré (parecía que no nos hubiéramos visto en muchos años).

—Mamá ha estado enferma.

—Le enviaré flores cuando pueda...

Ena me miró de un modo especial.

—Tú tienes también cara de enferma, Andrea... ¿Quieres venir a dar un paseo conmigo esta tarde? Te sentará bien tomar el aire. Podemos ir al Tibidabo. Me gustaría que merendaras allí conmigo...

—¿Ya has terminado el asunto ese tan importante que tenías entre manos?

—No, aún no; no seas irónica... Pero esta tarde me voy a tomar unas vacaciones, si tú quieres dedicármela.

Yo no estaba contenta ni triste. Me parecía que mi amistad con Ena había perdido mucho de su encanto con la ruptura. Al mismo tiempo yo quería a mi amiga sinceramente.

—Sí, iremos... si algo más importante no te lo impide.

Me cogió una mano y me abrió los dedos, para ver la confusa red de rayas de la palma.

—¡Qué manos tan delgadas!... Andrea, quiero que me perdones si me he portado algo mal contigo estos días... No es solamente contigo con quien me porto mal... Pero esta tarde será como antes. Ya verás. Correremos entre los pinos. Lo pasaremos bien.

Efectivamente, lo pasamos bien y nos reímos mucho. Con Ena cualquier asunto cobraba interés y animación. Yo le conté las historias de Iturdiaga y de mis nuevos amigos. Desde el Tibidabo, detrás de Barcelona, se veía el mar. Los pinos corrían en una manada espesa y fragante montaña abajo, extendiéndose en grandes bosques hasta que la ciudad empezaba. Lo verde la envolvía, abrazándola.

—El otro día fui a tu casa —dijo Ena—; quería verte. Te estuve esperando cuatro horas.

—No me dijeron nada.

—Es que subí al cuarto de Román para entretenerme. Fue muy amable conmigo. Hizo música. De cuando en cuando llamaba por teléfono a la criada a ver si habías llegado.

Yo me quedé triste tan de repente, que Ena lo notó y se puso de mal humor también.

—Hay cosas en ti que no me gustan, Andrea. Te avergüenzas de tu familia... Y, sin embargo, Román es un hombre tan original y tan artista como hay pocos... Si yo te presentara a mis tíos, podrías buscar con un candil, que no encontrarías la menor chispa de espíritu. Mi padre mismo es un hombre vulgar, sin la menor sensibilidad... Lo cual no quiere decir que no sea bueno, y, además, es guapo, ya le conoces, pero yo hubiera comprendido mucho mejor que mi madre se hubiera casado con Román o con alguien que se le pareciese... Esto es un ejemplo como otro cualquiera... Tu tío es una personalidad. Sólo con la manera de mirar sabe decir lo que quiere. Entender... parece algo trastornado a veces. Pero tú también, Andrea, lo pareces. Por eso precisamente quise ser tu amiga en la Universidad. Tenías los ojos brillantes y andabas torpe, abstraída, sin fijarte en nada... Nos reíamos de ti; pero yo, secretamente, deseaba conocerte. Una mañana te vi salir de la Universidad bajo una lluvia torrencial... Era en los primeros días del curso (tú no te acordarás de esto). La mayoría de los chicos estaban cobijados en la puerta y yo misma, aunque llevaba impermeable y paraguas no me atrevía a desafiar aquella furia torrencial. De pronto te veo salir a ti, con el mismo paso de siempre, sin bufanda, con la cabeza descubierta... Me acuerdo de que el viento y la lluvia te alborotaban y luego te pegaban los rizos del cabello a las mejillas. Yo salí detrás de ti y el agua caía a chorros. Parpadeaste un momento, como extrañada, y luego, como a un gran refugio, te arrimaste a la verja del jardín. Estuviste allí dos minutos lo menos hasta que te diste cuenta de que te mojabas lo mismo. El caso era espléndido. Me conmovías y me hacías morir de risa al mismo tiempo. Creo que entonces te empecé a tomar cariño... Luego te pusiste enferma...

—Sí, me acuerdo.

—Sé que te molesta que yo sea amiga de Román. Ya te había pedido que me lo presentaras hace tiempo... Comprendí que si quería ser tu amiga no había ni que pensar en tal cosa... Y el día en que fui a buscarte a tu casa, cuando nos encontraste juntos no podías disimular tu irritación y tu disgusto. Al día siguiente vi que venías dispuesta a hablar de aquello... A pedirme cuentas, quizá. No sé... No me apetecía verte. Tienes que comprender que yo puedo escoger mis propios amigos, y Román (yo no lo niego) me interesa muchísimo, por razones particulares y por su genialidad y...

—Es una persona mezquina y mala.

—Yo no busco en las personas ni la bondad ni la buena educación siquiera... aunque creo que esto último es imprescindible para vivir con ellas. Me gustan las gentes que ven la vida con ojos distintos que los demás, que consideran las cosas de otro modo que la mayoría... Quizá me ocurra esto porque he vivido siempre con seres demasiado normales y satisfechos de ellos mismos... Estoy segura de que mi madre y mis hermanos tienen la certeza de su utilidad indiscutible en este mundo, que saben en todo momento lo que quieren, lo que les parece mal y lo que les parece bien... Y que han sufrido muy poca angustia ante ningún hecho.

—¿Tú no quieres a tu padre?

—Claro que sí. Esto es aparte... Y estoy agradecida a la Providencia de que sea tan guapo, ya que me parezco a él... Pero nunca he acabado de comprender por qué se ha casado con él mi madre. Mi madre ha sido la pasión de toda mi infancia. He notado desde muy pequeña que ella era distinta de todos los demás... Yo la acechaba. Me parecía que tenía que ser desgraciada. Cuando me fui dando cuenta de que quería a mi padre y de que era feliz me entró una especie de decepción...

Ena estaba seria.

—Y no lo puedo remediar. Toda mi vida he estado huyendo de mis simples y respetables parientes... Simples pero inteligentes a la vez, en su género, que es lo que les hace tan insoportables... Me gusta la gente con ese átomo de locura que hace que la existencia no sea monótona, aunque sean personas desgraciadas y estén siempre en las nubes, como tú... Personas que, según mi familia, son calamidades indeseables...

Yo la miré.

—Prescindiendo de mi madre —con mamá no se sabe nunca lo que va a pasar y éste es uno de sus atractivos—, ¿qué crees que dirían mi padre o mi abuelo de ti misma si supieran tu modo real de ser? Si supieran, como yo sé, que te quedas sin comer y que no te compras la ropa que necesitas por el placer de tener con tus amigos delicadezas de millonaria durante tres días... Si supieran que te gusta vagabundear sola por la noche. Que nunca has sabido lo que quieres y que siempre estás queriendo algo... ¡Bah! Andrea, creo que se santiguarían al verte, como si fueras el diablo.

Se acercó a mí y se quedó enfrente. Me puso sus dos manos en los hombros mirándome.

—Y tú, querida, esta tarde y siempre que se trata de tu tío o de tu casa eres igual que mis parientes... Te horrorizas sólo de pensar que yo estoy allí. Te crees que no sé lo que es ese mundo tuyo, cuando lo que sucede es que me ha absorbido desde el primer momento y que quiero descubrirlo completamente.

—Estás equivocada. Román y los demás de allí no tienen ningún mérito más que el de ser peores que las otras personas que tú conoces y vivir entre cosas torpes y sucias.

Yo hablaba con brusquedad, dándome cuenta de que no podría convencerla.

—Cuando llegué a tu casa el otro día, ¡qué mundo tan extraño apareció a mis ojos! Me quedé hechizada. Jamás hubiera podido soñar en plena calle de Aribau un cuadro semejante al que ofrecía Román, tocando para mí, a la luz de las velas, en aquella madriguera de antigüedades... No sabes cuánto pensaba en ti. Cuánto me interesabas por vivir en aquel sitio inverosímil. Te comprendía mejor... Te quería. Hasta que llegaste... Sin darte cuenta me mirabas de un modo que estropeabas mi entusiasmo. De modo que no me guardes rencor por querer entrar yo sola en tu casa y conocerlo todo. Porque no hay nada que no me interese... Desde esa especie de bruja que tenéis por criada, hasta el loro de Román...

»En cuanto a Román, no me dirás que sólo tiene el mérito de estar metido en ese ambiente. Es una persona extraordinaria. Si lo has oído interpretar sus composiciones, tendrás que reconocerlo.

Bajamos a la ciudad en el tranvía. El aire tibio de la tarde levantaba los cabellos de Ena. Estaba muy guapa. Me dijo aún:

—Ven a casa cuando quieras... Perdóname por haberte dicho que no vinieras. Eso es otro asunto. Ya sabes que eres mi única amiga. Mi madre me pregunta por ti y parece alarmada... Estaba contenta de que al fin simpatice con una chica; desde que tengo uso de razón me ha visto rodeada de muchachos, únicamente...

XV

Llegué a casa con dolor de cabeza y me extrañó el gran silencio que había a la hora de la cena. La criada se movía con desacostumbrada ligereza. En la cocina la vi acariciando al perro, que apoyaba la cabezota sobre su regazo. De cuando en cuando recorrían a aquella mujer sacudidas nerviosas como descargas eléctricas y se reía enseñando los dientes verdes.

—Va a haber entierro —me dijo.

—¿Cómo?

—Se va a morir el crío...

Me fijé que en la alcoba del matrimonio había luz.

—Ha venido el médico. He ido a la farmacia a buscar las medicinas, pero no me han querido fiar, porque ya saben en el barrio cómo andan las cosas en la casa desde que murió el pobre señor... ¿Verdad, *Trueno?*

Entré en la alcoba. Juan había hecho una pantalla a la luz para que no molestara al niño, que parecía insensible, encarnado de fiebre. Juan lo tenía entre los brazos, porque el pequeño de ninguna manera soportaba estar en la cuna sin llorar continuamente... La abuela parecía atontada. Vi que le acariciaba los pies metiendo sus manos por debajo de la manta que le envolvía. Rezaba el rosario mientras tanto y me extrañó que no llorase. La abuela y Juan estaban sentados en el borde de la gran cama de matrimonio, y en el fondo, sobre la cama también, pero apoyada contra la esquina de la pared, vi a Gloria jugando a las cartas muy preocupada. Estaba sentada a la manera moruna, desgreñada y sucia como de costumbre. Pensé que estaría haciendo solitarios. A veces los hacía.

—¿Qué tiene el niño? —pregunté.

—No se sabe —contestó rápidamente la abuela. Juan la miró y dijo:

—El médico opina que es un principio de pulmonía, pero yo creo que es del estómago.

—No tiene ninguna importancia. El nene está perfectamente constituido y soportará bien las fiebres —siguió diciendo Juan mientras sujetaba con gran delicadeza la cabecita del pequeño, apoyándola en su pecho.

—¡Juan! —chilló Gloria—. ¡Ya es hora de que te vayas!

Él miró al niño con una preocupación que me habría parecido extraña si yo hubiera tenido en cuenta sus palabras anteriores.

Dulcificó un poco la voz.

—No sé si ir, Gloria... ¿Qué te parece? Este pequeño únicamente quiere estar conmigo.

—Me parece, chico, que no estamos para pensarlo. Te ha caído del cielo esa oportunidad de poder ganar unas pesetas tranquilamente. Ya nos quedamos yo y la mamá. Además, en el almacén hay teléfono, ¿no? Te podríamos avisar si se pusiera peor... Y como no eres tú solo el que haces la guardia podrías venirte. Todo sería que no cobraras al día siguiente...

Juan se levantó. El niño empezó a gemir. Juan sonrió con una rara mueca, indeciso...

—¡Anda, chico, anda! Dáselo a la mamá.

Juan lo puso en brazos de la abuela y el niño empezó a llorar.

—¡A ver! Dámelo a mí.

En brazos de su madre parecía estar mejor el pequeño.

—¡Qué pícaro! —dijo la abuela con tristeza—. Cuando está bueno sólo quiere que le tenga yo, y ahora...

Juan se metía el abrigo, pensativo, mirando al niño.

—Come algo antes de marcharte. Hay sopa en la cocina y queda un pan en el aparador.

—Sí, beberé sopa caliente. La pondré en una taza...

Antes de marcharse volvió aún a la alcoba.

—Voy a dejar este abrigo. Me pondré el viejo —dijo cuidadosamente cogiendo uno muy astroso y manchado que colgaba de la percha—. Ya no hace frío y en una noche de guardia se estropea mucho...

Se veía que no se decidía a ir. Gloria volvió a gritar:

—¡Que se hace tarde, chico!

Al fin se fue.

Gloria acunaba al niño, impaciente. Cuando sintió que la puerta se cerraba, estuvo aún un rato con el cuello tenso, escuchando. Luego gritó:

—¡Mamá!

La abuela había ido a cenar a su vez y estaba tomando la sopa con pan, pero lo dejó a medias y acudió en seguida.

—¡Vamos, mamá, vamos! ¡De prisa!

Puso al niño en el regazo de la abuela sin hacer caso de su llanto. Luego se empezó a vestir con lo mejor que tenía: un traje estampado al que aún colgaba el cuello sin terminar de coser y que estaba arrugado sobre la silla y un collar de cuentas azules. Con el collar hacían juego dos pendientes panzudos, azules también. Se empolvó mucho la cara, según su costumbre, para ocultar las pecas, y se pintó los labios y los ojos con manos temblorosas.

—Ha sido una suerte muy grande que Juan tuviera ese trabajo esta noche, mamá —dijo, al ver que la abuela movía la cabeza disgustada, paseando al niño, muy grande ya para sus brazos demasiado viejos—. Voy a casa de mi hermana, mamá, rece por mí. Voy a ver si me da algún dinero para las medicinas del niño... Rece por mí, mamá, pobrecita, y no se disguste... Andrea la acompañará a usted.

—Sí, me voy a quedar estudiando.

—¿No cenas antes de marcharte, niña?

Gloria lo pensó medio minuto y luego se decidió a tragarse la cena en un santiamén. La sopa de la abuela, en el plato, se enfriaba y se ponía viscosa. Nadie volvió a reparar en ella.

Cuando Gloria se fue, la criada y *Trueno* entraron a dormir en su alcoba. Yo encendí la luz del comedor —que era la mejor de la casa— y abrí los libros. No podía con ellos aquella noche, no me interesaban y no los entendía. Pero así pasaron dos o tres horas. Era aquél uno de los últimos días de mayo y tenía que hacer un esfuerzo en mi trabajo. Recuerdo que me empezó a obsesionar el plato de sopa medio lleno que estaba abandonado frente a mí. El trozo de pan mordido.

Escuché algo así como el sonido de un moscardón. Era la abuela que se acercaba canturreando al niño que llevaba cargado. Sin dejar el tono de cantinela me dijo:

—Andrea, hija mía... Andrea, hija mía... Ven a rezar el rosario conmigo.

Me costó trabajo entenderla. Luego la seguí a la alcoba.

—¿Quieres que te sostenga un poquito al pequeño?

La abuela movió enérgicamente la cabeza en sentido negativo. Se sentó otra vez en la cama. El niño parecía dormir.

—Sácame el rosario del bolsillo.

—¿No te duelen los brazos?

—No... No, ¡anda, anda!

Empecé a recitar las bellas palabras del Avemaría. Las palabras del Avemaría, que siempre me han parecido azules. Oímos la llave de la cerradura en la puerta. Yo creí que sería Gloria y me volví rápidamente. Me llevé un susto enorme al ver a Juan. Al parecer no había podido dominar su inquietud y había regresado antes de la mañana. La cara de la abuelita expresó un terror tal, que Juan se dio cuenta en seguida. Se inclinó rápidamente hacia el niño que dormía, enrojecido, con la boca entreabierta. Pero luego se enderezó.

—¿Qué ha hecho Gloria? ¿Dónde está?

—Gloria descansa un poco... o tal vez no... ¡No! ¿Verdad que no, Andrea? Salió a buscar algo en la farmacia... Ya no me acuerdo. Díselo tú, Andrea, hija mía.

—¡No me mientas, mamá! ¡No me hagas maldecir!

Otra vez estaba exasperado. El niño se despertó y empezó a hacer pucheros. Él lo cogió en brazos un momento, canturreán-

dole sin quitarse el abrigo húmedo de la calle. A veces blasfe-
maba entre dientes. Cada vez se excitaba más. Al fin dejó a la
criatura en la falda de la abuela.

—¡Juan! ¿Adónde vas, hijo? El niño va a llorar...

—Voy a traer a Gloria, mamá, a traerla arrastrando por los
pelos si es necesario, junto a su hijo... Temblaba todo su
cuerpo. Dio un portazo. La abuela empezó a llorar, por fin.

—¡Vete con él, Andrea! ¡Vete con él, hija, que la matará!
¡Vete!

Sin pensarlo, me puse el abrigo y eché a correr escaleras
abajo detrás de Juan.

Corrí en su persecución como si en ello me fuera la vida.
Asustada. Viendo acercarse los faroles y las gentes a mis ojos
como estampas confusas. La noche era tibia pero cargada de
humedad. Una luz blanca iluminaba mágicamente las ramas
cargadas de verde tierno del último árbol de la calle de Aribau.

Juan caminaba de prisa, casi corriendo. En los primeros momentos más que verlo lo adiviné a lo lejos. Pensé angustiada
que si se le ocurriera tomar un tranvía yo no tendría dinero
para perseguirlo.

Llegamos a la plaza de la Universidad cuando el reloj del
edificio daba las doce y media. Juan cruzó la plaza y se quedó
parado enfrente de la esquina donde desemboca la Ronda de
San Antonio y donde comienza, oscura, la calle de Tallers. Un
río de luces corría calle Pelayo abajo. Los anuncios guiñaban
sus ojos en un juego pesado. Delante de Juan pasaban tranvías. Él miraba a todos lados como para orientarse. Estaba demasiado flaco y el abrigo le colgaba, se le hinchaba con el
viento, jugaba con sus piernas. Yo estaba allí, casi a su lado,
sin atreverme a llamarle. ¿De qué hubiera servido que le lla-
mara yo?

El corazón me latía con el esfuerzo de la carrera. Le vi dar
unos pasos hacia la Ronda de San Antonio y le seguí. De
pronto dio la vuelta tan de prisa que nos quedamos frente a

frente. Sin embargo, él pareció no darse cuenta, sino que pasó a mi lado en dirección contraria a la que antes había llevado sin verme. Otra vez llegó a la plaza de la Universidad y ahora se metió por la calle de Tallers. Por allí no encontramos a nadie. Los faroles parecían más mortecinos y el pavimento era malo. Juan se volvió a detener en la bifurcación de la calle. Recuerdo que había una fuente pública allí, con el grifo mal cerrado y que en el empedrado se formaban charcos. Juan miró un momento hacia el ruido del cuadro de luz que enmarcaba la desembocadura de la calle en las Ramblas. Luego volvió la espalda y torció por la calle de Ramalleras, igualmente estrecha y tortuosa. Yo corría para seguirle. De un almacén cerrado vino olor a paja y a fruta. Sobre una tapia aparecía la luna. Toda mi sangre corría conmigo, a grandes golpes, en mi cuerpo.

Cada vez que por una bocacalle veíamos las Ramblas, Juan se sobresaltaba. Movía los ojos hundidos en todas direcciones. Se mordía las mejillas. En la esquina de la calle del Carmen —más iluminada que las otras— le vi quedarse parado, con el codo derecho apoyado en la palma de la mano izquierda y acariciándose pensativo los pómulos como presa de un gran trabajo mental.

El recorrido que hacíamos parecía no tener fin. Yo no tenía idea de dónde quería ir él, ni casi me importaba. Se me estaba metiendo en la cabeza la obsesión de seguirle y esta idea me tenía cogida de tal modo, que ni siquiera sabía ya para qué. Luego me enteré de que podíamos haber hecho un camino dos veces más corto. Cruzamos, atravesándolo en parte, el mercado de San José. Allí nuestros pasos resonaban bajo el alto techo. En el recinto enorme, multitud de puestos cerrados ofrecían un aspecto muerto y había una gran tristeza en las débiles luces amarillentas diseminadas de cuando en cuando. Ratas grandes, con los ojos brillantes como gatos, huían ruidosamente a nuestros pasos. Algunas se detenían en su camino, gordísimas, pensando tal vez hacernos cara. Olía indefiniblemente a fruta podrida, a restos de carne y pescado... Un vigilante nos miró pasar con aire de sospecha, al salir nosotros a las callejuelas de detrás, corriendo como íbamos uno detrás de otro.

Al llegar a la calle del Hospital, Juan se lanzó a las luces de las Ramblas, de las que hasta entonces parecía haber huido. Nos encontrábamos en la Rambla del Centro. Yo, casi al lado de Juan. Él parecía olfatearme desde la subconsciencia, porque a cada instante volvía la cabeza hacia atrás. Pero, aunque sus ojos pasaron sobre mí a menudo, no me veía. Parecía un tipo sospechoso, un ladrón que huyera tropezando con la gente. Creo que alguien me dijo una bestialidad. Ni siquiera estoy segura, aunque es probable que se metieran conmigo y se rieran de mí muchas veces. Yo no pensé ni un momento adónde podría conducirme esta aventura, ni tampoco en qué iba a hacer para calmar a un hombre cuyos furiosos arrebatos conocía tan bien. Sé que me tranquilizaba pensar que no llevaba armas. Por lo demás, mis pensamientos temblaban en la misma excitación que me oprimía la garganta hasta casi sentir dolor.

Juan entró por la calle del Conde del Asalto, hormigueante de gente y de luz a aquella hora. Me di cuenta de que esto era el principio del barrio chino. «El brillo del diablo», de que me había hablado Angustias, aparecía empobrecido y chillón, en una gran abundancia de carteles con retratos de bailarinas y bailadores. Parecían las puertas de los cabarets con atracciones barracas de feria. La música aturdía en oleadas agrias, saliendo de todas partes, mezclándose y desarmonizando. Pasando de prisa entre una ola humana que a veces me desesperaba porque me impedía ver a Juan, me llegó el recuerdo vivísimo de un carnaval que había visto cuando pequeña. La gente, en verdad, era grotesca: un hombre pasó a mi lado con los ojos cargados de rímel bajo un sombrero ancho. Sus mejillas estaban sonrosadas. Todo el mundo me parecía disfrazado con mal gusto y me rozaba el ruido y el olor a vino. Ni siquiera estaba asustada, como aquel día en que, encogida junto a la falda de mi madre, escuché las carcajadas y las ridículas contorsiones de las máscaras. Todo aquello no era más que un marco de pesadilla, irreal como todo lo externo a mi persecución.

Perdí de vista a Juan y me quedé aterrada. Alguien me empujó. Levanté los ojos y vi en el fondo de la calle la montaña de Montjuich envuelta, con sus jardines, en la pureza de la noche...

Encontré a Juan por fin. Estaba, el pobre, parado. Mirando el escaparate iluminado de una lechería, en el que aparecía una fila de flanes apetitosos. Movía los labios y con la mano se cogía la barba pensativo. «Éste es el momento —pensé— de poner mi mano sobre su brazo. De hacerle entrar en razón. De decirle que Gloria seguramente estará en casa...» No hice nada.

Juan reanudó la marcha, metiéndose —después de mirar para orientarse— en una de aquellas callejuelas oscuras y fétidas que abren allí sus bocas. Otra vez la peregrinación se convirtió en una caza entre las sombras cada vez más oscuras. Perdí la cuenta de las calles por donde entrábamos. Las casas se apretaban, altas, rezumando humedad. Detrás de algunas puertas se oía música. Nos cruzamos con una pareja abrazada groseramente y metí el pie en un charco enlodado. Me parecía que algunas calles tenían, diluido en la oscuridad, un vaho rojizo. Otras, una luz azulina... Pasaban algunos hombres y sus voces resultaban broncas en aquel silencio. Se me despejaba la cabeza por algunos momentos y me acercaba a Juan para que se viera que iba en su compañía. Cuando otra vez Juan y yo nos quedábamos solos me tranquilizaba, atenta solamente al ruido de sus pasos.

Me acuerdo de que íbamos por una calleja negra, completamente silenciosa, cuando se abrió la puerta por la que salió despedido un hombre borracho, con tan mala suerte, que cayó sobre Juan, haciéndolo vacilar. Pareció que a Juan le corría una descarga eléctrica por la espalda. En un abrir y cerrar de ojos le propinó un puñetazo en la mandíbula, y se quedó quieto, aguardando a que el otro se repusiera. Al cabo de unos minutos estaban enzarzados en una lucha bestial. Yo apenas podía verlos. Oía sus jadeos y sus blasfemias. Una voz rasposa rompió el aire encima de nosotros, desde alguna ventana invisible: «¿Qué pasa aquí?».

Luego me encontré sorprendida por la animación que, súbitamente, llenó la calle. Dos o tres hombres y algunos chiquillos, que parecían brotados de la tierra, rodearon a los que luchaban. Una puerta entreabierta lanzaba a la calle su chorro de luz que me cegaba.

Yo estaba llena de terror y procuraba permanecer invisible. No tenía idea de lo que podría pasar unos minutos después. Encima de aquel infierno —como si sobre el cielo de la calle cabalgaran brujas— oíamos voces ásperas, como desgarradas. Voces de mujeres animando a los luchadores con sus pullas y sus risas. Alucinada, me pareció que caras gordas flotaban en el aire, como los globos que a veces dejan escapar los niños.

Oí un rugido y vi que Juan y su enemigo habían caído revolcándose sobre el barro de la calle. Nadie tenía intención de separarlos. Un hombre les enfocó con su linterna, y entonces vi que Juan se tiraba al cuello del otro para morder. Uno de los mirones dio un botellazo a Juan con buen tino, haciéndole dar vueltas y quedar caído en el fango. A los pocos segundos se incorporó.

En aquel momento alguien dio un chillido de alarma parecido a la campanilla de los bomberos o al especial claxon del coche de la Policía, que tanto impresiona en las películas. En un instante nos quedamos solos Juan y yo. Incluso el contrincante borracho había desaparecido. Juan se levantó tambaleándose. Oímos en lo alto risitas ahogadas. Yo, que estaba pasmada en una extraña inactividad, reaccioné de pronto, saltando, con una prisa febril, como de locura, hacia Juan. Le ayudé a ponerse completamente de pie y toqué sus ropas mojadas de sangre y de vino. Jadeaba.

Yo oía, en mi cerebro, repercutir los latidos de mi corazón. Me ensordecía su ruido.

—¡Vamos! —quise decir—. ¡Vamos!

No me salió la voz y empecé a dar empujones a Juan. Hubiera querido volar. Sabía o creía que iba a llegar gente de la Policía poco después y metí a Juan por otra calle. Antes de torcer la segunda esquina oímos pasos. Juan había reaccionado bastante, pero se dejaba guiar por mí. Me apreté contra su hombro y él me abrazó. Pasó un grupo. Eran individuos que pisaban fuertemente y charlaban haciendo bromas. No nos dijeron nada. Un rato después, estábamos separados. Mi tío apoyado en la pared, con las manos en los bolsillos, y cayéndonos a los dos la luz de un farol.

Me miró dándose cuenta de quién era yo. Pero no me dijo nada porque, sin duda, encontraba natural que yo estuviese aquella noche en el corazón del barrio chino. Le saqué un pañuelo del bolsillo para que se limpiara la sangre que le goteaba sobre el ojo. Se lo até y luego se apoyó en mi hombro, volviendo la cabeza y tratando de orientarse. Yo empecé a sentirme tan cansada como en aquellos tiempos me sucedía con frecuencia. Las rodillas me temblaron hasta el punto de que caminar se me hacía difícil. Los ojos los tenía llenos de lágrimas.

—¡Vamos a casa, Juan!... ¡Vamos!

—¿Crees que me han vuelto loco con el golpe, sobrina? Sé muy bien a lo que he venido aquí...

Otra vez se enfureció y le temblaba la mandíbula.

—Gloria debe de estar en casa a estas horas. Sólo fue a ver a su hermana para pedir que le prestase dinero para las medicinas.

—¡Mentiras! ¡Sinvergüenza! ¿Quién te manda meterte en lo que no te importa? —Se tranquilizó un poco—. Gloria no tiene que pedir dinero a la bruja esa. Hoy mismo le han prometido por teléfono que mañana a las ocho tendríamos en casa cien pesetas que aún me deben por un cuadro... ¿Conque a pedir dinero? ¡Como si yo no supiera que la hermanita no da ni las buenas noches!... ¡Pero ella no sabe que hoy le rompo la cabeza! Conmigo puede portarse mal, pero que sea peor que los animales con sus cachorros, eso no se lo consiento. ¡Prefiero que se muera de una vez la maldita!... Lo que a ella le gusta es beber y divertirse en casa de su hermana. La conozco bien. Pero si tiene sesos de conejo... ¡como tú!, ¡como todas las mujeres!... por lo menos ¡que sea madre, la muy...!

Todo esto estaba sembrado de palabrotas que recuerdo bien, pero ¿para qué las voy a repetir?

Iba hablando mientras caminábamos. Apoyado él en mi hombro y empujándome al mismo tiempo. En aquellos dedos que me agarraban sentía yo clavarse toda la energía de los nervios. Y a cada paso, a cada palabra, su fuerza se agudizaba.

Sé que volvimos a pasar otra vez por la misma calle de la pelea envuelta ya en silencio. Allí Juan olfateó como un perro en busca del rastro. Como uno de los perros sarnosos que encontrábamos a veces husmeando en la inmundicia... Por encima de aquel cansancio y de aquella podredumbre se levantaba la luz de la luna. No había más que mirar al cielo para verla. Abajo, en los callejones, se olvidaba una de ella...

Juan empezó a aporrear una puerta. Le contestaron los ecos de sus golpes. Juan siguió pegando patadas y puñetazos un buen rato, hasta que le abrieron. Entonces me apartó de un empujón y entró dejándome en la calle. Oí algo como un grito sofocado allá dentro. Luego nada. La puerta se cerró en mis narices.

Al pronto, estaba tan cansada, que me senté en el umbral, con la cabeza entre las manos, sin reflexionar. Más tarde me empezó a entrar risa. Me tapé la boca con las manos que me temblaban porque la risa era más fuerte que yo. ¡Para esto toda la carrera, la persecución agotadora!... ¿Qué pasaría si no salían de allí en toda la noche? ¿Cómo iba a encontrar yo sola el camino de casa? Creo que después estuve llorando. Pasó mucho rato, una hora quizá. Del suelo reblandecido se levantaba humedad. La luna iluminaba el pico de una casa con un baño plateado. Lo demás lo dejaba a oscuras. Me empezó a entrar frío a pesar de la noche primaveral. Frío y miedo indefinido. Empecé a temblar. Se abrió la puerta a mi espalda y una cabeza de mujer asomó cautelosa, llamándome:

—*Pobreta!... Entra, entra.*

Me encontré en el local cerrado de una tienda de comestibles y bebidas, iluminado únicamente por una bombilla de pocas bujías. Junto al mostrador estaba Juan, dando vueltas entre sus dedos a un vaso lleno. De otra habitación venía un ruido animado y un chorro de luz se filtraba bajo una cortina. Indudablemente se jugaba a las cartas. «¿Dónde estará Gloria?», pensé. La mujer que me había abierto era gordísima y tenía el cabello teñido. Mojó la punta de un lápiz en su lengua y apuntó algo en un libro.

—De modo que ya es hora de que te vayas enterando de tus asuntos, Juan. Ya es hora de que sepas que Gloria te mantiene... Eso de venir dispuesto a matar es muy bonito... y la sopa boba de mi hermana aguantando todo antes que decirte que los cuadros no los quieren más que los traperos... Y tú con tus ínfulas de señor de la calle de Aribau...

Se volvió a mí:

—*Vols una mica d'aiguardent, nena?*

—No, gracias.

—*Que delicadeta ets, noia!...*

Y se empezó a reír.

Juan escuchaba el rapapolvo, sombrío. Yo ni siquiera pude imaginarme lo que sucedió mientras estuve en la calle. Juan no llevaba ya el pañuelo en la cabeza. Me fijé que su camisa estaba rasgada. La mujer siguió:

—Y puedes dar gracias a Dios, Joanet, de que tu mujer te quiera. Con el cuerpo que tiene podría ponerte buenos cuernos y sin pasar tantos sustos como pasa la *pobreta* para poder venir a jugar a las cartas. Todo para que el señorón se crea que es un pintor famoso...

Se empezó a reír, moviendo la cabeza. Juan dijo:

—¡Si no te callas, te estrangulo! ¡Cochina!

Ella se irguió amenazadora... Pero en aquel momento cambió de expresión para sonreír a Gloria que aparecía saliendo de una puerta lateral. Juan la sintió llegar también, pero aparentó no verla mirando hacia el vaso. Gloria parecía cansada. Dijo:

—¡Vamos, chico!

Y cogió el brazo de Juan. Indudablemente le había visto antes. Dios sabe lo que habría pasado entre ellos.

Salimos a la calle. Cuando la puerta se cerró detrás de nosotros, Juan echó un brazo por la espalda de Gloria apoyándose en sus hombros. Caminamos un rato callados.

—¿Se ha muerto el niño? —preguntó Gloria.

Juan dijo que no con la cabeza y empezó a llorar. Gloria estaba espantada. Él la abrazó, la apretó contra su pecho y siguió llorando, todo sacudido por espasmos, hasta que la hizo llorar también.

XVI

Román entró impetuoso, como rejuvenecido, en la casa.

—¿Han traído mi traje nuevo? —preguntó a la criada.

—Sí, señorito Román. Se lo he subido arriba...

Trueno se empezó a levantar, perezoso y gordo, para saludar a Román.

—Este *Trueno* —dijo mi tío, frunciendo el ceño— se está volviendo demasiado decadente... Amigo mío, si sigues así te degollaré como a un cerdo...

La sonrisa se quedó quieta en la cara de la criada. Sus ojos se volvieron brillantes.

—¡No diga bromas, señorito Román! ¡Pobre *Trueno!* ¡Si cada día está más guapo!... ¿Verdad, *Trueno?* ¿Verdad, hijito?

Se puso en cuclillas la mujer y el perro le plantó sus patas en los hombros y lamió la cara oscura. Román miraba con curiosidad la escena y se le curvaban los labios en una expresión indefinible.

—De todas maneras si este perro sigue así le mataré... No me gusta tanta felicidad y tanto abotargamiento.

Román dio media vuelta y se marchó. Al pasar me acarició las mejillas. Tenía brillantes los ojos negros. La piel de su cara era morena y dura, había allí multitud de pequeñas arrugas hondas, como hechas a cortaplumas. En el brillante y rizoso pelo negro, algunas canas. Por primera vez pensé en la edad de Román. Precisamente lo pensé aquel día en que parecía más joven.

—¿Necesitas dinero, pequeña? Te quiero hacer un regalo. He hecho un buen negocio.

No sé qué me impulsó a contestar:

—No necesito nada. Gracias, Román...

Se quedó medio sonriente, confuso.

—Bueno. Te daré cigarrillos. Tengo algunos estupendos...

Parecía que quería decir algo más. Se detuvo cuando se marchaba.

—Ya sé que ahora tienen una buena temporada «ésos» —y señaló, irónico, el cuarto de Juan—. No puedo estar tanto tiempo fuera de casa...

Yo no le dije nada. Se marchó al fin.

—¿Has oído? —me dijo Gloria—. Román se compra un traje nuevo... y camisas de seda, chica... ¿A ti qué te parece?

—Me parece bien —me encogí de hombros.

—Román nunca se ha preocupado de sus vestidos. Dime la verdad, Andrea. ¿A ti te parece que está enamorado? ¡Román se enamora muy fácilmente, chica!

Gloria se estaba poniendo más fea. La cara se le había consumido aquel mes de mayo y sus ojillos aparecían hundidos.

—Tú también le gustabas a Román al principio, ¿no? Ahora ya no le gustas. Ahora le gusta tu amiguita Ena.

La idea de que yo pudiera haber gustado como mujer a mi tío era tan idiota que me quedé absorta.

«¿Cómo serán nuestros actos y nuestras palabras interpretados por cerebros así?», pensé, asombrada, mirando la blanca frente de Gloria.

Me marché a la calle pensando aún en estas cosas. Caminaba de prisa y distraída, pero me di cuenta de que un viejo de nariz colorada atravesaba la calle para venir hacia mí. Y poseída del mismo malestar de siempre, crucé a mi vez a la otra acera, no pudiendo evitar, sin embargo, que nos encontráramos en medio. Él llegó sin alientos para pasar justamente a mi lado, quitarse la vieja gorra y saludarme.

—¡Buenos días, señorita!

El pícaro aquel tenía los ojos brillantes de ansiedad. Le saludé con una inclinación de cabeza y huí.

Le conocía bien. Era un viejo «pobre» que nunca pedía nada. Apoyado en una esquina de la calle de Aribau, vestido con cierta decencia, permanecía horas de pie, apoyándose en su bastón y atisbando. No importaba que hiciera frío o calor: él estaba allí sin plañir ni gritar como esos otros mendigos expuestos siempre a que los recojan y lleven al asilo. Él sólo saludaba con respetuosa cortesía a los transeúntes que a veces se compadecían y ponían en sus manos una limosna. Nada se le podía reprochar. Yo le tenía una antipatía especial que con el tiempo iba creciendo y enconándose. Era mi protegido forzoso, y por eso creo yo que le odiaba tanto. No se me ocurría pensarlo entonces, pero me sentía obligada a darle una limosna y a avergonzarme cuando no tenía dinero para ello. Yo había heredado al viejo de mi tía Angustias. Me acuerdo de que cada vez que salíamos ella y yo a la calle, la tía depositaba cinco céntimos en aquella mano enrojecida que se alzaba en un buen saludo. Además, se paraba a hablarle en tono autoritario, obligándole a contarle mentiras o verdades de su vida. Él contestaba a todas sus preguntas con la mansedumbre apetecida por Angustias... A veces los ojos se le escapaban en dirección de algún «cliente» a quien ardía en ganas de saludar y cuya vista estorbábamos mi tía y yo paradas en la acera. Pero Angustias seguía interrogando:

—¡Conteste! ¡No se distraiga! ¿...Y es verdad que su nietecillo no puede ingresar en el orfelinato? ¿Y su hija murió al fin? ¿Y...?

Al fin terminaba:

—Conste que me enteraré de lo que hay de verdad en todo eso. Le puede costar muy caro a usted el engañarme.

Desde aquellos tiempos ya nos habíamos quedado unidos él y yo por un lazo forzoso; porque estoy segura de que adivinó mi antipatía por Angustias. Una sonrisa mansurrona le vagaba por los labios entre las decentes barbas plateadas y mientras tanto sus ojos se disparaban hacia mí, a momentos, bailándole de inteligencia. Yo le miraba desesperada.

«¿Por qué no la manda usted a paseo?», le preguntaba yo sin hablar.

Los ojos suyos seguían chispeando.

—Sí, señorita. ¡Dios la bendiga, señorita! ¡Ay, señorita, lo que pasamos los pobres! ¡Dios y la Virgen de Montserrat, señorita, y la Virgen del Pilar la acompañen!

Al final recibía su paga de cinco céntimos con toda humildad y zalamería. Angustias respiraba con el orgullo hinchado.

—Hay que ser caritativa, hija...

Desde entonces yo le tenía antipatía al viejo. El primer día que tuve dinero en mis manos le di cinco pesetas, para que él se sintiera también liberado de la estrechez de tía Angustias y tan alegre como yo; aquel día yo había querido repartirme, fundirme con todos los seres de la Creación. Cuando empezó su sarta de alabanzas me fastidió de tal modo que se lo dije antes de echar a correr para no oírle:

—¡Cállese, hombre!

Al día siguiente ya no tuve dinero para darle, ni al otro. Pero su saludo y sus ojos bailarines me perseguían, me obsesionaban en aquel trocito de la calle de Aribau. Inventé mil trampas para escabullirme, para burlarle. Algunas veces di un rodeo subiendo hacia la calle Muntaner. Por entonces fue cuando tomé la costumbre de comer fruta seca por la calle. Algunas noches, hambrienta, compraba un cucurucho de almendras en el puesto de la esquina. Me era imposible esperar a llegar a casa para comérmelas... Entonces me seguían siempre dos o tres chicos descalzos.

—¡Una almendrita! ¡Mire que tenemos hambre!

—¡No tenga mal corazón!

(¡Ah! ¡Malditos!, pensaba yo. Vosotros habéis comido caliente en algún comedor de Auxilio Social. Vosotros no tenéis el estómago vacío.) Les miraba furiosa. Daba codazos para librarme de ellos. Un día, uno me escupió... Pero si pasaba delante del viejo, si tenía la mala suerte de tropezarme con sus ojos yo le daba el cucurucho entero que llevaba en la mano, a veces casi lleno. Yo no sé por qué lo hacía. No me inspiraba la más mínima compasión, pero me crispaba los nervios con sus ojos pacíficos. Le ponía las almendras en la mano como si se las tirase a la cara y luego me quedaba casi temblorosa de ira y de apetito insatisfecho. No lo podía soportar. En cuanto cobraba mi paga, pensaba en él y el viejo tenía un sueldo de cinco pesetas mensuales que representaban un día menos de comida para mí. Era tan psicólogo, el muy ladino, que ya no me daba las gracias. Eso sí, no podía prescindir de su saludo. Sin su saludo yo me hubiera olvidado de él. Era su arma de combate.

Aquel día fue de los primeros de mis vacaciones. Se habían terminado los exámenes y me encontré con un curso de la carrera acabado. Pons me preguntó:

—¿Qué piensas hacer este verano?

—Nada, no sé...

—¿Y cuando termines la carrera?

—No sé tampoco. Daré clases, supongo.

(Pons tenía la habilidad de estremecerme con sus preguntas. Mientras le decía que iba a dar clases comprendía con claridad que nunca podría ser yo una buena profesora.)

—¿No te gustaría más casarte?

Yo no le contesté.

Había salido aquella tarde a la calle atraída por el día caliente y vagaba sin ninguna dirección determinada. Pensaba ir a última hora hacia el estudio de Guíxols.

Apenas me había cruzado con el viejo mendigo, vi a Jaime tan distraído como yo. Estaba sentado en su coche, que había parado allí, junto a una acera de la calle de Aribau. La figura de Jaime me trajo muchos recuerdos, entre ellos el de mi deseo de volver a ver a Ena. Jaime estaba fumando, apoyado contra el volante. Recordé que hasta entonces no le había visto fumar nunca. Por una casualidad levantó los ojos y me vio. Tenía unos movimientos muy ligeros; saltó del coche y me cogió las manos.

—Llegas oportunamente, Andrea. Tenía muchas ganas de verte... ¿Está Ena en tu casa?

—No.

—Pero ¿va a venir?

—Yo no sé, Jaime.

Parecía despistado.

—¿Quieres venir a dar un paseo conmigo?

—Sí, con mucho gusto.

Me senté en el coche, a su lado, miré su cara y me pareció bañada de pensamientos ajenos por completo a mí. Salimos de Barcelona por la carretera de Vallvidrera. En seguida nos envolvieron los pinos con su cálido olor.

—¿Ya sabes que Ena y yo no nos vemos ahora? —me preguntó Jaime.

—No. Tampoco yo la veo mucho durante esta temporada.

—Sin embargo, va a tu casa.

Me puse un poco encarnada.

—No es para verme a mí.

—Sí, ya lo sé; ya me lo supongo... pero creí que la veías, que hablabas con ella.

—No.

—Quería que le dijeras, si la ves, una cosa de mi parte...

—¿Sí?

—Quiero que sepa que yo tengo confianza en ella.

—Bueno, se lo diré.

Jaime hizo parar el automóvil y nos paseamos al borde de la carretera entre los troncos rojizos y dorados. Aquel día estaba yo en una disposición de ánimo especial al mirar a la gente. Me pregunté, como antes había hecho con Román, qué edad podría tener Jaime. Estaba de pie a mi lado, muy esbelto, mirando el espléndido panorama. En la frente se le formaban arrugas verticales. Se volvió hacia mí y me dijo:

—Hoy he cumplido veintinueve años... ¿Qué te pasa?

Mi asombro venía porque él había contestado a mi pregunta interior. Me miraba y se reía sin saber a qué atribuir mi expresión. Yo se lo dije.

Estuvimos un rato allí, casi sin hablar nada, en perfecta armonía, y luego, de común acuerdo, volvimos al auto. Cuando puso en marcha el motor me preguntó:

—¿Quieres mucho a Ena?

—Muchísimo. No hay otra persona a quien yo quiera más.

Me miró rápidamente.

—Bueno... Te debería decir como a los pobres... ¡Que Dios te bendiga!... Pero no es eso lo que te voy a decir, sino que no la dejes sola esta temporada, que la acompañes... A ella le pasa algo extraño. Estoy seguro. Creo que es desgraciada.

—Pero ¿por qué?

—Si yo lo supiera, Andrea, no habríamos reñido y ni tendría que pedirte a ti que la acompañes, sino que lo haría yo mismo. Creo que me he portado mal con Ena, no la he querido entender... Ahora he reflexionado, la sigo por la calle, hago las tonterías más grandes para verla y no me quiere ni escuchar. Huye de mí en cuanto me ve aparecer. Anoche mismo le escribí una carta... No la he leído, porque sé que la rompería y no la he echado al correo porque me parece que me voy haciendo viejo para escribir cartas de amor de doce pliegos. Sin embargo, hubiera acabado mandándosela a su casa si no hubieras aparecido tú. Yo prefiero que tú se lo digas. ¿Querrás? Dile que tengo confianza en ella y que no le preguntaré nunca nada. Pero que necesito verla.

—Sí, se lo diré.

Después de esto no hablamos más. A mí la charla de Jaime me había parecido confusa y al mismo tiempo me emocionaba con su vaguedad.

—¿Adónde quieres que te lleve? —me preguntó al entrar en Barcelona.

—A la calle de Moncada, si haces el favor.

Me condujo hasta allí, silencioso. En la puerta del viejo palacio donde tenía su estudio Guíxols nos despedimos. En aquel momento llegaba también Iturdiaga. Noté que Jaime y él se hacían un frío saludo.

—¿Sabéis que esta señorita ha venido en auto? —dijo Iturdiaga cuando estuvimos en el estudio.

—Tenemos que prevenirla contra Jaime —añadió después.

—¡Ah! ¿Sí? Y ¿por qué?

Pons me miró un poco dolorido.

Iturdiaga opinó que Jaime era una calamidad. Su padre había sido un célebre arquitecto y era de una familia rica.

—Un niño mimado, en fin —dijo Iturdiaga—; una persona sin iniciativas a la que en la vida se le ha ocurrido hacer nada.

Jaime era hijo único y había empezado a estudiar la misma carrera que su padre. La guerra partió por la mitad sus estudios y cuando concluyó, Jaime se había encontrado huérfano y con una fortuna bastante grande. Le faltaban dos cursos para hacerse arquitecto, pero no se había preocupado de continuar estudiando. Se dedicaba a divertirse y a no hacer nada en todo el día. En opinión de Iturdiaga era un ser despreciable. Me acuerdo de Iturdiaga, mientras decía estas cosas: estaba sentado con las piernas cruzadas, con cara de ángel de la justicia, casi inflamado de indignación.

—Y ¿cuándo vas a empezar a estudiar para el examen de Estado, Iturdiaga? —le dije en una pausa, sonriendo.

Iturdiaga me miró altivo. Abrió los brazos... Luego continuó su diatriba contra Jaime.

Pons me observaba mucho y empezó a fastidiarme.

—Anoche, por más señas, vi a este Jaime en un cabaret del Paralelo —dijo Iturdiaga—, iba solo y estaba más aburrido que una mona, en su rincón.

—Y tú, ¿qué hacías?

—Yo me inspiraba. Tomaba tipos para mis novelas... Tengo, además, un camarero que me proporciona absenta legítima...

—¡Bah! ¡Bah!... Agua teñida de verde será —dijo Guíxols.

—¡No, señor!... Pero, escuchadme. He querido contaros mi nueva aventura desde que llegué y me he distraído. Anoche mismo encontré mi alma gemela, la mujer ideal. Nos hemos enamorado sin decirnos una sola palabra. Ella es extranjera. Debe de ser rusa o noruega... Tiene pómulos eslavos y los ojos más soñadores y misteriosos que he visto. Estaba en aquel mismo cabaret donde vi a Jaime, pero parecía descentrada allí. Iba elegantísima y la acompañaba un tipo extraño que se la comía con los ojos. Ella le hacía muy poco caso. Estaba aburrida, parecía nerviosa... En ese momento me miró... Fue un segundo solamente, amigos, pero ¡qué mirada! Me lo decía todo con ella: sus sueños, sus esperanzas... Porque he de advertiros que no es una aventurera, se trata de una muchacha tan joven como Andrea, delicada, purísima...

—Te conozco, Iturdiaga, ya tendrá cuarenta años, llevará el pelo teñido y habrá nacido en la Barceloneta...

—¡Guíxols! —gritó Iturdiaga.

—Perdona, *noi,* pero sé cómo las gastas...

—Bueno, pues, no termina ahí la aventura. En aquel momento el tipo que la acompañaba volvió, porque había ido a pagar la cuenta y los dos se levantaron. Yo no sabía qué hacer. Cuando llegaban a la puerta, la muchacha se volvió a mirar hacia dentro del cabaret, como buscándome... ¡Amigos! Salté de la silla, dejé el café sin pagar...

—Luego era café y no absenta.

—Dejé el café sin pagar y corrí tras ellos. En aquel momento mi rubia desconocida y su acompañante subían a un taxi... No sé lo que sentí. No hay palabras para expresar aquel desgarramiento... Porque ella, cuando me miró la última vez lo hizo con verdadera tristeza. Era casi una llamada de socorro. Hoy he pasado todo el día medio loco buscándola. Es necesario que la encuentre, amigos míos. Una cosa así, tan fuerte, no pasa más que una vez en la vida.

—A ti (que eres un ser privilegiado) te sucede cada semana, Iturdiaga...

Iturdiaga se levantó y empezó a dar paseos por el estudio dando chupadas a su pipa. Un rato después llegó Pujol con una gitana sucísima que quería proponer como modelo a Guíxols. Era una muchachilla con la boca enorme, llena de dientes blancos. Pujol se pavoneaba con ella y la llevaba del brazo. Quería darnos a entender que era su amante. Yo sabía que mi presencia le estorbaba mucho para su conversación y que por eso me guardaba rencor aquel día que él hubiese querido lucirse entre sus amigos. Pons había traído vino y pasteles y se manifestaba, por el contrario, encantado. Quería celebrar el éxito de final de curso. Lo pasamos muy bien. Hicieron bailar a la gitana, que resultaba muy graciosa.

Salimos del estudio bastante tarde. Yo quise ir andando hasta casa y me acompañaron Iturdiaga y Pons. La noche se presentaba espléndida, con su aliento tibio y rosado como la sangre de una vena, abierta dulcemente sobre la calle.

Cuando subíamos por la Vía Layetana, yo no tuve más remedio que mirar hacia la casa de Ena, recordando a mi amiga y las extrañas palabras que me había dicho Jaime para ella. Estaba pensando así, cuando la vi aparecer realmente delante de mis ojos. Iba cogida del brazo de su padre. Hacían los dos una pareja espléndida, tan guapos y elegantes resultaban. Ella también me había visto y me sonreía. Sin duda volvían hacia su casa.

—Esperad un momento —dije a los chicos, interrumpiendo un párrafo de Iturdiaga. Crucé la calle y fui hacia mi amiga. La alcancé en el momento en que ella y su padre entraban en el portal.

—¿Puedo decirte dos palabras?

—Claro que sí. No sabes cuánto me alegro de verte. ¿Quieres subir?

Esto equivalía a una invitación a cenar.

—No puedo, me esperan mis amigos...

El padre de Ena sonrió:

—Yo me voy arriba, mis niñas. Ya subirás, Ena.

Nos saludó con la mano. El padre de Ena era canario y aunque había pasado la mayor parte de su vida fuera de sus islas conservaba la costumbre de hablar de la manera especial, cariñosa, propia de su tierra.

—He visto a Jaime —dije rápidamente en cuanto desapareció—. He estado paseando hoy con él y me ha dado un recado para ti.

Ena me miró con expresión cerrada.

—Me ha dicho que tiene confianza en ti, que no te preguntará nada y que necesita verte.

—¡Ah! Bueno, está bien, Andrea. Gracias, querida.

Estrechó mi mano y se marchó dejándome parada con cierta decepción. Ni siquiera me había permitido ver sus ojos.

Al volverme encontré a Iturdiaga que había cruzado la calle saltando, con sus largas zancas, entre una oleada de coches...

Miró como atontado hacia el fondo de la portería, donde ya subía el ascensor con Ena dentro.

—¡Es ella! ¡La princesa eslava!... Soy un imbécil. ¡Me he dado cuenta en el mismo momento en que se despedía de ti! ¡Por Dios! ¿Cómo es posible que tú la conozcas? ¡Habla, por tu vida! ¿En qué país ha nacido? ¿Es rusa, sueca, polaca quizá?

—Catalana.

Iturdiaga se quedó atontado.

—Entonces, ¿cómo es posible que estuviera en un cabaret anoche? ¿De qué la conoces tú?

—Es compañera de clase... —expliqué vagamente, mientras me cogía del brazo Iturdiaga para cruzar la calle.

—¿Y todos esos hombres que la acompañan?

—El de hoy era su padre. El de ayer, como comprenderás, no sé...

(Y mientras tanto le decía esto a Iturdiaga, se me representaba nítidamente la imagen de Román...)

Fui distraída todo el camino, pensando en que siempre se mueve uno en el mismo círculo de personas por más vueltas que parezca dar.

XVII

El mes de junio iba subiendo y el calor aumentaba. De los rincones llenos de polvo y del mugriento empapelado de las habitaciones empezó a salir un rebaño de chinches hambrientas. Empecé contra ellas una lucha feroz, que todas las mañanas agotaba mis fuerzas. Espantada veía que los demás habitantes de la casa no parecían advertir ninguna molestia. El primer día en que me metí a hacer una limpieza en mi cuarto, a fondo, con desinfectante y agua caliente, la abuelita asomó la cabeza moviéndola con desagrado.

—¡Niña! ¡Niña! ¡Que haga eso la muchacha!

—Déjala, mamá. A la sobrina le pasa eso, por ser más sucia que los demás... —dijo Juan.

Me ponía el traje de baño para hacer esta tarea que me repugnaba. Era el mismo traje de baño azul que me había servido en el pueblo para entrar en el río el verano anterior. El río aquel, que junto a la huerta de mi prima pasaba profundo, doblándose en deliciosos recodos, con las orillas llenas de juncos y de fango... En primavera corría turbio, cargado de semillas de árboles y de imágenes de frutales florecidos. En verano se llenaba de sombras verdes que temblaban entre mis brazos al nadar... Si me dejaba arrastrar por la corriente, aquellas sombras se cargaban de reflejos sobre mis ojos abiertos. En los crepúsculos el agua tomaba un color rojo y ocre.

Con aquel mismo traje de baño descolorido, que ahora se me ensuciaba de jabón, me había extendido en la playa junto a

Ena y Jaime aquella primavera y había nadado en el mar frío y azul bajo la cruda luz de abril.

Mientras baldeaba con agua hirviente mi cama y sentía despellejárseme los dedos al contacto del estropajo, el recuerdo de Ena se me aparecía envuelto en tanta oscuridad y tristeza que llegaba a oprimirme más que todo aquello que me rodeaba. A veces tenía ganas de llorar como si fuese a mí y no a Jaime a quien ella hubiese burlado y traicionado. Me era imposible creer en la belleza y la verdad de los sentimientos humanos —tal como entonces con mis dieciocho años lo concebía yo— al pensar que todo aquello que reflejaban los ojos de Ena —hasta volverse radiantes y al mismo tiempo cargados de dulzura, en una mirada que sólo tenía cuando estaba con Jaime— se hubiera desvanecido en un momento, sin dejar rastro.

Ella y Jaime me habían parecido aquella primavera distintos de todos los seres humanos, como divinizados por un secreto que a mí se me antojaba alto y maravilloso. El amor de ellos me había iluminado el sentido de la existencia, sólo por el hecho de existir. Ahora me consideraba amargamente defraudada. Ena me huía continuamente, nunca estaba para mí en su casa si la llamaba por teléfono y no me atrevía a ir a verla.

Desde el día en que le transmití el recado de Jaime no había vuelto a saber de mi amiga. Una tarde, oprimida por este silencio que me rodeaba, se me ocurrió telefonear a Jaime y me dijeron que había salido de Barcelona. Esto me hizo comprender que de nada había servido aquel intento de acercamiento que él tuvo.

Yo hubiera querido meterme en los pensamientos de Ena, abrirle el alma de par en par y comprender al fin su modo de ser extraño, el porqué de su obstinación. Al mismo tiempo que me desesperaba, me convencía de que la quería muchísimo, ya que no se me ocurría otra actitud frente a ella que la de procurar entenderla cuando me parecía imposible hacerlo.

Cuando veía a Román en casa, el corazón me palpitaba locamente en mi afán de hacerle preguntas. Hubiera querido seguir a aquel hombre, espiarle, ver sus encuentros con Ena. Algunas veces subí, llevada por este afán incontenible, varios tramos de la escalera que me separaba de su cuarto, cuando había sospechado que Ena estaba allí. La imagen de Gloria, cazada por un foco de luz en aquella misma escalera me hacía avergonzarme y desistir de mi propósito.

Román era cariñoso e irónico conmigo. Me seguía haciendo pequeños regalos y dándome palmaditas en las mejillas según su costumbre, pero jamás me invitaba ahora a subir a su cuarto.

En una ocasión me vio en plena faena de baldeo y pareció ponerse muy contento. Yo le miré de una manera crítica, un poco tirante, como solía hacerlo aquellos días y —como siempre— pareció no advertirlo. Sus dientes blancos brillaban.

—¡Bien, Andrea! Veo que estás hecha una mujercita... Me gusta pensar que tengo una sobrina que cuando se case sabrá hacer feliz a un hombre. Tu marido no tendrá que zurcirse él mismo sus calcetines, ni darle de comer a sus críos, ¿verdad?

«¿A qué viene eso?», pensé yo. Me encogí de hombros.

La puerta del comedor estaba abierta detrás de Román. En aquel momento vi que él se volvía hacia allí.

—¡Eh! ¿Qué dices a esto, Juan? ¿No te gustaría tener una mujercita trabajadora como la sobrinita?

Entonces me di cuenta de que Juan estaba en el comedor, haciendo tomar al niño —que después de la enfermedad se había quedado mimoso— su tazón de leche. Dio un puñetazo en la mesa y la taza saltó por el aire. Se puso de pie.

—Tengo bastante con mi mujer, ¿lo oyes? Y la sobrina no es buena para lamer el suelo que ella pisa. ¿Lo oyes bien? Yo no sé si te haces el desentendido de todas las sinvergonzonadas de tu sobrina para adularla; pero no hay zorra como ella... ¡No sirve más que para hacer comedia y para querer humillar a los demás, para eso sirve y para juntarse contigo!

Aterrada comprendí el porqué de la actitud hostil de Juan hacia mí aquellos días. Él, que ordenaba siempre inútilmente la limpieza de su cuarto, al verme a mí el primer día con el jabón de cocina en la mano, vino a quitármelo casi con brutalidad diciendo que «lo necesitaba» y se lo llevó al estudio donde, por aquellos tiempos, no pintaba ya, sino que se pasaba horas con la cabeza entre las manos mirando al suelo con los ojos abiertos. Así lo vi yo un rato después, cuando encontré a la criada acechándole, por la rendija de la puerta entornada. Al oír mis pasos, Antonia se enderezó rápidamente; luego se llevó el dedo a los labios, sonriéndome, y me obligó —bajo la amenaza latente de tocarme con sus sucias manos— a mirar a mi vez. Antonia tenía en su cara la alegría idiota de los chicos que apedrean al tonto. A mí me encogió el corazón aquel hombre tan grande en su silla, entre la desolación de los trastos inútiles, abrumado bajo una carga de desvarío.

Por eso aquella temporada en que el calor parecía aguijonearle y excitarle hasta el paroxismo, yo no contestaba nunca a sus impertinencias. A la provocación de Román había saltado exasperado, respondiendo a un buen golpe. Román se reía. Juan seguía gritando.

—¡La sobrina! ¡Valiente ejemplo!... Cargada de amantes, suelta por Barcelona como un perro... La conozco bien. Sí, te conozco, ¡hipócrita! —vino a chillarme a la puerta, mientras Román se marchaba.

Yo recogía el agua derramada en el suelo y sin querer, las manos se me ponían temblorosas... Hacía un esfuerzo por ver el lado cómico del asunto, aunque sólo fuera imaginando a mis hipotéticos amantes y no lo conseguía bien. Cogí el cubo de agua sucia y salí del cuarto para volcarlo.

—¿No ves cómo se calla la muy tal? —gritó Juan—. ¿No veis cómo no puede contestar?

Nadie le hacía caso. Antonia cantaba en la cocina machacando algo en el mortero. Entonces él, en uno de sus arrebatos geniales, cruzó el vestíbulo y fue a aporrear la puerta de su propio cuarto. Gloria —que ya no se ocultaba para ir a jugar— dormía allí, cansada de haberse acostado tarde. La puerta cedió a su empuje y oí los gritos asustados de Gloria cuando Juan se abalanzó sobre ella para darle una paliza. El niño, que estaba calladito en el comedor, empezó a llorar también con grandes lagrimones.

Egoístamente, yo entré en el cuarto de baño. El agua, que se volcaba a chorros sobre mi cuerpo, me parecía tibia, incapaz de refrescar mi carne ni de limpiarla.

La ciudad, cuando empieza a envolverse en el calor del verano, tiene una belleza sofocante, un poco triste. A mí me parecía triste Barcelona mirándola desde la ventana del estudio de mis amigos, en el atardecer. Desde allí un panorama de azoteas y tejados se veía envuelto en vapores rojizos y las torres de las iglesias antiguas parecían navegar entre olas. Por encima, el cielo sin nubes cambiaba sus colores lisos. De un polvoriento azul pasaba a rojo sangre, oro, amatista. Luego llegó la noche.

Pons estaba conmigo en el hueco de la ventana.

—Mi madre quiere conocerte. Siempre le estoy hablando de ti. Quiere invitarte a pasar el verano con nosotros, en la Costa Brava.

Detrás se oían las voces de nuestros amigos. Estaban todos. La voz de Iturdiaga dominaba.

Pons se mordía las uñas a mi lado. Tan nervioso e infantil como era me cansaba un poco y al mismo tiempo yo le tenía mucho cariño.

Aquella tarde celebrábamos la última de nuestras reuniones de la temporada, porque Guíxols se iba de veraneo. A Iturdiaga, su padre había querido mandarlo a Sitges con toda la familia, pero él se había negado rotundamente a ir. Como el padre de Iturdiaga no se tomaba más que unos días de vacaciones a final de verano, estaba, en el fondo, satisfecho de que Gaspar le acompañase durante las comidas.

—¡Ya le estoy convenciendo! ¡Ya le estoy convenciendo! —gritaba Iturdiaga—. Lejos de la influencia perniciosa de mamá y mis hermanas, mi padre se vuelve más razonable... Está haciendo cálculos de lo que le costaría editar mi libro...

Además se ha puesto orgulloso de que me hayan hecho crítico de Arte...

Yo me volví.

—¿Te han hecho crítico de Arte?

—De un periódico conocido.

Me parecía un poco asombroso.

—¿Qué clase de estudios de Arte has hecho tú?

—Yo, ninguno. Para ser crítico se necesita solamente sensibilidad y ya la tengo. Y, además, amigos... Yo los tengo también. En la primera exposición que haga Guíxols pienso decir que ha llegado a la culminación de su estilo. En cambio, me meteré con los consagrados, con los que nadie se atreve... Mi éxito será seguro.

—¿No crees que es avejentarme un poco eso de decir que he llegado a la culminación de mi arte? Después de esa afirmación ya sólo tendría que guardar mis pinceles y dormir sobre la gloria dorada —dijo Guíxols.

Pero Iturdiaga estaba demasiado entusiasmado para atender a razones.

—¡Mirad! ¡Empiezan a encenderse las hogueras! —gritó Pujol, con su voz llena de notas falsas...

Era la víspera de San Juan. Pons me dijo:

—Piénsalo cinco días, Andrea. Piénsalo hasta el día de San Pedro. Ese día es mi santo y el de mi padre. Daremos una fiesta en casa y tú vendrás. Bailarás conmigo. Te presentaré a mi madre y ella sabrá convencerte mejor que yo. Piensa que si tú no vienes, ese día estará vacío de significado para mí... Luego nos marcharemos de veraneo. ¿Vendrás a casa, Andrea, el día de San Pedro? y ¿te dejarás convencer por mi madre para que vengas a la playa?

—Tú mismo has dicho que tengo cinco días para contestar.

Sentí al mismo tiempo que le decía esto a Pons como un anhelo y un deseo rabioso de despreocupación. De poder libertarme. De aceptar su invitación y poder tumbarme en las playas que él me ofrecía sintiendo pasar las horas como en un cuento de niños, fugada de aquel mundo abrumador que me rodeaba. Pero aún estaba detenida por la sensación molesta que el enamoramiento de Pons me producía. Creía yo que una contestación afirmativa a su ofrecimiento me ligaba a él por otros lazos que me inquietaban, porque me parecían falsos.

De todas maneras la idea de asistir a un baile, aunque fuera por la tarde —para mí la palabra baile evocaba un emocionante sueño de trajes de noche y suelos brillantes, que me habían dejado la primera lectura del cuento de la Cenicienta—, me conmovía, porque yo, que sabía dejarme envolver por la música y deslizarme a sus compases y de hecho lo había realizado sola muchas veces, no había bailado «de verdad», con un hombre, nunca.

Pons apretó mi mano nervioso, cuando nos despedíamos. Detrás de nosotros exclamó Iturdiaga:

—¡La noche de San Juan es la noche de las brujerías y de los milagros!

Pons se inclinó hacia mí.

—Yo tengo un milagro que pedirle a esta noche.

En aquel momento yo deseé ingenuamente que aquel milagro se produjera. Deseé con todas mis fuerzas poder llegar a enamorarme de él. Pons notó inmediatamente mi nueva ternura. No sabía más que estrecharme la mano para expresarlo todo.

Cuando llegué a mi casa el aire crepitaba ya, caliente, con el hechizo que tiene esa noche única en el año. Aquella víspera de San Juan me fue imposible dormir. El cielo estaba completamente despejado y sin embargo sentía electricidad en los cabellos y en la punta de los dedos, como si hubiera tormenta. El pecho se me oprimía por mil ensueños y recuerdos.

Me asomé a la ventana de Angustias en camisón. Vi el cielo enrojecido en varios puntos por el resplandor de las llamas. La misma calle de Aribau ardió en gritos durante mucho tiempo, pues se encendieron dos o tres hogueras en distintos cruces con otras calles. Un rato después, los muchachos saltaron sobre las brasas con los ojos inyectados por el calor, las chispas y la magia clara del fuego, para oír el nombre de su amada gritado por las cenizas. Luego el griterío se fue acabando. La gente se dispersaba hacia las verbenas. La calle de Aribau se quedó vibrante, enardecida aún y silenciosa. Se oían cohetes lejanos y el cielo sobre las casas estaba herido por regueros luminosos. Yo recordé las canciones campesinas de la noche de San Juan, la noche buena para enamorarse cogiendo el trébol mágico de los campos caldeados. Estaba acodada en la oscuridad del balcón, espabilada por apasionados deseos e imágenes. Me parecía imposible retirarme de allí.

Oí más de una vez los pasos del vigilante atendiendo a lejanas palmadas. Más tarde, me distrajo el estrépito de nuestro portal al cerrarse y miré hacia la acera, viendo que era Román el que salía de la casa. Le vi avanzar, deteniéndose luego bajo el farol para encender un cigarrillo. Aunque no se hubiera parado bajo la luz, le habría conocido también. La noche estaba clarísima. El cielo parecía sembrado de luz de oro... Me entretuve mirando los movimientos de su figura, recortada en negro, asombrosamente proporcionada.

Cuando se oyeron pasos y él alzó la cabeza, vivo y nervioso como un animalillo, yo levanté también mis ojos. Gloria cruzaba la calle, avanzando hacia nosotros. (Hacia él, allí abajo en la acera, hacia mis ojos en la oscuridad de la altura.) Sin duda volvía de casa de su hermana.

Al pasar cerca de Román, Gloria le miró según su costumbre, y la luz le incendió el cabello y le iluminó la cara. Román hizo algo que me pareció extraordinario. Tiró el cigarrillo y fue hacia ella con la mano tendida en un saludo. Gloria se echó hacia atrás, asombrada. Él la cogió del brazo y ella le empujó con fiereza. Luego quedaron uno frente a otro, hablando durante unos segundos con un confuso murmullo. Yo estaba tan interesada y sorprendida que no me atrevía a moverme. Desde el sitio en que me encontraba los movimientos de aquella pareja parecían los de un baile apache. Al fin, Gloria se escabulló y entró en la casa. Vi a Román encender un nuevo cigarrillo; tirarlo también, dar unos pasos para marcharse y al fin volver decidido, sin duda, a seguirla.

Mientras tanto, oí que se abría la puerta del piso y que entraba Gloria. La oí atravesar de puntillas el comedor en dirección al balcón. Probablemente quería enterarse de si Román continuaba en el mismo sitio. A mí empezaba a emocionarme todo aquello como si fuera algo mío. No podía creer lo que habían visto mis ojos. Cuando sentí la llave de Román arañando la puerta del piso, la excitación me hacía temblar. Él y Gloria se encontraron en el comedor. Oí a Román en un cuchicheo clarísimo:

—Te he dicho que tengo que hablarte. ¡Ven!

—No tengo tiempo para ti.

—No digas estupideces. ¡Ven!

Los sentí dirigirse al balcón y cerrar los cristales detrás de ellos. Para mí lo que sucedía era tan incomprensible como si lo estuviera soñando. ¿Y si fuera verdad que existen las brujas de San Juan? ¿Y si me hicieran ver visiones? Ni siquiera pensé que cometía un feo espionaje cuando me asomé otra vez a la ventana de Angustias. El balcón estaba muy cerca. Casi sentía la respiración de ellos dos. Sus voces venían clarísimas a mis oídos sobre el gran fondo de silencios que sofocaba los lejanos estallidos de los cohetes y la música de las fiestas.

Oí la voz de Román:

—Sólo piensas en esas mezquindades... ¿Te has olvidado de nuestro viaje a Barcelona en plena guerra, Gloria? Ni siquiera te acuerdas de los lirios morados que crecían en el parque del castillo... Tu cuerpo parecía blanquísimo y tu cabellera roja como el fuego entre aquellos lirios morados. Muchas veces he pensado en ti tal como eras aquellos días, aunque aparentemente te haya maltratado. Si subes a mi cuarto podrás ver el lienzo donde te pinté. Allí lo tengo aún...

—Me acuerdo de todo, chico. No he hecho más que pensar en ello. Estaba deseando que me lo recordaras algún día para escupirte a la cara...

—Estás celosa. ¿Crees que no sé que me quieres? ¿Crees que no sé que muchas noches, cuando todo estaba callado, tú has venido con pasos de duende hasta mi puerta? Muchas noches de este mismo invierno te he oído llorar en los escalones...

—No sería por ti, si yo lloraba. Te quiero igual que al cerdo que se lleva al matadero. Así te quiero yo... ¿Crees que no le voy a decir esto a Juan? Lo estaba deseando. Estaba deseando que me hablaras para que tu hermano se convenza al fin de quién eres tú...

—¡No levantes la voz!... Mucho tienes tú por qué callar, de modo que habla quedo... Sabes que puedo presentar a tu marido testigos que vieron cómo fuiste una noche a ofrecérteme a mi cuarto y de cómo te despedí a patadas... Podría haberlo hecho ya, si hubiera querido tomarme la molestia. No te olvides de que había muchos soldados en el castillo, Gloria, y algunos viven en Barcelona...

—Aquel día tú me habías emborrachado y me estuviste besando... Cuando yo fui a tu cuarto te quería. Te burlaste de mí de la manera más mala. Habías escondido allí a tus amigos, que se morían de risa, y me insultaste. Me dijiste que no estabas dispuesto a robar lo que era de tu hermano. Yo era muy joven, chico. Cuando fui a ti aquella noche me consideraba desligada de Juan, pensaba dejarle. Aún no nos había bendecido el cura, no te olvides.

—Pero tú llevabas un hijo suyo, no te olvides tampoco... No te hagas esta noche la puritana, conmigo no ha de servirte... Tal vez entonces estaba yo obcecado, pero ahora te deseo. Sube a mi cuarto. Acabemos ya de una vez.

—No sé qué intenciones llevas, chico, porque tú eres traidor como Judas... No sé qué te habrá pasado con esa Ena, con esa chica rubia a quien tienes entontecida, para hablarme así.

—¡Deja a esa mujer en paz!... No es ella la que puede satisfacerme, sino tú; conténtate con eso, Gloria.

—Me has hecho llorar mucho, pero yo estaba esperando este momento... Si crees que aún me interesas estás equivocado. Si te crees que estoy desesperada porque llevas a esa muchacha a tu cuarto, puedes pensar que eres menos listo aún que Juan. Yo te odio, chico. Te odio desde la noche en que te burlaste de mí, cuando yo me había olvidado de todo por tu culpa... Y ¿quieres saber quién te denunció para que te fusilaran?, pues ¡yo!, ¡yo!, ¡yo!... ¿Quieres saber por culpa de quién estuviste en la checa?, pues por mi culpa. Y ¿quieres saber quién te denunciaría otra vez si pudiera?, ¡yo también! Ahora soy yo quien te puede escupir a la cara y te escupo.

—¿Por qué dices tanta tontería? Me estás cansando. No irás a esperar que te suplique... ¡Si tú me quieres, mujer! Mira, vamos a terminar de discutir todo esto en mi cuarto. ¡Hala! ¡Vamos!

—¡Mucho cuidado con tocarme, canalla, o llamo a Juan! ¡Te saco los ojos si te acercas!

En la última parte de la conversación, Gloria alzaba tanto la voz que se le quebraba en un chillido histérico.

Oí los pasos de la abuela en el comedor. Encerrados en el balcón como estaban, la abuela podría ver sus siluetas recortadas a la luz de las estrellas.

Román no se había alterado, solamente su voz tenía un zumbido nervioso que ya le había advertido desde las primeras palabras:

—¡Cállate, imbécil!... No pienso mover un dedo para forzarte. Puedes venir tú misma, si quieres... pero si no vienes esta noche, no te molestes en mirarme a la cara nunca más. Te doy tu última ocasión...

Salió del balcón. Tropezó con la abuela.

—¿Quién es? ¿Quién es? —dijo la viejecilla—. ¡Válgame Dios, Román, vas enloquecido, hijito!

Él no se detuvo. Oí un portazo. La abuela, arrastrando los pies, se acercó al balcón. Su voz sonaba asustada y desamparada:

—¡Niña!... ¡Niña! ¿Eres tú, Gloria, hija mía? ¿Sí? ¿Eres tú?...

Entonces me di cuenta de que Gloria estaba llorando. Gritó:

—¡Váyase a acostar, mamá, y déjeme en paz!

Al cabo de un rato echó a correr hacia su cuarto, sollozando:

—¡Juan! ¡Juan!...

Vino la abuela.

—Calla, criatura, calla... Juan ha salido. Me dijo que no podía dormir...

Se hizo un silencio. Yo oía pasos en la escalera. Llegó Juan.

—¿Todavía estáis levantadas? ¿Qué pasa?

Una larga pausa.

—Nada —dijo finalmente Gloria—. Vamos a dormir.

La noche de San Juan se había vuelto demasiado extraña para mí. De pie en medio de mi cuarto, con las orejas tendidas a los susurros de la casa, sentí dolerme los tirantes músculos de la garganta. Tenía las manos frías. ¿Quién puede entender los mil hilos que unen las almas de los hombres y el alcance de sus palabras? No una muchacha como era yo entonces. Me tumbé en la cama, casi enferma. Recordé las palabras de la Biblia, en un sentido completamente profano: «Tienen ojos y no ven, tienen oídos y no oyen»... A mis ojos, redondos de tanto abrirse, a mis oídos, heridos de escuchar, había faltado captar una vibración, una nota profunda en todo aquello... Me parecía imposible que Román hubiera suplicado a Gloria como un amante. Román, el que hechizaba con su música a Ena... Era imposible que hubiese suplicado a Gloria, súbitamente, sin un motivo, él a quien yo había visto maltratarla y escarnecerla públicamente. Este motivo no lo percibían mis oídos entre aquel temblor nervioso de su voz, ni alcanzaban a verlo mis ojos, entre aquella densa y fúlgida masa de noche azul que entraba por el balcón... Me tapé la cara para que no me diera en los ojos la belleza demasiado grande y demasiado incomprensible de aquella noche. Al cabo me dormí.

Desperté soñando con Ena. Insensiblemente la había encadenado mi fantasía a las palabras, mezquindades y traiciones de Román. La amargura que siempre me venía aquellos días al pensar en ella, me invadió enteramente. Corrí a su casa, impulsiva, sin saber lo que iba a decirle, deseando solamente protegerla contra mi tío.

No encontré a mi amiga. Me dijeron que era el santo de su abuelo y que pasaría todo el día en la gran «torre» que el viejo señor tenía en la Bonanova. Al oír esto, me invadió una extraña exaltación; me pareció necesario encontrar a Ena a toda costa. Hablar con ella en seguida.

Atravesé Barcelona en un tranvía. Me acuerdo de que hacía una mañana maravillosa. Todos los jardines de la Bonanova estaban cargados de flores y su belleza apretaba mi espíritu demasiado cargado también. También a mí me parecía desbordar —como desbordaban las lilas, las buganvillas, las madreselvas, por encima de las tapias—, tanto era el cariño, el angustioso miedo que sentía por la vida y por los sueños de mi amiga... Quizá durante toda la historia de nuestra amistad no haya vivido momentos tan bellos y tan pueriles como los de aquel inútil paseo, entre los jardines, en la radiante mañana de San Juan...

Al fin llegué a la puerta de la casa que buscaba. Una portada de hierro, a través de cuyo enrejado vi un gran cuadro de césped, una fuente y dos perros... No sabía lo que le iba a contar a Ena. No sabía cómo iba a decirle otra vez que nunca sería Román digno de mezclar su vida a la de ella, tan luminosa, tan amada por un ser noble y bueno como Jaime... Estaba segura de que apenas comenzara a hablar, Ena se iba a reír de mí.

Pasaron unos minutos largos, llenos de sol. Yo estaba apoyada contra los hierros de la gran verja del jardín. Olía intensamente a rosas y sobre mi cabeza voló un abejorro produciendo un profundísimo eco de paz. No me atrevía a llamar al timbre.

Oí la puerta de la casa —una puerta de cristales abierta sobre la blanca terraza— abrirse con estrépito y vi aparecer al pequeño Ramón Berenguer acompañado de un primito de cabellos negros. Los dos bajaron corriendo la escalinata, hacia el jardín. Me sentí súbitamente empavorecida, como si me hubieran sujetado la mano en el momento de cortar una flor robada. Eché a correr a mi vez, sin poderlo remediar, huyendo de allí... Me reí de mí misma cuando me hube recobrado; pero ya no volví a aquella verja. Tan impulsivamente como la exaltación y el cariño que había sentido aquella mañana por Ena, una gran depresión me empezó a invadir. Al finalizar el día, ya no pensaba en saltar aquella distancia que ella misma había abierto entre las dos. Me pareció mejor dejar correr los acontecimientos.

Oí aullar al perro en la escalera, bajando, aterrado, del cuarto de Román. Traía en la oreja la marca roja de un mordisco. Me estremecí. Román llevaba tres días encerrado en su cuarto. Según Antonia, componía música y fumaba continuamente, de modo que le envolvía una atmósfera angustiosa. *Trueno* debería de saber algo del humor que este ambiente producía en su amo. La criada, al ver al perro herido por los dientes de Román, empezó a temblar como azogada y le curó casi gimiendo ella también.

Yo miré al calendario. Habían pasado tres días desde la víspera de San Juan. Faltaban tres días para la fiesta de Pons. El alma me latía en la impaciencia de huir. Casi me parecía querer a mi amigo al pensar que él me iba a ayudar a realizar este anhelo desesperado.

XVIII

Me viene ahora el recuerdo de las noches en la calle de Aribau. Aquellas noches que corrían como un río negro, bajo los puentes de los días, y en las que los olores estancados despedían un vaho de fantasmas.

Me acuerdo de las primeras noches otoñales y de mis primeras inquietudes en la casa, avivadas con ellas. De las noches de invierno con sus húmedas melancolías: el crujido de una silla rompiendo el sueño y el escalofrío de los nervios al encontrar dos pequeños ojos luminosos —los ojos del gato— clavados en los míos. En aquellas heladas horas hubo algunos momentos en que la vida rompió delante de mis ojos todos sus pudores y apareció desnuda, gritando intimidades tristes, que para mí eran sólo espantosas. Intimidades que la mañana se encargaba de borrar, como si nunca hubieran existido... Más tarde vinieron las noches de verano. Dulces y espesas noches mediterráneas sobre Barcelona, con su dorado zumo de luna, con su húmedo olor de nereidas que peinasen cabellos de agua sobre las blancas espaldas, sobre la escamosa cola de oro. En alguna de esas noches calurosas, el hambre, la tristeza y la fuerza de mi juventud me llevaron a un deliquio de sentimiento, a una necesidad física de ternura, ávida y polvorienta como la tierra quemada presintiendo la tempestad.

A primera hora, cuando me extendía, cansada, sobre el colchón, venía el dolor de cabeza vacío y bordoneante atormentando mi cráneo. Tenía que tenderme con la cabeza baja, sin almohada, para sentirlo encalmarse lentamente cruzado por mil ruidos familiares de la calle y de la casa.

Así, el sueño iba llegando en oleadas cada vez más perezosas hasta el hondo y completo olvido de mi cuerpo y de mi alma. Sobre mí el calor lanzaba su aliento irritante como jugo de ortigas, hasta que oprimida, como en una pesadilla, volvía a despertarme otra vez.

Silencio absoluto. En la calle, de cuando en cuando, los pasos del vigilante. Mucho más arriba de los balcones, de los tejados y las azoteas, el brillo de los astros.

La inquietud me hacía saltar de la cama, pues estos luminosos hilos impalpables que vienen del mundo sideral obraban en mí con fuerzas imposibles de precisar, pero reales.

Me acuerdo de una noche en que había luna. Yo tenía excitados los nervios después de un día demasiado movido. Al levantarme de la cama vi que en el espejo de Angustias estaba toda mi habitación llena de un color de seda gris y allí mismo, una larga sombra blanca. Me acerqué y el espectro se acercó conmigo. Al fin alcancé a ver mi propia cara desdibujada sobre el camisón de hilo. Un camisón de hilo antiguo —suave por el roce del tiempo— cargado de pesados encajes, que muchos años atrás había usado mi madre. Era una rareza estarme contemplando así, casi sin verme, con los ojos abiertos. Levanté la mano para tocarme las facciones, que parecían escapárseme, y allí surgieron unos dedos largos, más pálidos que el rostro, siguiendo la línea de las cejas, la nariz, las mejillas conformadas según la estructura de los huesos. De todas maneras, yo misma, Andrea, estaba viviendo entre las sombras y las pasiones que me rodeaban. A veces llegaba a dudarlo.

Aquella misma tarde había sido la fiesta de Pons.

Durante cinco días había yo intentado almacenar ilusiones para esa escapatoria de mi vida corriente. Hasta entonces me había sido fácil dar la espalda a lo que quedaba atrás, pensar en emprender una vida nueva a cada instante. Y aquel día yo había sentido como un presentimiento de otros horizontes. Algo de la ansiedad terrible que a veces me coge en la estación al oír el silbido del tren que arranca o cuando paseo por el puerto y me viene en una bocanada el olor a barcos.

Mi amigo me había telefoneado por la mañana y su voz me llenó de ternura por él. El sentimiento de ser esperada y querida me hacía despertar mil instintos de mujer; una emoción como de triunfo, un deseo de ser alabada, admirada, de sentirme como la Cenicienta del cuento, princesa por unas horas, después de un largo incógnito.

Me acordaba de un sueño que se había repetido muchas veces en mi infancia, cuando yo era una niña cetrina y delgaducha, de esas a quienes las visitas nunca alaban por lindas y para cuyos padres hay consuelos reticentes... Esas palabras que los niños, jugando al parecer absortos y ajenos a la conversación, recogen ávidamente: «Cuando crezca, seguramente tendrá un tipo bonito», «Los niños dan muchas sorpresas al crecer»...

Dormida, yo me veía corriendo, tropezando, y al golpe sentía que algo se desprendía de mí, como un vestido o una crisálida que se rompe y cae arrugada a los pies. Veía los ojos asombrados de las gentes. Al correr al espejo, contemplaba, temblorosa de emoción, mi transformación asombrosa en una rubia princesa —precisamente rubia, como describían los cuentos—, inmediatamente dotada, por gracia de la belleza, con los atributos de dulzura, encanto y bondad, y el maravilloso de esparcir generosamente mis sonrisas...

Esta fábula, tan repetida en mis noches infantiles, me hacía sonreír, cuando con las manos un poco temblorosas trataba de peinarme con esmero y de que apareciera bonito mi traje menos viejo, cuidadosamente planchado para la fiesta.

«Tal vez —pensaba yo un poco ruborizada— ha llegado hoy ese día.»

Si los ojos de Pons me encontraban bonita y atractiva (y mi amigo había dicho esto con palabras torpes, o más elocuentemente, sin ellas muchas veces), era como si el velo hubiese caído ya.

«Tal vez el sentido de la vida para una mujer consiste únicamente en ser descubierta así, mirada de manera que ella misma se sienta irradiante de luz.» No en mirar, no en escuchar venenos y torpezas de los otros, sino en vivir plenamente el propio goce de los sentimientos y las sensaciones, la propia desesperación y alegría. La propia maldad o bondad...

De modo que me escapé de la casa de la calle de Aribau y casi tuve que taparme los oídos para no escuchar el piano al que atormentaba Román.

Mi tío había pasado cinco días encerrado en su cuarto. (Según me dijo Gloria, no había salido ni una vez a la calle.) Y aquella mañana apareció en la casa escrutando las novedades con sus ojos penetrantes. En algunos rincones se notaba la falta de los muebles que Gloria había vendido al trapero. Por aquellos claros corrían, desaladas, las cucarachas.

—¡Estás robando a mi madre! —gritó.

La abuela acudió inmediatamente.

—No, hijo, no. Los he vendido yo, son míos, los he vendido porque los necesitaba, porque estoy en mi derecho...

Resultaba tan incongruente oír hablar de derechos a aquella viejecilla desgraciada, que era capaz de morirse de hambre si la comida estaba escasa para que quedase más a los otros, o de frío para que el niño tuviese otra manta en su cuna, que Román se sonrió.

Por la tarde, mi tío empezó a tocar el piano. Yo le vi en el salón, desde la puerta de la galería. Detrás de su cabeza se extendía un haz de sol. Se volvió hacia mí y me vio también y también me dirigió una sonrisa viva que le venía por encima de todos sus pensamientos.

—Te has puesto demasiado guapa para querer escuchar mi música, ¿eh? Tú, como las mujeres todas de esta casa, huyes...

Apretaba las teclas con pasión, obligándolas a darle el sentido de una esplendorosa primavera. Tenía los ojos enrojecidos, como hombre que ha tomado mucho alcohol o que no ha dormido en varios días. Al tocar, la cara se le llenaba de arrugas.

De modo que huí de él, como otras veces había hecho. En la calle recordé solamente su galantería. «A pesar de todo

—pensé—, Román hace vivir a las gentes de su alrededor. Él sabe, en realidad, lo que les ocurre. Él sabe que yo esta tarde estoy ilusionada.»

Enlazado a la idea de Román, me venía sin querer el recuerdo de Ena. Porque yo, que tanto había querido evitar que aquellos dos seres se llegasen a conocer, ya no podía separarlos en mi imaginación.

—¿Tú sabes que Ena vino a ver a Román la víspera de San Juan por la tarde?

Me había dicho Gloria, mirándome de reojo:

—La vi yo misma cuando salía corriendo, escaleras abajo, como el otro día corría *Trueno*... De la misma manera, chica, como si fuera enloquecida... Tú, ¿qué opinas?... Desde entonces no ha vuelto.

Me tapé los oídos, allí en la calle, camino de la casa de Pons, y levanté los ojos hacia las copas de los árboles. Las hojas tenían ya la consistencia de un verde durísimo. El cielo inflamado se estrellaba contra ellas.

Otra vez, en el esplendor de la calle, volví a ser una muchacha de dieciocho años que va a bailar con su primer pretendiente. Una agradable y ligera expectación logró apagar completamente aquellos ecos de los otros.

Pons vivía en una casa espléndida al final de la calle Muntaner. Delante de la verja del jardín —tan ciudadano que las flores olían a cera y a cemento— vi una larga hilera de coches. El corazón me empezó a latir de una manera casi dolorosa. Sabía que unos minutos después habría de verme dentro de un mundo alegre e inconsciente. Un mundo que giraba sobre el sólido pedestal del dinero y de cuya optimista mirada me habían dado alguna idea las conversaciones de mis amigos. Era la primera vez que yo iba a una fiesta de sociedad, pues las reuniones en casa de Ena, a las que había asistido, tenían un carácter íntimo, revestido de una finalidad literaria y artística.

Me acuerdo del portal de mármol y de su grata frescura. De mi confusión ante el criado de la puerta, de la penumbra del recibidor adornado con plantas y con jarrones. Del olor a se-

ñora con demasiadas joyas que me vino al estrechar la mano
de la madre de Pons y de la mirada suya, indefinible, dirigida
a mis viejos zapatos, cruzándose con otra anhelante de Pons,
que la observaba.

Aquella señora era alta, imponente. Me hablaba sonriendo,
como si la sonrisa se le hubiera parado —ya para siempre— en
los labios. Entonces era demasiado fácil herirme. Me sentí en un
momento angustiada por la pobreza de mi atavío. Pasé una mano
muy poco segura por el brazo de Pons y entré con él en la sala.

Había mucha gente allí. En un saloncito contiguo «los mayores» se dedicaban, principalmente, a alimentarse y a reír.
Una señora gorda está parada en mi recuerdo con la cara congestionada de risa en el momento de llevarse a la boca un pastelillo. No sé por qué tengo esta imagen eternamente quieta,
entre la confusión y el movimiento de todo lo demás. Los jóvenes comían y bebían también y charlaban cambiando de sitio a cada momento. Predominaban las muchachas bonitas.
Pons me presentó a un grupo de cuatro o cinco, diciéndome
que eran sus primas. Me sentí muy tímida entre ellas. Casi tenía ganas de llorar, pues en nada se parecía este sentimiento a
la radiante sensación que yo había esperado. Ganas de llorar
de impaciencia y de rabia...

No me atrevía a separarme de Pons para nada y empecé a sentir con terror que él se ponía un poco nervioso delante de los lin-
dos ojos cargados de malicia que nos estaban observando. Al
fin llamaron un momento a mi amigo y me dejó —con una sonrisa de disculpa— sola con las muchachas y con dos joven-
zuelos desconocidos. Yo no supe qué decir en todo aquel rato.
No me divertía nada. Me vi en un espejo blanca y gris, deslucida entre los alegres trajes de verano que me rodeaban. Absolutamente seria entre la animación de todos y me sentí un poco
ridícula.

Pons había desaparecido de mis horizontes visuales. Al fin,
cuando la música lo invadió todo con un ritmo de fox lento,
me encontré completamente sola junto a una ventana, viendo
bailar a los otros.

Terminó el baile con un rumor de conversaciones y nadie vino a buscarme. Oí la voz de Iturdiaga y me volví rápidamente. Estaba Gaspar sentado entre dos o tres muchachas a las que enseñaba no sé qué planos y explicaba sus proyectos para el futuro. Decía:

—Hoy día esta roca es inaccesible, pero yo construiré para llegar hasta ella un funicular y mi casa-castillo tendrá sus cimientos en la misma punta. Me casaré y pasaré en esta fortaleza doce meses del año, sin más compañía que la de la mujer amada, escuchando el zumbido del viento, el grito de las águilas, el rugir del trueno...

Una jovencilla muy linda, que le escuchaba con la boca abierta, le interrumpió:

—Pero eso no puede ser, Gaspar...

—¿Cómo que no, señorita? ¡Ya tengo los planos! ¡Ya he hablado con los arquitectos e ingenieros! ¿Me vas a decir que es imposible?

—¡Pero si lo que es imposible es que encuentres una mujer que quiera vivir contigo ahí!... De verdad, Gaspar....

Iturdiaga levantó las cejas y sonrió con altiva melancolía. Sus largos pantalones azules terminaban en unos zapatos brillantes como espejos. No sabía yo si acercarme a él, pues me sentía humilde y ansiosa de compañía, como un perro... En aquel momento me distrajo oír su apellido, Iturdiaga, pronunciado con toda claridad a mis espaldas, y volví la cabeza. Yo estaba apoyada en una ventana baja, abierta al jardín. Allí, en uno de los estrechos senderillos asfaltados, vi a dos señores que sin duda paseaban charlando de negocios. Uno de ellos, enorme y grueso, tenía cierto parecido con Gaspar. Se habían detenido en su paseo a pocos pasos de la ventana, tan animadamente discutían.

—Pero ¿usted se da cuenta de lo que puede hacernos ganar la guerra en este caso? ¡Millones, hombre, millones!... ¡No es un juego de niños, Iturdiaga!...

Siguieron su camino.

A mí me vino a los labios una sonrisa como si en efecto los viera cabalgar por el cielo enrojecido de la tarde (sobre las dignas cabezas de hombres importantes un capirote de mago) a lomos del negro fantasma de la guerra que volaba sobre los campos de Europa...

Pasaba el tiempo demasiado despacio para mí. Una hora, dos, quizá, estuve sola. Yo observaba las evoluciones de aquellas gentes que, al entrárseme por los ojos, me llegaban a obsesionar. Creo que estaba distraída cuando volví a ver a Pons. Estaba él enrojecido y feliz brindando con dos chicas, separado de mí por todo el espacio del salón. Yo también tenía en la mano mi copa solitaria y la miré con una sonrisa estúpida. Sentí una mezquina e inútil tristeza allí sola. La verdad es que no conocía a nadie y estaba descentrada. Parecía como si un montón de estampas que me hubiera entretenido en colocar en forma de castillo cayeran de un soplo como en un juego de niños. Estampas de Pons comprando claveles para mí, de Pons prometiéndome veraneos ideales, de Pons sacándome de la mano, desde mi casa, hacia la alegría. Mi amigo —que me había suplicado tanto, que me había llegado a conmover con su cariño— aquella tarde, sin duda, se sentía avergonzado de mí... Quizá había estropeado todo la mirada primera que dirigió su madre a mis zapatos... O era quizá culpa mía. ¿Cómo podría entender yo nunca la marcha de las cosas?

—Te aburres mucho, pobrecita... ¡Este hijo mío es un grosero! ¡Voy a buscarle en seguida!

La madre de Pons me había observado durante aquel largo rato, sin duda. La miré con cierto rencor, por ser tan diferente a como yo me la había imaginado. La vi acercarse a mi amigo y al cabo de unos minutos estuvo él a mi lado.

—Perdóname, Andrea, por favor... ¿Quieres bailar?

Se oía otra vez la música.

—No, gracias. No me encuentro bien aquí y quisiera marcharme.

—Pero ¿por qué, Andrea?... ¿No estarás ofendida conmigo?... He querido muchas veces venir a buscarte... Me han detenido siempre por el camino... Sin embargo, yo estaba contento de que tú no bailaras con los otros, te miraba a veces...

Nos quedamos callados. Él estaba confuso. Parecía a punto de llorar.

Pasó una de las primas de Pons y nos lanzó una pregunta absurda:

—¿Riña sentimental?

Tenía una sonrisa forzada de estrella de cine. Una sonrisa tan divertida que ahora me sonrío al acordarme. Entonces vi sonrojarse a Pons. A mí me subió como un demonio del corazón, haciéndome sufrir.

—No puedo encontrar el menor placer en estar entre gente «así» —dije—, como esa chica, por ejemplo...

Pons pareció dolido y agresivo.

—¿Qué tienes que decir de esa chica? La conozco de toda mi vida, es inteligente y buena... Tal vez es demasiado guapa a tu juicio. Las mujeres sois todas así.

Entonces me puse encarnada yo, y él, inmediatamente arrepentido, intentó coger una de mis manos.

«¿Es posible que sea yo —pensé— la protagonista de tan ridícula escena?»

—No sé qué te pasa hoy, Andrea, no sé qué tienes que no eres como siempre...

—Es verdad. No me encuentro bien... Mira, en realidad, yo no quería venir a tu fiesta. Yo quería solamente felicitarte y marcharme, ¿sabes?... Sólo que cuando tu madre me saludó, yo estaba tan confusa... Ya ves que ni siquiera he venido vestida a propósito. ¿No te has fijado que he traído unos viejos zapatos de deporte? ¿No te has dado cuenta?

«¡Oh! —pensaba algo en mi interior con una mueca de repugnancia—. ¿Por qué digo tal cantidad de idioteces?»

Pons no sabía qué hacer. Me miraba, asustado. Tenía las orejas encarnadas y parecía muy pequeñito metido en su elegante traje oscuro. Lanzó una instintiva mirada de angustia hacia la lejana silueta de su madre.

—No me he dado cuenta de nada, Andrea —balbució—, pero si quieres marcharte... yo... no sé qué hacer para impedirlo.

Me entró cierto malestar por las palabras que había llegado a decir, después de la gran pausa que siguió.

—Perdóname lo que te dije de tus invitados, Pons.

Fuimos callados hasta el recibidor. La fealdad de los ostentosos jarrones me hizo encontrarme más segura y firme allí y alivió algo mi tensión. Pons, súbitamente conmovido, me besó la mano cuando nos despedíamos.

—Yo no sé qué ha pasado, Andrea; primero fue la llegada de la marquesa... (¿Sabes? Mamá es un poco anticuada en eso; respeta mucho los títulos.) Luego mi prima Nuria me llevó al jardín... Bueno, me hizo una declaración de amor... no...

Se detuvo y tragó saliva.

Me dio risa. Todo aquello me parecía ya cómico.

—¿Es aquella chica tan guapa que nos habló hace un momento?

—Sí. No quería decírtelo. A nadie, naturalmente, quisiera decírselo... Después... Ya ves, Andrea, que no podía estar contigo. Después de todo fue muy valiente de su parte lo que hizo. Es una chica seductora. Tiene miles de pretendientes. Usa un perfume...

—Sí, claro.

—Adiós... De modo que... ¿cuándo nos volveremos a ver?

Y se volvió a poner encarnado, porque aún era muy niño en realidad. Sabía perfectamente, lo mismo que yo, que en adelante ya sólo nos encontraríamos por casualidad. En la Universidad, tal vez, después de las vacaciones.

El aire de fuera resultaba ardoroso. Me quedé sin saber qué hacer con la larga calle Muntaner bajando en declive delante de mí. Arriba, el cielo, casi negro de azul, se estaba volviendo pesado, amenazador aun sin una nube. Había algo aterrador en la magnificencia clásica de aquel cielo aplastado sobre la calle silenciosa. Algo que me hacía sentirme pequeña y apretada entre fuerzas cósmicas como el héroe de una tragedia griega.

Parecía ahogarme tanta luz, tanta sed abrasadora de asfalto y piedras. Estaba caminando como si recorriera el propio camino de mi vida, desierto. Mirando las sombras de las gentes que a mi lado se escapaban sin poder asirlas. Abocando en cada instante, irremediablemente, en la soledad.

Empezaron a pasar autos. Subió un tranvía atestado de gente. La gran vía Diagonal cruzaba delante de mis ojos con sus paseos, sus palmeras, sus bancos. En uno de estos bancos me encontré sentada, al cabo, en una actitud estúpida. Rendida y dolorida como si hubiera hecho un gran esfuerzo.

Me parecía que de nada vale correr si siempre ha de irse por el mismo camino, cerrado, de nuestra personalidad. Unos seres nacen para vivir, otros para trabajar, otros para mirar la vida. Yo tenía un pequeño y ruin papel de espectadora. Imposible salirme de él. Imposible libertarme. Una tremenda congoja fue para mí lo único real en aquellos momentos.

Empezó a temblarme el mundo detrás de una bonita niebla gris que el sol irisaba a segundos. Mi cara sedienta recogía con placer aquel llanto. Mis dedos lo secaban con rabia. Estuve mucho rato llorando, allí en la intimidad que me proporcionaba la indiferencia de la calle, y así me pareció que lentamente mi alma quedaba lavada.

En realidad, mi pena de chiquilla desilusionada no merecía tanto aparato. Había leído rápidamente una hoja de mi vida que no valía la pena de recordar más. A mi lado, dolores más grandes me habían dejado indiferente hasta la burla...

Corrí, de vuelta a casa, la calle de Aribau casi de extremo a extremo. Había estado tanto tiempo sentada en medio de mis pensamientos que el cielo se empalidecía. La calle irradiaba su alma en el crepúsculo, encendiendo sus escaparates como una hilera de ojos amarillos o blancos que mirasen desde sus oscuras cuencas... Mil olores, tristezas, historias, subían desde el empedrado, se asomaban a los balcones o a los portales de la calle de Aribau. Un animado oleaje de gente se encontraba bajando desde la solidez elegante de la Diagonal contra el que subía del movido mundo de la plaza de la Universidad. Mezcla de vidas, de calidades, de gustos, eso era la calle de Aribau. Yo misma: un elemento más, pequeño y perdido en ella.

Llegaba a mi casa, de la que ninguna invitación a un veraneo maravilloso me iba a salvar, de vuelta de mi primer baile
en el que no había bailado. Caminaba desganada, con deseos
de acostarme. Delante de mis ojos un poco doloridos, se iluminó aquel farol, familiar ya como las facciones de un ser querido, que se levantaba sobre su brazo negro delante del portal.

En aquel momento vi con asombro a la madre de Ena que
salía de mi casa. Ella me vio también y vino hacia mí. Como
siempre, el hechizo de la dulzura y de la sencilla elegancia de
aquella mujer me penetraron hondamente. Su voz entró por
mis oídos trayéndome un mundo de recuerdos.

—¡Qué suerte haberla encontrado, Andrea! —me dijo—.
He estado esperándola en su casa mucho tiempo... ¿Tiene usted un momento para mí? ¿Me permitirá que la invite a tomar
un helado en cualquier sitio?

TERCERA PARTE

XIX

Cuando estuvimos frente a frente en el café, en el momento de sentarnos, aún era yo la criatura encogida y amargada a quien le han roto un sueño. Luego me fue invadiendo el deseo de oír lo que la madre de Ena, de un momento a otro, iba a decirme. Me olvidé de mí y al fin encontré la paz.

—¿Qué le sucede a usted, Andrea?

Aquel usted en labios de la señora se volvía tierno y familiar. Me produjo ganas de llorar y me mordí los labios. Ella había desviado los ojos. Cuando los pude ver, ensombrecidos por el ala del sombrero, tenían una humedad de fiebre... Yo estaba ya tranquila y ella era quien me sonreía con un poco de miedo.

—No me pasa nada.

—Es posible, Andrea... llevo unos días que descubro sombras extrañas en los ojos de todos. ¿No le ha sucedido alguna vez atribuir su estado de ánimo al mundo que la rodea?

Parecía que sonriendo ella tratara de hacerme sonreír también. Decía todo con un tono ligero.

—¿Y cómo es que no va usted por casa en esta temporada? ¿Está usted disgustada con Ena?

—No —bajé los ojos—, más bien creo que es ella la que se aburre conmigo. Es natural...

—¿Por qué? Ena la quiere a usted muchísimo... Sí, sí, no ponga usted esa expresión reconcentrada. Es usted la única amiga que tiene mi hija. Por eso he venido a hablarle...

Vi que ella jugaba con los guantes, alisándolos. Tenía unas manos delicadísimas. La punta de sus dedos cedía tiernamente hacia atrás al menor contacto. Tragó saliva.

—Me cuesta muchísimo trabajo hablar de Ena. Nunca lo he hecho con nadie; la quiero demasiado para eso... Yo a Ena se puede decir que la adoro, Andrea.

—Yo también la quiero muchísimo.

—Sí, ya lo sé... pero ¿cómo podría usted entender esto? Ena para mí es diferente de mis demás hijos, está sobre todos los que rodean mi vida. El cariño que siento por ella es algo extraordinario.

Yo entendía. Más por el tono que por las palabras. Más por el ardor de la voz que por lo que decía. Me daba un poco de miedo... Yo siempre había pensado que aquella mujer quemaba. Siempre. Cuando la oí cantar aquel primer día en que la vi en su casa y luego, cuando me miró de tal manera que sólo recogí un estremecimiento de angustia.

—Sé que Ena está sufriendo esta temporada. ¿Comprende lo que eso significa para mí? Hasta ahora su vida había sido perfecta. Parecía que en cualquiera de sus pasos estaba el éxito. Sus risas me daban la sensación de la vida misma... Ella ha sido siempre tan sana, tan sin complicaciones, tan feliz. Cuando se enamoró de ese muchacho, Jaime...

(Delante de mi sorpresa, ella se sonreía con cierta tristeza y travesura a la vez.)

—Cuando se enamoró de Jaime todo fue como un buen sueño. El que hubiera encontrado un hombre capaz de comprenderla precisamente en el momento en que al salir de la adolescencia lo necesitaba, era a mis ojos como el cumplimiento de una maravillosa ley natural...

Yo no quería mirarla. Estaba nerviosa. Pensé: «¿Qué quiere averiguar por medio de mí esta señora?». Estaba resuelta en todo caso a no traicionar ningún secreto de Ena, por muchas cosas suyas que su madre pareciera saber. Decidí dejarla hablar sin decir una palabra.

—Ya ve, Andrea, que no le pido que me cuente ninguna cosa que quiera callar mi hija. No es preciso que lo haga. Es más, le ruego que nunca le diga a Ena todo lo que de ella sé. La conozco bien y sé lo dura que puede llegar a ser en ocasiones. Nunca me lo perdonaría. Por otra parte, algún día me contará estas historias ella misma. Cada vez que le sucede algo a Ena, vivo esperando el día en que me lo cuente... No me defrauda nunca. Siempre llega ese día. De modo que le pido su discreción y también que me escuche... Yo sé que Ena va con frecuencia a casa de usted y no para visitarla, precisamente... Sé que sale con un pariente suyo llamado Román. Sé que desde entonces sus relaciones con Jaime se han enfriado o se han terminado por completo. Ena misma parece haber cambiado enteramente... Dígame, ¿qué opinión tiene usted de su tío?

Me encogí de hombros.

—A mí también me ha hecho pensar este asunto... Creo que lo peor de todo es que Román tiene atractivo a su manera, aunque no es una persona recomendable. Si usted no le conoce es imposible decirle...

—¿A Román? —la sonrisa de la señora la hacía volverse casi bella, tan profunda era—. Sí, a Román le conozco. Hace muchos años que conozco a Román... Ya ve usted, fuimos compañeros en el Conservatorio. Él no tenía más que diecisiete años cuando yo le conocí y galleaba entonces creyendo que el mundo habría de ser suyo... Parecía tener un talento extraordinario, aunque estaba limitado por su pereza. Los profesores tenían en él grandes esperanzas. Luego, sin embargo, se ha hundido. Al final ha prevalecido lo peor de él... Cuando le he vuelto a ver hace unos días me ha dado la impresión de un hombre que se hubiera acabado ya. Pero conserva su teatralidad, su gesto de mago oriental que va a descubrir algún misterio. Conserva sus trampas y el arte de su música... Yo no quiero que mi hija se deje coger por un hombre así... Yo no quiero que Ena pueda llorar o ser desgraciada por...

Los labios le temblaban. Se daba cuenta de que hablaba conmigo y le cambiaba el color de los ojos a fuerza de quererse dominar. Luego los cerraba y dejaba que desbordase aquel tumultuoso decir como un agua que rompe los diques y lo arrastra todo...

—¡Dios mío! Sí que conozco a Román. Le he querido demasiado tiempo, hija mía, para no conocerle. De su magnetismo y de su atractivo, ¿qué me va usted a decir que yo no sepa, que yo no haya sufrido en mí con la fuerza esta, que parece imposible de suavizar y de calmar, que da un primer amor? Sus defectos los conozco tan bien, que ahora, comprimido y amargado por su vida, si es tal como yo la supongo, el solo pensamiento de que mi hija pueda estar atraída por ellos tal como yo misma lo estuve es para mí un horror inimaginable. Al cabo de los años, no esperaba yo esta trampa de la suerte, tan cruel... ¿Sabe usted lo que es tener dieciséis, diecisiete, dieciocho años y estar obsesionada por sólo la sucesión de gestos, de estados de ánimo, de movimientos, que en conjunto forman ese algo que a veces llega a parecer irreal y que es una persona?... No, ¡qué angustia! ¿Qué puede saber usted con los ojos tranquilos con que mira? Nada sabe tampoco de ese querer guardar lo que desborda, del imposible pudor de los sentimientos. Llorar en soledad era lo único que a mí, en mi adolescencia, me estaba permitido. Todo lo demás lo hacía y lo sentía rodeada de ojos vigilantes... ¿Ver a un hombre a solas, siquiera fuese de lejos, tal como yo acechaba a Román entonces, siquiera fuese desde una esquina de la calle de Aribau, bajo la lluvia, en la mañana, con los ojos clavados en el portal por donde él debería aparecer con su cartera de estudiante bajo el brazo, golpeando, casi siempre, la espalda del hermano, en un juego de cachorros que se acaban de despertar? No, yo no pude nunca esperar sola allí. Había que sobornar a la criada acompañante, fisgona y fastidiada por aquellas esperas blancas que destruían todas sus figuraciones sobre lo que el amor es... Respeto hasta un punto extraordinario la independencia de Ena, cuando recuerdo los bigotes negros y los ojos saltones

de aquella mujer. Sus bostezos bajo el paraguas en las mañanas de invierno... Un día logré que mi padre consintiese en
que diésemos en casa un concierto de piano y violín Román y
yo a base de las composiciones de Román. Fue un éxito asombroso. Los asistentes estaban como electrizados... No, no, Andrea; por mucho que yo viva es imposible que vuelva a sentir
una emoción semejante a la de aquellos minutos. A la emoción
que me destrozaba cuando Román me sonrió con los ojos casi
humedecidos. Un rato después, en el jardín, Román se daba
cuenta de algo de aquella extática adoración que yo sentía por
él y jugaba conmigo con la curiosidad cínica con que un gato
juega con el ratón que acaba de cazar. Entonces fue cuando
me pidió mi trenza.

—No eres capaz de cortártela para mí —dijo, brillándole
los ojos.

Yo no había soñado siquiera una felicidad mayor que la de
que él me pidiera algo. La magnitud del sacrificio era tan
grande, sin embargo, que me estremecía. Mi cabello, cuando
yo tenía dieciséis años, era mi única belleza. Aún llevaba una
trenza suelta, una única, gordísima trenza que me resbalaba
sobre el pecho hasta la cintura. Era mi orgullo. Román la miraba día tras día con su sonrisa inalterable. Alguna vez me hizo
llorar esa mirada. Por fin no la pude resistir más y después de
una noche de insomnio, casi con los ojos cerrados, la corté.
Tan espesa era aquella masa de cabellos y tanto me temblaban
las manos que tardé mucho tiempo. Instintivamente me apretaba el cuello como si un mal verdugo tratara torpemente de
cercenarlo. Al día siguiente, al mirarme al espejo, me eché a
llorar. ¡Ah, qué estúpida es la juventud!... Al mismo tiempo un
orgullo humildísimo me corroía enteramente. Sabía que nadie
hubiera sido capaz de hacer lo mismo. Nadie quería a Román
como yo... Le envié mi trenza con la misma ansiedad un poco
febril, que fríamente parece tan cursi, de la heroína de una novela romántica. No recibí ni una línea suya en contestación.
En mi casa la ocurrencia fue como si hubiera caído una verdadera desgracia sobre la familia. En castigo me encerraron un

mes sin salir a la calle... Sin embargo, era todo fácil de soportar. Cerraba los ojos y veía entre las manos de Román aquella
soga dorada que era un pedazo de mí misma. Me sentía com-
pensada así en la mejor moneda... Al fin volví a ver a Román.
Me miró con curiosidad. Me dijo:

—Tengo lo mejor de ti en casa. Te he robado tu encanto
—luego concluyó impaciente—: ... ¿Por qué has hecho esa estupidez, mujer? ¿Por qué eres como un perro para mí?

Ahora, viendo las cosas a distancia, me pregunto cómo se
puede alcanzar tal capacidad de humillación, cómo podemos
enfermar así, cómo en los sentidos humanos cabe una tan
grande cantidad de placer en el dolor... Porque yo estuve enferma. Yo he tenido fiebre. Yo no he podido levantarme de la
cama en algún tiempo; así era el veneno, la obsesión que me
llenaba... ¿Y dice usted que si conozco a Román? Lo he repa-
sado en todos sus rincones, en todos sus pliegues durante días
infinitos, solitarios... Mi padre estaba alarmado. Hizo averiguaciones, la criada habló de mis «manías»... ¿Y este dolor de
ser descubierta, destapada hasta los rincones más íntimos? Dolor como si arrancaran a tiras nuestra piel para ver la red de
venas palpitando entre los músculos... Me tuvieron un año en
el campo. Mi padre dio dinero a Román para que se alejara de
Barcelona una temporada, para que no estuviera allí a mi
vuelta, y él tuvo la desfachatez de aceptar y de firmar un recibo en el que el hecho constaba.

Yo me acuerdo bien de aquella vuelta mía a Barcelona. Del
lánguido cansancio del tren —no se puede usted imaginar la
cantidad de mantas, de sombrereras, de guantes y velos que
entonces necesitábamos para un viaje de cuatro horas—. Me
acuerdo del gran automóvil de mi padre que nos esperaba en
la estación, cuyos asientos saltaban haciéndonos chocar envueltas en nuestros peludos abrigos y nos ensordecía con el
ruido del motor. Había pasado un año entero sin oír el nombre
de Román y entonces cada árbol, cada gota de luz —de esa
barroca, inconfundible luz de Barcelona— me traía su olor,
hasta dilatarme las narices presintiéndolo...

Mi padre me abrazó muy conmovido —porque yo también, como Ena, soy hija única entre varios hermanos varones—. Yo, en cuanto tuve ocasión, le dije que quería seguir mis lecciones de piano y de canto. Creo que fue lo primero que le dije.

—Bueno. ¿No te da un poco de vergüenza correr así detrás de ese jovenzuelo?

A mi padre le brillaban los ojos de cólera. ¿No conoce usted a mi padre? Tiene los ojillos más taimados y también más dulces que conozco.

—¿Es que no hay otro hombre para ti? ¿Es que tienes que ser tú, mi hija, quien vaya detrás de un cazador de dotes?

Aquellas palabras de mi padre hirieron todo lo que en mí había de orgullo de enamorada, por el objeto de mi amor. Defendí a Román. Hablé de su genialidad, de su generosidad espléndida. Mi padre me escuchaba tranquilamente y al final me dejó aquel recibo entre las manos.

—Puedes mirarlo tú sola. No quiero estar delante.

Nunca más se volvió a hablar de Román entre nosotros. Son curiosas las reacciones de nuestra alma. Estoy segura de que, ocultamente, aún hubiese pasado aquella nueva ofensa. Con los ojos de mis familiares puestos en mí, me pareció imposible seguir demostrando mi amor por aquel hombre. Fue como un encogimiento moral de hombros. Me casé con el primer pretendiente a gusto de mi padre, con Luis...

Hoy día, ya lo sabe usted, Andrea, he olvidado toda esa historia y soy feliz.

A mí me estaba dando vergüenza escucharla. A mí, que oía diariamente los vocablos más crudos de nuestro idioma y que escuchaba sin asustarme las conversaciones de Gloria, cargadas del más bárbaro materialismo, me sonrojaba aquella confesión de la madre de Ena y me hacía sentirme mal. Era yo agria e intransigente como la misma juventud, entonces. Todo lo que aquello tenía de fracasado y de ahogado me repelía. El que aquella mujer contase sus miserias en alta voz casi me hacía sentirme enferma.

Al mirarla, vi que tenía los ojos llenos de lágrimas.

—¿Pero cómo voy a explicar a Ena estas cosas, Andrea? ¿Cómo voy a contar a un ser tan querido lo que hubiera podido decir en un confesonario mordida de angustia, lo que le he dicho a usted misma?... Ena sólo me conoce como un símbolo de serenidad, de claridad... Sé que no soportaría que esta imagen que ella ha endiosado estuviera cimentada en un barro de pasiones y de desequilibrio. Me querría menos... Y para mí es vital cada átomo de cariño suyo. Es ella la que me ha hecho tal como yo actualmente soy. ¿Cree usted que podría destruir su propia obra?... ¡Ha sido un trabajo tan delicado, callado y profundo entre las dos!

Los ojos se le oscurecían, se le achicaban las largas pupilas de gato. Su cara tenía una calidad vegetal, delicadísima: se envejecía llenándose de impalpables arrugas en un instante, o se expandía como una flor... No comprendía yo cómo había podido pensar que ella fuese fea.

—Mire, Andrea. Cuando Ena nació yo no la quería. Era mi primer hijo y no lo había deseado, sin embargo. Los primeros tiempos de mi matrimonio fueron difíciles. Es curioso hasta qué punto pueden ser extraños dos seres que viven juntos y que no se entienden. Luis, afortunadamente para él, estaba tan ocupado todo el día que no tenía mucho tiempo de pensar en nuestra áspera intimidad. A pesar de todo, se encontraba descentrado también con una mujer que apenas hablaba. Me acuerdo de las miradas que dirigía al reloj, a mis zapatos o a la alfombra en aquellas veladas interminables que pasábamos, él fumando y yo tratando de leer. Entre los dos había una distancia casi infinita y yo tenía el convencimiento de que con los años aquella separación se iría ahondando más y más. A veces yo le veía levantarse nervioso, llegar a la ventana. Al fin, acababa proponiéndome cualquier plan de diversión... Le gustaba que yo fuera perfectamente vestida, que nuestra casa resultara confortable y lujosa... Una vez que había alcanzado todo esto, no sabía el pobre qué era lo que faltaba a nuestra vida.

Si a veces me cogía la mano, con una sonrisa difícil, parecía asombrarse de aquella pasividad de mis dedos, que entre los suyos eran demasiado pequeños. Levantaba los ojos y toda su cara aparecía poseída de una angustia infantil al mirarme. En aquellos momentos yo sentía ganas de reírme. Era como una venganza por todo el fracaso de mi vida anterior. Me sentía yo fuerte y poderosa por una vez. Por una vez comprendía el placer que había hecho vibrar el alma de Román al mortificarme. Él me preguntaba:

—¿Es que sientes nostalgia de España?

Yo me encogía de hombros y le decía que no. Sobre nosotros resbalaban las horas cortando aprisa la tela de una vida completamente gris... No, Andrea, yo no deseaba entonces ningún hijo de mi marido. Y, sin embargo, vino. Cada tormento físico que sentía me parecía una nueva brutalidad de la vida añadida a las muchas que había tenido que soportar. Cuando me dijeron que era una niña, a mi desgana se unió una extraña congoja. No la quería ver. Me tendí en la cama volviendo la cara... Me acuerdo que era otoño y que detrás de mi ventana aparecía una tristísima mañana gris. Contra los cristales se empujaban, casi crujiendo, las ramas color de oro seco de un gran árbol. La criatura, cerca de mis oídos, empezó a gritar. Yo sentía remordimientos por haberla hecho nacer de mí, por haberla condenado a llevar mi herencia. Así, empecé a llorar con una debilitada tristeza de que por mi culpa aquella cosa gimiente pudiese llegar a ser una mujer algún día. Y así, movida por un impulso compasivo —casi tan vergonzoso como el que se siente al poner una limosna en las manos de cualquier ser desgraciado con quien nos tropezamos en la calle—, arrimé aquel pedazo de carne mía a mi cuerpo y dejé que para alimentarse chupara de mí y así me devorara y me venciera, por primera vez, físicamente...

Desde aquel momento fue Ena más poderosa que yo; me esclavizó, me sujetó a ella. Me hizo maravillarme con su vitalidad, con su fuerza, con su belleza. Según iba creciendo yo la contemplaba con el mismo asombro que si viera crecer en un cuerpo todos mis anhelos no realizados. Yo había soñado con la salud, con la energía, con el éxito personal que me había sido negado y los vi crecer en Ena desde que era una niñita. Usted sabe, Andrea, que mi hija es como una irradiación de fuerza y vida... Comprendí, humildemente, el sentido de mi existencia al ver en ella todos mis orgullos, mis fuerzas y mis deseos mejores de perfección realizarse tan mágicamente. Pude mirar a Luis con una nueva mirada, con la que ya podía apreciar todas sus cualidades porque las había visto antes reflejadas en mi hija. Fue ella, la niña, quien me descubrió la fina urdimbre de la vida, las mil dulzuras del renunciamiento y del amor, que no es sólo pasión y egoísmo ciego entre un cuerpo y alma de hombre y un cuerpo y alma de mujer, sino que reviste nombres de comprensión, amistad, ternura. Fue Ena la que me hizo querer a su padre, la que me hizo querer más hijos y —puesto que exigía ella una madre adecuada a su perfecta y sana calidad humana— quien me hizo, conscientemente, desprenderme de mis morbosidades enfermizas, de mis cerrados egoísmos... Abrirme a los demás y encontrar así horizontes desconocidos. Porque antes de que yo la creara, casi a la fuerza, con mi propia sangre y huesos, con mi propia amarga sustancia, yo era una mujer desequilibrada y mezquina. Insatisfecha y egoísta... Una mujer que preferiría morir antes de que Ena pudiese sospecharla en mí...

Nos quedamos calladas.

No había más que decir al llegar a este punto, puesto que era fácil para mí entender este idioma de sangre, dolor y creación que empieza con la misma sustancia física cuando se es mujer. Era fácil entenderlo sabiendo mi propio cuerpo preparado —como cargado de semillas— para esta labor de continuación de vida. Aunque todo en mí era entonces ácido e incompleto como la esperanza, yo lo entendía.

Cuando la madre de Ena terminó de hablar, mis pensamientos armonizaban enteramente con los suyos.

Me asusté y me encontré con que la gente volvía a gritar a mi alrededor (como la ola, que parada —negra— un momento, choca contra el acantilado y revienta en fragor y espuma). Todas las luces del café y de la calle se metieron al mismo tiempo en mis ojos cuando ella volvió a hablar.

—Por eso quiero que usted me ayude... Sólo usted o Román podrían ayudarme y él no ha querido. Yo quisiera que sin conocer esta ruin parte de mi historia, que usted ahora sabe, Ena se avergüence de Román... Ella, mi hija, no es un ser enfermizo como he sido yo. No podrá nunca dejarse arrastrar por las mismas fiebres que a mí me han consumido... Ni siquiera sé pedirle a usted que haga algo concreto. Desearía que cuando ellos estén arriba, en la habitación de Román, haciendo música, alguien rompiera la penumbra y el hechizo falso por el solo hecho de dar la llave a la luz. Quisiera que alguien que no fuese yo hablase a Ena de Román, si es preciso mintiendo... Dígale que le ha pegado, ponga de relieve su sadismo, su crueldad, sus trastornos... Ya sé que esto que le pido es demasiado... Ahora soy yo quien le pregunta: ¿conoce usted este aspecto de su tío?

—Sí.

—Así pues, ¿tratará de ayudarme? Sobre todo, no deje usted, como hasta ahora, a Ena... Si ella cree a alguien, será a usted. La estima más de lo que le ha dejado ver. De eso estoy segura.

—En lo que de mí dependa puede usted estar segura de que trataré de ayudarla. Pero no creo que estas cosas sirvan de nada.

(Mi alma crujía por dentro como un papel arrugado. Como había crujido cuando Ena estrechó un día, delante de mí, la mano de Román.)

Le dolía la cabeza. Casi podía tocar yo aquel dolor.

—¡Si yo pudiera llevármela de Barcelona!... A usted le parecería ridículo que yo no pueda imponer mi autoridad en una cuestión como la del veraneo. Pero mi marido no tiene posibilidad de dejar ahora el negocio y Ena se defiende, escudándose en su deseo de no abandonarle... Logra que Luis se enfade de mi insistencia y entre bromas y veras me acuse de acaparar la hija que los dos preferimos. Dice que me marche yo con los niños y que le deje a Ena. Está entusiasmado, porque ella, que generalmente es poco pródiga en sus demostraciones de afecto, esta temporada le demuestra una ternura extraordinaria. Yo llevo noches sin dormir...

(Y yo me la imaginaba, abiertos los ojos junto al tranquilo sueño del marido. Doloridos los huesos por las posturas forzadas por miedo de despertarlo... Atenta a los crujidos de la cama, al dolor de los párpados insomnes, a la propia angustia interior.)

—Por otra parte, Andrea, he tratado de contar anécdotas ridículas o groserías de Román. Anécdotas de las que mi recuerdo está lleno... Sin embargo, por este camino me atrevo muy poco. Si Ena me mira, siento que voy a enrojecer como si fuera culpable. Que me van a traspasar los ojos de mi hija... Mi padre me ha prometido que desde septiembre Luis tendrá que hacerse cargo de la sucursal de Madrid... Pero de aquí a entonces pueden suceder tantas cosas...

Se levantó para marcharse. No estaba aliviada por haber hablado conmigo. Antes de ponerse los guantes se pasó, con un gesto maquinal, la mano por la frente. Una mano tan fina que me dieron ganas de volver su palma hacia mis ojos para maravillarme de su ternura, como a veces me gusta hacer con el envés de las hojas...

En un momento vi que ella se alejaba, que en medio de la pesada sensación de estupor que me había quedado de aquella charla, la pequeña y delgada figura desaparecía entre la gente.

Más tarde, en mi cuarto, la noche se llenó de inquietudes. Pensé en las palabras de la madre de Ena:

«Le he pedido ayuda a Román y no ha querido dármela...».

Así pues, por fin, la señora había visto a solas a aquel hombre —y no sé por qué, Román me daba cierta pena, me pareció un pobre hombre— a quien ella había acosado con sus pensamientos años atrás. Había visto el pequeño cuarto, el pequeño teatro en donde por fin se había encerrado Román, con el tiempo. Y sus ojos amargos habían adivinado lo que de allí podía hechizar a la hija.

Ya de madrugada, un cortejo de nubarrones oscuros como larguísimos dedos empezaron a flotar en el cielo. Al fin, ahogaron la luna.

XX

La mañana vino y me pareció sentirla llegar —cerrados aún mis párpados— tal como la Aurora, en un gran carro, cuyas ruedas aplastasen mi cráneo. Me ensordecía el ruido —crujir de huesos, estremecimiento de madera y hierro sobre el pavimento—. El tintineo del tranvía. Un rumoreo confuso de hojas de árboles y de luces mezcladas. Un grito lejano:

—*Drapaireee!*...

Las puertas de un balcón se abrieron y se cerraron cerca de mí. La propia puerta de mi cuarto cedió de par en par, empujada por una corriente de aire y tuve que abrir los ojos. Me encontré la habitación llena de luz pastosa. Era muy tarde. Gloria se asomaba al balcón del comedor para llamar a aquel trapero que voceaba en la calle y Juan la detuvo por el brazo, cerrando con un golpe estremecedor los cristales.

—¡Déjame, chico!

—Te he dicho que no se vende nada más. ¿Me oyes? Lo que hay en esta casa no es solamente mío.

—Y yo te digo que tenemos que comer...

—¡Para eso gano yo bastante!

—Ya sabes que no. Ya sabes bien por qué no nos morimos de hambre aquí...

—¡Me estás provocando, desgraciada!

—¡No tengo miedo, chico!

—¡Ah!... ¿No?

Juan la cogió por los hombros, exasperado.

Vi caer a Gloria y rebotar su cabeza contra la puerta del balcón.

Los cristales crujieron, rajándose. Oí los gritos de ella en el suelo.

—¡Te mataré, maldita!

—No te tengo miedo, ¡cobarde!

La voz de Gloria temblaba, aguda.

Juan cogió el jarro del agua y trató de tirárselo encima cuando ella intentaba levantarse. Esta vez hubo cristales rotos, aunque no tuvo puntería. El jarro se rompió contra la pared. Uno de los trozos hirió, al saltar, la mano del niño, que sentado en su silla alta lo miraba todo con sus ojos redondos y serios.

—¡Ese niño! Mira lo que has hecho a tu hijo, imbécil, ¡mala madre!

—¿Yo?

Juan se abalanzó a la criatura, que estaba aterrada y que al fin comenzó a llorar. Y trató de calmarle con palabras cariñosas, cogiéndole en brazos. Luego se lo llevó para curarlo.

Gloria lloraba. Entró en mi habitación.

—¿Has visto qué bestia, Andrea? ¡Qué bestia!

Yo estaba sentada en la cama. Ella se sentó también, palpándose la nuca, dolorida por el golpe.

—¿Te das cuenta de que no puedo vivir aquí? No puedo... Me va a matar, y yo no quiero morirme. La vida es muy bonita, chica. Tú has sido testigo... ¿Verdad que tú has sido testigo, Andrea, de que él mismo comprendió que yo era la única que hacía algo para que no nos muriéramos de hambre aquella noche en que me encontró jugando?... ¿No me dio la razón delante de ti, no me besaba llorando? Di, ¿no me besaba?

Se enjugó los ojos y sus menudas narices se encogieron en una sonrisa.

—A pesar de todo, hubo algo cómico en aquello, chica... Un poquitín cómico. Ya sabes tú... Yo le decía a Juan que vendía sus cuadros en las casas que se dedican a objetos de arte. Los vendía en realidad a los traperos, y con los cinco o seis duros que ellos me daban, podía jugar por la noche en casa de mi hermana... Allí van los amigos y amigas de ella, de tertulia, por las noches. A mi hermana le gusta mucho eso porque le hacen gasto de aguardiente y ella gana con eso. A veces se quedan hasta el amanecer. Son gente que juega bien y les gusta apostar. Yo gano casi siempre... Casi siempre, chica... Si pierdo, mi hermana me presta cuando tengo déficit y luego se lo voy devolviendo con un pequeño interés cuando gano otras veces... Es la única manera de tener un poco de dinero honradamente. Te digo a ti que algunas veces he llegado a traer a casa cuarenta o cincuenta duros de una vez. Es muy emocionante jugar, chica... Aquella noche yo había ganado, tenía treinta duros delante de mí... Y lo que son las casualidades, figúrate que vino bien el que apareciera Juan, porque yo tenía por contrario a un hombre muy bruto y había hecho un poquitín de trampa... Algunas veces hay que hacerlo así. Pues sí, es un hombre con un ojo torcido. Un tipo curioso que a ti te gustaría conocer, Andrea. Lo peor es que no se sabe bien adónde mira y lo que ha visto y lo que no... Un tipo que hace contrabando y que ha tenido algo que ver con Román. ¿Tú sabes que Román se dedica a negocios sucios?

—¿Y Juan?

—¡Ah, sí, sí! Era un momento emocionante, chica, estábamos todos callados y Tonet dijo:

—Pues a mí me parece que a mí nadie me va a tomar el pelo...

Yo, por dentro, estaba un poquito asustada... Y en este momento se empiezan a oír los golpes en la puerta de la calle. Una amiga de mi hermana, Carmeta —una chica muy guapa, no creas...— dijo:

—Tonet, me parece que va por ti.

Y Tonet, que ya estaba escuchando con la mosca sobre la oreja, se levantó como un rayo, porque aquellos días andaba huido. El marido de mi hermana le dijo... bueno el marido de mi hermana no es marido ¿sabes?, pero es igual; pues le dijo:

—Corre a la azotea y pásate por allí a casa del Martillet. Yo contaré hasta veinte antes de abrir. Parece que no son más que uno o dos los que están abajo...

Tonet echó a correr escaleras arriba. La puerta parecía que iba a caerse a golpes. Mi hermana misma, que es la más diplomática, fue a abrir. Entonces sentimos a Juan despotricando y mi cuñado frunció el ceño porque no le gustan las historias sentimentales. Corrió a ver qué pasaba. Juan discutió con él. Aunque mi cuñado es un hombre gordo, de dos metros de alto, ya sabes tú que los locos tienen mucha fuerza, chica, y Juan estaba como loco. No lo pudo contener; pero cuando ya había pasado delante de él y apartaba la cortina, le dio mi cuñado un puñetazo en la espalda y le hizo caer al suelo, de cabeza, en nuestra habitación. Me dio pena, pobrecillo (porque yo a Juan le quiero, Andrea. Me casé enamoradísima de él, ¿sabes?). Yo le cogí la cabeza, arrodillándome a su lado y le empecé a decir que yo estaba allí para ganar dinero para el niño. Él me dio un empujón y se levantó no muy seguro. Mi hermana entonces se puso en jarras y le soltó un discurso. Le dijo que ella misma me había hecho proposiciones con hombres que me hubieran pagado bien y que yo no quise aceptar porque le quería a él, aunque siempre estaba pasando miserias por su culpa. Siempre calladita y sufriendo por él. Juan, pobrecillo, estaba quieto con los brazos caídos y lo miraba todo. Vio que sobre la mesa estaban las apuestas, que estaban allí Carmeta y Teresa y dos buenos chicos que son sus novios. Vio que allí se iba en serio y que no había ninguna fiesta... Mi hermana le dijo que yo había ganado treinta duros mientras él pensaba en matarme. Entonces mi cuñado empezó a eructar en un rincón en donde estaba con sus manos puestas en el cinturón y pareció que Juan se iba a volver a él para empezar otra vez el ataque de furia... pero mi hermana es una mujer que vale mucho, chica. Tú ya la conoces, y le dijo:

—Ahora, Joanet, a tomar un poco de aguardiente conmigo, y en seguida tu mujercita arregla sus ganancias con estos amigos y se va a casa a cuidar a su *nen*.

Entonces mi cabeza empezó a trabajar mucho. Entonces, cuando mi hermana se llevó a Juan a la tienda, empecé a pensar que si Juan había venido era porque tú o la abuela le habríais llamado por teléfono y que lo más probable era que el niño a aquellas horas estuviera muerto... Porque yo pienso mucho, chica. ¿Verdad que no lo parece? Pues yo pienso mucho.

Me entró una pena y una congoja, que no podía contar el dinero que me pertenecía, allí en la mesa donde estábamos jugando... Porque yo al *nen* le quiero mucho; ¿verdad que es muy mono? ¡Pobrecito!...

La Carmeta, que es tan buena, me arregló las cuentas. Y ya no se volvió a hablar de que yo hubiera hecho trampa... Luego te encontré a ti con Juan y con mi hermana. Fíjate si estaba tonta que casi ni me extrañó. No se me ocurría más que una idea: «El *nen* está muerto, el *nen* está muerto»... Y entonces tú pudiste ver que Juan me quería de verdad cuando se lo dije... Porque los hombres, chica, se enamoran mucho de mí. No se pueden olvidar de mí tan fácilmente, no creas... Juan y yo nos hemos querido tanto...

Nos quedamos calladas. Yo me empecé a vestir. Gloria se iba tranquilizando y estiraba los brazos con pereza. De pronto se fijó en mí.

—¡Qué pies tan raros tienes! ¡Tan flacos! ¡Parecen los de un Cristo!

—Sí, es verdad —Gloria al final me hacía sonreír siempre—; los tuyos, en cambio, son como los de las musas...

—Muy bonitos, ¿no?

—Sí.

(Eran unos pies blancos y pequeños, torneados e infantiles.)

Oímos la puerta de la calle. Juan salía. Apareció la abuela con una sonrisa.

—Se ha llevado al niño de paseo... ¡Más bueno es este hijo mío!... Picarona —se dirigía a Gloria—, ¿por qué le contestas tú y le enredas en esas discusiones? ¡Ay!, ¡ay! ¿No sabes que con los hombres hay que ceder siempre?

Gloria se sonrió y acarició a la abuela. Se empezó a poner rímel en las pestañas. Pasó otro trapero y ella le llamó desde la ventana. La abuela movió la cabeza con angustia.

—De prisa, de prisa, niña, antes de que vengan Juan o Román... ¡Mira que si viene Román! ¡No quiero pensarlo!

—Estas cosas son de usted, mamá, y no de su hijo. ¿No es verdad, Andrea? ¿Voy a consentir que el niño pase hambre por conservar estos trastos? Además que Román le debe dinero a Juan. Yo lo sé...

La abuela se salió de allí rehuyendo —según decía— complicidades. Estaba muy delgada. Bajo las blancas greñas le volaban dos orejas transparentes.

Mientras me duchaba y luego en la cocina, planchando mi traje —bajo las miradas agrias de Antonia, que nunca toleraba a gusto intromisiones en su reino—, oí la voz chillona de Gloria y la acatarrada del *drapaire* discutiendo en catalán. Pensaba yo en unas palabras que me dijo Gloria, mucho tiempo atrás, refiriéndose a su historia con Juan: «... Era como el final de una película. Era como el final de todas las tristezas. Íbamos a ser felices ya...». Eso había pasado hacía muchísimo tiempo, en la época en que, salvando toda la embriaguez de la guerra, Juan había vuelto a la mujer que le dio un hijo para hacerla su esposa. Ya no se acordaban de ello casi... Pero hacía muy poco, en aquella angustiosa noche que Gloria me había recordado con su charla, yo les había visto de nuevo fundidos en uno, hasta sentir juntos los latidos de su sangre, queriéndose, apoyándose uno al otro bajo el mismo dolor. Y también era como el final de todos los odios y de todas las incomprensiones.

«Si aquella noche —pensaba yo— se hubiera acabado el mundo o se hubiera muerto uno de ellos, su historia hubiera quedado completamente cerrada y bella como un círculo.» Así suele suceder en las novelas, en las películas, pero no en la vida... Me estaba dando cuenta yo, por primera vez, de que todo sigue, se hace gris, se arruina viviendo. De que no hay final en nuestra historia hasta que llega la muerte y el cuerpo se deshace...

—¿Qué miras, Andrea?... ¿Qué miras con esos ojos tan abiertos en el espejo?

Gloria, ya de buen humor, había aparecido a mi espalda, mientras yo terminaba de vestirme. Detrás vi a la abuela con la cara radiante. La viejecilla tenía miedo de aquellas ventas que Gloria efectuaba. Creía firmemente que los traperos nos hacían un gran favor aceptándonos los muebles viejos y su corazón latía asustado, mientras Gloria discutía con el comprador. Rezaba, temblando, ante su polvoriento altar, para que la Madre de Dios librase pronto a su nuera de la humillación. Cuando el hombre terrible se iba, ella respiraba tranquila, como el niño que sale de casa del médico.

La miré con cariño. Tenía siempre respecto a ella unos vagos remordimientos. Algunas noches al volver a casa, en las épocas de gran penuria, cuando no había podido comer ni cenar, encontraba en mi mesilla un plato con un poco de verdura poco apetitosa, que llevaba cocida muchas horas, o un mendrugo de pan, dejados allí por «olvido». Comía, empujada por una necesidad más fuerte que yo, aquellos bocados de que se había privado la pobrecilla y me cogía asco de mí misma al hacerlo. Al día siguiente rondaba yo torpemente alrededor de la abuela. Advertía una sonrisa tan dulce en los ojos claros, al mirarme, que me conmovía como si me agarrasen las raíces del espíritu hasta entrarme ganas de llorar. Si, impelida por mis sentimientos, la estrechaba entre mis brazos, tropezaba con un cuerpecillo duro y frío como hecho de alambre, dentro del cual latía un corazón asombrosamente vivo...

Gloria se inclinó hacia mí, palpando mi blusa sobre mi espalda, con cierta satisfacción.

—Tú también estás delgada, Andrea...

Luego, rápidamente, para no ser oída por la abuela:

—Tu amiga Ena vendrá esta tarde al cuarto de Román.

(Se levantó un tumulto dentro de mí.)

—¿Cómo lo sabes?

Porque él acaba de pedir a la criada que suba a limpiar aquello y que compre licores... Yo no soy tonta, chica —y luego, achicando los ojos—: Tu amiga es la amante de Román.

Me puse tan encarnada que se asustó y se retiró de mí. La abuela nos observaba con los ojuelos inquietos.

—Eres como un animal —dije, furiosa—. Tú y Juan sois como bestias. ¿Es que no cabe otra cosa entre un hombre y

una mujer? ¿Es que no concibes nada más en el amor? ¡Oh!
¡Sucia!

La violencia de mis sentimientos me empujaba el cerebro
haciendo que me brotaran lágrimas. En aquel momento estaba
aterrada por Ena. La quería y no podía soportar aquellas palabras corrosivas sobre su vida.

Gloria hizo un rictus con la boca, que era una sonrisa de ironía, pero que me serenó, porque comprendí que aquella mujer
estaba a punto de llorar también. La abuela, espantada y dolorida, dijo:

—¡Andrea! ¡Mi nieta hablando así!

Le dije a Gloria:

—¿Por qué has pensado esa infamia de una muchacha que
es mi amiga?

Porque conozco a Román perfectamente... ¿Quieres que te
diga una cosa? Román ha querido ser mi amante después de
haber estado yo casada con Juan... Ya ves, ¿qué se puede esperar de un hombre así?

—Bueno. Yo, en cambio, conozco a Ena... Ella pertenece a
una clase de seres humanos de la que tú no tienes idea, Gloria... Podría interesarle Román como amigo, pero...

(Me aliviaba decir estas cosas en alta voz y al mismo tiempo
me empezó a repugnar aquella conversación con Gloria sobre
mi amiga. Me callé.)

Di media vuelta y me fui a la calle. La abuela me tocó el
vestido al pasar yo a su lado.

—¡Niña! ¡Niña! ¡Vaya con la nietecita que nunca se enfadaba! ¡Jesús, Jesús!

No sé qué gusto amargo y salado tenía en la boca. Di un
portazo como si yo fuera igual que ellos. Igual que todos...

Estaba tan nerviosa que a cada momento sentía humede-
cerse mis ojos, ya en la calle. El cielo aparecía nublado con
unas calientes nubes opresivas. Las palabras de los otros, palabras viejas, empezaron a perseguirme y a danzar en mis oídos. La voz de Ena: «Tú comes demasiado poco, Andrea, y
estás histérica...». «Estás histérica, estás histérica...» «¿Por

qué lloras si no estás histérica?...» «¿Qué motivos tienes tú para llorar?...»

Vi que la gente me miraba con cierto asombro y me mordí los labios de rabia, al darme cuenta... «Ya hago gestos nerviosos como Juan»... «Ya me vuelvo loca yo también»... «Hay quien se ha vuelto loco de hambre»...

Bajé por las Ramblas hasta el puerto. A cada instante me reblandecía el recuerdo de Ena, tanto cariño me inspiraba. Su misma madre me había asegurado su estimación. Ella, tan querida y radiante, me admiraba y me estimaba a mí. Me sentía como enaltecida al pensar que habían solicitado de mí una misión providencial junto a ella. No sabía yo, sin embargo, si realmente iba a servir de algo mi intervención en su vida. El que Gloria me hubiera advertido su visita para aquella tarde me llenaba de inquietudes.

Estaba en el puerto. El mar encajonado presentaba sus manchas de brillante aceite a mis ojos; el olor a brea, a cuerdas, penetraba hondamente en mí. Los buques resultaban enormes con sus altísimos costados. A veces, el agua aparecía estremecida como por el coletazo de un pez: una barquichuela, un golpe de remo. Yo estaba allí aquel mediodía de verano. Desde alguna cubierta de barco, tal vez, unos nórdicos ojos azules me verían como minúscula pincelada de una estampa extranjera... Yo, una muchacha española, de cabellos oscuros, parada un momento en un muelle del puerto de Barcelona. Dentro de unos instantes la vida seguiría y me haría desplazar hasta algún otro punto. Me encontraría con mi cuerpo enmarcado en otra decoración... «Tal vez —pensé al fin, vencida como siempre por mis instintos martirizados— comiendo en algún sitio.» Tenía muy poco dinero, pero aún algo. Despacio, fui hacia los alegres bares y restaurantes de la Barceloneta. En los días de sol dan, azules o blancos, su nota marinera y alegre. Algunos tienen terrazas donde personas con buen apetito comen arroz y mariscos, estimulados por cálidos y coloreados olores de verano que llegan desde las playas o de las dársenas del puerto.

Aquel día venía del mar un soplo gris y ardiente. Oí decir a alguien que era tiempo de tormenta. Yo pedí cerveza y también queso y almendras... El bar donde me sentaba era una casa de dos pisos, teñida de añil, adornada con utensilios náuticos. Yo me coloqué en una de las mesitas de la calle y casi me parecía que el suelo, bajo mí, iba a empezar a trepidar impulsado por algún oculto motor y a llevarme lejos... a abrirme nuevamente los horizontes. Este anhelo repetido siempre en mi vida que, con cualquier motivo, sentía brotar.

Estuve allí mucho tiempo... Me dolía la cabeza. Al fin, muy despacio, pesándome en los hombros los sacos de lana de las nubes, volví hacia mi casa. Daba algunas vueltas. Me detenía... Pero parecía que un hilo invisible tiraba de mí, al desenrollarse las horas, desde la calle de Aribau, desde la puerta de entrada, desde el cuarto de Román en lo alto de la casa... Había pasado ya la media tarde, cuando aquella fuerza se hizo irresistible y yo entré en nuestro portal.

Según iba subiendo la escalera, me cogió entre sus garras el conocido y anodino silencio de que estaba impregnada. Por el cristal roto de una ventana llegaba —en un descansillo— el canto de una criada del patio.

Allá arriba estaban Román y Ena y yo tenía que ir también. No comprendía por qué estaba tan segura de la presencia de mi amiga allí. No eran suficientes las suposiciones de Gloria para aquella seguridad. Yo sentía su presencia como un perro que busca, en mi nariz. A mí, acostumbrada a dejar que la corriente de los acontecimientos me arrastrase por sí misma, me emocionaba un poco aquel actuar mío que parecía iba a forzarla...

A cada peldaño tenía la impresión de que mis zapatos se hacían más pesados. Toda la sangre del cuerpo me bajaba a las piernas y yo me iba quedando pálida. Al llegar a la puerta de Román, tenía las manos heladas y sudorosas a la vez. Allí me detuve. A mi derecha, la puerta de la azotea que estaba abierta me dio la idea de franquearla. No podía estar indefinidamente parada delante del cuarto de Román y tampoco me decidía a llamar, aunque oía como un murmullo de conversación. Necesi-

taba una pequeña tregua para tranquilizarme. Salí al terrado.
Debajo de un cielo cada vez más amenazador aparecía —como
una bandada de enormes pájaros blancos— el panorama de las
azoteas, casi cayendo sobre mí. Oí la risa de Ena. Una risa en
que las notas forzadas me estremecían. El ventanillo del cuarto
de Román estaba abierto. Impulsiva, me puse a cuatro patas,
como un gato, y me arrastré, para no ser vista, sentándome
bajo aquel agujero. La voz de Ena era alta y clara:

—Para ti, Román, resultaba todo un negocio demasiado
sencillo. ¿Qué pensabas? ¿Que me casaría contigo, quizá?
¿Que andaría azorada toda mi vida, temiendo tus peticiones de
dinero como mi madre?

—Ahora me oirás a mí... —Román hablaba con un tono que
no le había oído nunca.

—No. Ya no hay más que decir. Tengo todas las pruebas.
Sabes que estás en mis manos. Por fin se acabará esta pesadilla...

—Pero me vas a escuchar, ¿verdad? Aunque no quieras...
Yo nunca he pedido dinero a tu madre. Creo que de un chan-
taje no tendrás pruebas...

La voz de Román reptaba como una serpiente, llegando a
mí.

Rápida. Sin ocurrírseme pensar más, me deslicé a lo largo
de la pared y saliendo de la azotea me precipité a la puerta de
mi tío, golpeándola. No me contestaron y volví a llamar. Entonces me abrió Román. Al pronto no me di cuenta de que él
estuviera tan pálido. Mis ojos sorbían la imagen de Ena, que
parecía muy tranquila, sentada y fumando. Me miró hosca.
Los dedos que sostenían el cigarrillo le temblaban un poco.

—Oportunidad te llamas, Andrea —dijo con frialdad.

—Ena, querida... Me pareció que estabas aquí. Subí a saludarte...

(Eso quise decir yo o algo por el estilo. Sin embargo, no sé
si llegué a completar la frase.)

Román parecía reaccionar. Sus vivas miradas nos abarcaban
a Ena y a mí.

—Anda, pequeña, sé buena... márchate.

Estaba muy excitado.

Inesperadamente, Ena se puso de pie, con sus elásticos, rapidísimos movimientos y encontré que estaba a mi lado, cogiéndome del brazo antes de que Román y yo hubiéramos tenido tiempo de pensarlo. Sentí confusamente los latidos de un corazón al acercarse ella a mi cuerpo. No sabría decir si era su corazón o el mío el que estaba asustado.

Román empezó a sonreírse, con la bella y tirante sonrisa, tan conocida.

—Haced lo que queráis, pequeñas —miraba a Ena, no a mí; a Ena únicamente—. Sin embargo, me sorprende esta marcha repentina, cuando estábamos en la mitad de nuestra conversación, Ena. Tú sabes que esto no puede acabar así... Tú lo sabes.

No sé por qué me dio tanto miedo el tono amable y tenso de Román. Los ojos le relucían mirando a mi amiga, como relucían los ojos de Juan cuando estaba a punto de estallar su cerebro.

Ena me empujó hasta la puerta. Hizo una ligera y burlona reverencia.

—Otro día hablaremos, Román. Hasta entonces no te olvides de lo que te he dicho. ¡Adiós!...

Se estaba riendo también. También tenía los ojos brillantes y estaba palidísima.

Fue entonces, en aquel momento, cuando yo me di cuenta de que Román llevaba la mano derecha en el bolsillo todo el rato. De que abultaba allí. No sé qué desviación de mi fantasía me hizo pensar en su negra pistola, cuando mi tío acentuaba su sonrisa. Fue una cuestión de segundos. Me abracé a él como una loca y le grité a Ena que corriese.

Sentí el empujón de Román y vi su cara, limpia al fin de aquella tensión angustiosa. Barrida por una cólera soberbia.

—¡Ridícula! ¿Es que crees que os iba a matar a tiros?

Me miró, ya recobrada la serenidad. Yo había recibido un golpe en la espalda, al chocar contra la barandilla de la escalera. Román se pasó la mano por la frente para apartarse los rizados cabellos. A mis ojos, en rápido descenso —como ya otras veces había sucedido— se le avejentaron las facciones. Luego nos dio la espalda y entró en su cuarto.

Sentía yo el cuerpo dolorido. Una ráfaga de aire polvoriento hizo golpear la puerta de la azotea. De lejos me llegó el aviso ronco de un trueno.

Encontré a Ena esperándome en un descansillo de la escalera. Su mirada era la mirada burlona de los peores momentos.

—Andrea, ¿por qué eres tan trágica, querida?

Me herían sus ojos. Levantaba la cabeza y sus labios se curvaban con un desprecio insoportable.

Tuve ganas de pegarle. Luego mi furia se me agolpó en una angustia que me hizo volver la cabeza y echar a correr escaleras abajo, casi matándome, cegada por las lágrimas... Las conocidas fisonomías de las puertas, con sus felpudos, sus llamadores brillantes u opacos, las placas que anunciaban la ocupación de cada inquilino... «Practicante», «Sastre»..., bailaban, se precipitaban sobre mí, desaparecían comidas por mi llanto.

Así llegué a la calle, hostigada por la incontenible explosión de pena que me hacía correr, aislándome de todo. Así, empujando a los transeúntes, me precipité, calle de Aribau abajo, hacia la plaza de la Universidad.

XXI

Aquel cielo tormentoso me entraba en los pulmones y me cegaba de tristeza. Desfilaban rápidamente, entre la neblina congojosa que me envolvía, los olores de la calle de Aribau. Olor de perfumería, de farmacia, de tienda de comestibles. Olor de calle sobre la que una polvareda gravita, en el vientre de un cielo sofocantemente oscuro.

La plaza de la Universidad se me apareció quieta y enorme como en las pesadillas. Era como si los pocos transeúntes que la cruzaban, como si los autos y los tranvías estuviesen atacados de parálisis. Alguien se me ha quedado en el recuerdo con una pierna levantada: tan extraña fue la mirada que lancé a todo y tan rápidamente me olvidé de lo que había visto.

Encontré que no lloraba ya, pero me dolía la garganta y me latían las sienes. Me apoyé contra la verja del jardín de la Universidad, como aquel día que recordaba Ena. Un día en que, al parecer, no me daba cuenta de que el agua de los cielos se derramaba sobre mí...

Un papel viejo se me pegó a las rodillas. Miré aquel aire grueso, aplastado contra la tierra, que empezaba a hacer revolar el polvo y las hojas, en una macabra danza de cosas muertas. Sentí un dolor de soledad, más insoportable por repetido que el que me acometiera al salir de casa de Pons unos días atrás. Ahora era como un castigo el que el llanto se me hubiese acabado. Por dentro me raspaba, hiriéndome los párpados y la garganta.

No pensaba ni esperaba nada, cuando sentí a mi lado una presencia humana. Era Ena la que estaba allí, agitada como quien ha llegado corriendo. Me volví despacio —parecía que no me funcionaban bien los muelles de mi cuerpo, que estaba enferma, que cualquier movimiento me costaba trabajo—. Vi que ella sí que tenía los ojos llenos de lágrimas. Era la primera vez que yo la había visto llorar.

—¡Andrea!... ¡Oh! ¡Qué tonta!... ¡Mujer!

Hizo una mueca como para reírse y empezó a llorar más, era como si llorara por mí, tanto me descargaba su llanto de angustia. Me tendió los brazos, incapaz de decirme nada, y nos abrazamos allí, en la calle. El corazón —su corazón, no el mío— le iba a toda velocidad, martilleando junto a mí. Así estuvimos un segundo. Luego, yo me arranqué, bruscamente, de su ternura. Vi que se secaba los ojos con rapidez y ahora la sonrisa le florecía fácilmente, como si no hubiera llorado nunca.

—¿Sabes que te quiero muchísimo, Andrea? —me dijo—. Yo no sabía que te quisiera tanto... No quería volver a verte, como a nada que me pueda recordar esa maldita casa de la calle de Aribau... Pero cuando me has mirado así, cuando te ibas...

—¿Yo te he mirado «así»? ¿Cómo?

Las cosas que decíamos no me importaban. Me importaba la confortadora sensación de compañía, de consuelo, que estaba sintiendo como un baño de aceite sobre mi alma.

—Pues... no sé explicarte. Me mirabas con desesperación. Y además, como yo sé que me quieres tanto, con tal fidelidad. Como yo a ti, no creas...

Hablaba con incoherencias que a mí me parecían llenas de sentido. Del asfalto vino un olor a polvo mojado. Caían grandes gotas calientes y no nos movíamos. Ena pasó su brazo por mi hombro y oprimió su suave mejilla contra la mía. Parecían desbordadas todas nuestras reservas. Calmados los malos momentos.

—Ena, perdona lo de esta tarde. Ya sé que no puedes soportar que te espíen. Yo no lo había hecho nunca hasta hoy, te lo juro... Si interrumpí tu conversación con Román fue porque me pareció que él te amenazaba... Ya sé que quizá es ridículo. Pero me lo pareció.

Ena se apartó de mí para mirarme. En los labios le flotaba la risa.

—¡Pero si lo necesitaba, Andrea! ¡Si viniste del cielo! Pero ¿no te diste cuenta de que me salvabas?... Si he sido dura contigo fue a causa de la demasiada tirantez de mis nervios. Tenía miedo de llorar. Y ya ves, ahora lo he hecho...

Ena respiró fuerte, como si esto le aliviase de mil sentimientos ardorosos. Cruzó las manos a su espalda, casi estirándose, librándose de todas las tensiones. No me miraba. Parecía que no me hablase a mí.

—La verdad, Andrea, es que en el fondo he apreciado siempre tu estimación como algo extraordinario, pero nunca he querido darme cuenta. La amistad verdadera me parecía un mito hasta que te conocí, como me pareció un mito el amor hasta que conocí a Jaime... A veces —Ena se sonrió con cierta timidez— pienso en lo que puedo haber hecho yo para merecer esos dos regalos del destino... Te aseguro que he sido una niña terrible y cínica. No creí en ningún sueño dorado nunca y al revés de lo que les sucede a las otras personas, las más bellas realidades me han caído encima. He sido siempre tan feliz...

—Ena, ¿no te enamoraste de Román?

Hice la pregunta en un murmullo tan tenue que la lluvia, que caía ya regularmente, pudo más que mi voz. Volví a repetir:

—Di, ¿no te enamoraste?

Ena me rozó, rápida, con una indefinible mirada de sus ojos demasiado brillantes. Luego alzó la cabeza hacia las nubes.

—¡Nos mojamos, Andrea! —gritó.

Me arrastró hasta la puerta de la Universidad, donde nos refugiamos. Su cara aparecía fresca bajo las gotas de agua, un poco empalidecida como si hubiese padecido fiebres. La tempestad empezó a desatarse cayendo en cataratas, acompañada de un violento tronar. Estuvimos un rato sin hablar, escuchando aquella lluvia que a mí me encalmaba y me reverdecía como a los árboles.

—¡Qué belleza! —dijo Ena, y se le dilataron las aletas de la nariz—. Dices que si me he enamorado de Román... —prosiguió con una expresión casi soñadora—. ¡Me ha interesado mucho! ¡Mucho!

Se rió bajito.

—A nadie he logrado desesperar así, humillar así...

La miré con cierto asombro. Ella sólo veía la cortina de lluvia que delante de sus ojos caía iluminada por los relámpagos. La tierra parecía hervir, jadear, desprendiéndose de todos sus venenos.

—¡Ah! ¡Qué placer! Saber que alguien te acecha, que cree tenerte entre sus manos y escaparte tú, dejándole burlado... ¡Qué juego extraño!... Román tiene un espíritu de pocilga, Andrea. Es atractivo y es un artista grande, pero en el fondo ¡qué mezquino y soez!... ¿A qué clase de mujeres ha estado acostumbrado hasta ahora? Supongo que a seres como a esas dos sombras que rondaban la escalera cuando yo subí a verle... Esa horrible criada que tenéis, y la otra mujer tan rara, con el pelo rojo, que ahora sé que se llama Gloria... Y también, quizá, a alguna persona muy dulce y tímida, como mi madre...

Me miró de reojo.

—¿Tú sabes que mi madre estuvo enamorada de él en la juventud?... Sólo por este hecho deseaba conocer yo a Román. Luego, ¡qué decepción! Llegué a odiarle... ¿No te sucede a ti, cuando te forjas una leyenda sobre un ser determinado y ves que queda bajo tus fantasías y que en realidad vale aún menos que tú, llegas a odiarle? A veces este odio mío por Román llegó a ser tan grande, que él lo notaba y volvía la cabeza, como cargado de electricidad... ¡Qué días más raros aquellos primeros en que empezábamos a conocernos! No sé si era yo desgraciada o no. Estaba como obsesionada por Román. Huía de ti. Reñí con Jaime por una tontería y luego no podía sufrir su presencia. Creo que sentía que si hubiera vuelto a ver a Jaime tendría que dejar aquella aventura a la fuerza. Y entonces yo me

sentía demasiado interesada, casi intoxicada por todo aquello...
Si estoy con Jaime me vuelvo buena, Andrea, soy una mujer
distinta... Si vieras, a veces tengo miedo de sentir el dualismo
de fuerzas que me impulsan. Cuando he sido demasiado su-
blime una temporada, tengo ganas de arañar... De dañar un
poco.

Me cogió la mano y ante mi gesto instintivo de retirarla se
sonrió con mimosa ternura.

—¿Te asusto? Entonces, ¿cómo quieres ser mi amiga? No
soy ningún ángel, Andrea, aunque te quiero tanto... Hay seres
que me colman el corazón, como Jaime, mamá y tú, cada uno
en vuestro estilo... Pero una parte de mí necesita expansio-
narse y dar rienda suelta a sus venenos. ¿Crees que no quiero a
Jaime? Lo quiero muchísimo. No podría soportar que mi vida
se separase ya de la suya. Tengo deseos de su presencia, de su
personalidad entera. Le admiro apasionadamente... Pero hay
otra cosa: la curiosidad, esa inquietud maligna del corazón,
que no puede reposar...

—¿Román te hizo el amor? Di.

—¿Hacerme el amor? No sé. Estaba desesperado conmigo,
tan rabioso que me hubiera estrangulado a veces... Pero se domina muy bien. Yo quería que perdiese el control de sus nervios. Sólo lo logré un día... Hace de esto más de una semana,
Andrea, fue la última vez que vine a verle antes de hoy. He venido cinco veces a ver a Román y siempre he procurado que lo
supiera alguien. Porque en el fondo Román me ha inspirado
siempre un poco de miedo. Llamaba a la puerta de tu casa,
cuando sabía que no había de encontrarte, y preguntaba por ti.
Esas dos mujeres tan curiosas, a las que poseía una especial
desazón en cuanto me veían aparecer, me venían muy bien.
Sabía que las dejaba como dos guardianes a mi espalda. No
sabes sin embargo lo que este ambiente tan cargado me llegaba a divertir. A veces olvidaba hasta el sentimiento de estar
continuamente en guardia. Me reía allí, francamente, excitada
y entusiasmada. Nunca se me había presentado un campo de
experimentación así... Eran éstos los momentos en que Román

venía despacio a sentarse a mi lado. Pero cuando yo notaba su cuerpo caliente, una rabia inexplicable me venía de dentro; me costaba hacer un esfuerzo para disimularlo. Luego, riéndome aún, me trasladaba al otro extremo del cuarto.

Le volvía loco. Cuando me imaginaba lánguida y medio subyugada por su música, por el tono de confidencia casi perversa que daba a la conversación, yo me ponía de pie de pronto sobre la cama turca.

—¡Tengo ganas de saltar! —le decía.

Y empezaba a hacerlo llegando casi hasta el techo con los brincos, como cuando juego con mis hermanos. Él, al oír mis carcajadas, no sabía si estaba yo loca o era estúpida... Ni un momento, con el rabillo del ojo, dejaba yo de observarle. Después del primer movimiento de involuntaria sorpresa, su cara quedaba impenetrable, como siempre... No era eso, Andrea, lo que quería yo. Si tú supieras que Román, cuando joven, hizo sufrir a mi madre...

—¿Quién te ha contado esas historias?

—¿Quién?... ¡Ah! ¡Sí!... Papá mismo. Papá una vez que mamá estuvo enferma y hablaba de Román en medio de las fiebres... El pobre estaba aquella noche muy conmovido, creía que ella se iba a morir.

(Yo tuve que sonreírme. En pocos días la vida se me aparecía distinta a como la había concebido hasta entonces. Complicada y sencillísima a la vez. Pensaba que los secretos más dolorosos y más celosamente guardados son quizá los que todos los de nuestro alrededor conocen. Tragedias estúpidas. Lágrimas inútiles. Así empezaba a aparecerme la vida entonces.)

Ena se volvió hacia mí, y no sé qué ideas veía en mis ojos. Súbitamente me dijo:

—Pero no me creas mejor de lo que soy, Andrea... No vayas a buscarme disculpas... No era sólo por esta causa por lo que yo quería humillar a Román... ¿cómo te voy a explicar el juego apasionante en que se convertía aquello para mí?... Era una lucha más enconada cada vez. Una lucha a muerte...

Ena, seguramente, estaba mirándome mientras me hablaba.
Me pareció sentir sus ojos todo el rato. Yo no podía hacer más
que escuchar con los ojos puestos en la lluvia, cuya furia se
hacía desigual, alzándose algunos momentos y casi cesando
en otros.

—Escucha, Andrea, yo no podía pensar en Jaime ni en ti ni
en nadie esta temporada, yo estaba absorbida enteramente en
este duelo entre la frialdad y el dominio de los nervios de Román y mi propia malicia y seguridad... Andrea, el día en que
por fin pude reírme de él, el día en que me escapé de sus manos cuando ya creía tenerme segura, fue algo espléndido...

Ena se reía. Me volví hacia ella, un poco asustada, y la vi
muy guapa, con los ojos brillantes.

—Tú no puedes ni concebir una escena como la que terminó
mis relaciones con Román la semana pasada, la víspera de San
Juan exactamente, lo recuerdo bien... Me escapé... así, corriendo,
casi matándome, escaleras abajo... Me dejé en su cuarto mi
bolso y mis guantes, y hasta las horquillas de mi pelo. Pero
Román también se quedó allí... Nunca he visto nada más ab-
yecto que su cara... ¿Dices que si me he enamorado de él?...
¿De ese hombre?

Empecé a mirar a mi amiga viéndola por primera vez tal
como realmente era. Tenía los ojos sombreados bajo aquellas
agrias luces cambiantes que venían del cielo. Yo sentí que
nunca podría juzgarla. Pasé mi mano por su brazo y apoyé mi
cabeza en su hombro. Estaba yo muy cansada. Multitud de
pensamientos se aclaraban en mi cerebro.

—¿Sucedió eso la noche de San Juan?

—Sí...

Nos quedamos calladas un rato. En aquel silencio me vino,
sin poderlo evitar, el recuerdo de Jaime. Fue un caso de trans-
misión de pensamiento.

—Con quien peor me he portado en este asunto es con
Jaime, ya lo sé —dijo Ena.

Su cara era otra vez infantil, un poco enfurruñada. Me miró
y ya no había ni desafío ni cinismo en su mirada.

—¡Cada vez que pensaba en Jaime era un tormento tan grande, si vieras! Pero yo no podía dominar a los demonios que me tenían cogida... Una noche salí con Román y me llevó al Paralelo. Estaba yo muy cansada y aburrida cuando entramos en un café atestado de gente y de humo. Yo creí que era una mala pasada de mi imaginación, cuando vi enfrente de mis ojos los ojos de Jaime; estaba detrás de aquella niebla, detrás de aquel calor y no me saludaba. No hacía más que mirarme... Aquella noche lloré mucho. Al día siguiente tú me trajiste un mensaje suyo, ¿te acuerdas?

—Sí.

—Yo no deseaba otra cosa que ver a Jaime y reconciliarme con él. ¡Estaba tan emocionada cuando nos encontramos! Luego se estropeó todo, no sé si por mi culpa o por la suya. Jaime me había prometido ser comprensivo pero en el curso de la conversación se iba excitando... Al parecer había seguido todos mis pasos y había averiguado la vida y milagros de Román. Me dijo que tu tío era un indeseable metido en negocios de contrabando de lo más sucio. Me explicó esos negocios... Al cabo, empezó a hacerme cargos, desesperado de que yo anduviese «a merced de un bandido así»... Era más de lo que yo podía sufrir y no se me ocurrió otra cosa que empezar a defender a Román con el mayor calor. ¿No te ha sucedido alguna vez esa cosa espantosa de irte enredando en tus propias palabras y encontrarte con que ya no puedes salir?... Jaime y yo nos separamos desesperados aquel día... Él se marchó de Barcelona, ¿lo sabías?

—Sí.

—Tal vez cree que le voy a escribir... ¿no?

—Claro que sí.

Ena me sonrió y recostó su cabeza contra la piedra de la pared. Estaba cansada...

—Te he hablado tanto, ¿verdad, Andrea?, tanto... ¿no estás harta de mí?

—Aún no me has dicho lo más importante... Aún no me has dicho por qué, si habías terminado con él la víspera de San Juan, estabas hoy en el cuarto de mi tío...

Ena miró hacia la calle antes de contestarme. La tempestad se había calmado y el cielo aparecía manchado y revuelto con colores amarillos y pardos. Las alcantarillas tragaban el agua que corría a lo largo de los bordillos de las aceras.

—¿Y si nos fuéramos, Andrea?

Empezamos a caminar a la deriva. Íbamos cogidas del brazo.

—Hoy —me dijo Ena— jugué el todo por el todo al volver al cuarto de Román. Él me escribió unas líneas indicando que tenía en su cuarto algunos objetos míos y que deseaba devolvérmelos... Comprendí que no me iba a dejar en paz tan fácilmente. Recordé a mi madre y se me antojó que yo, como ella, me iba a pasar la vida huyendo si no tomaba una determinación... Entonces fue cuando me vino la idea de hacer uso de las averiguaciones de Jaime como una salvaguardia contra Román. Con esta única seguridad vine. Estaba dispuesta a verle por última vez... No creas que no tuve miedo. Estaba aterrorizada cuando tú llegaste. Aterrorizada, Andrea, e incluso arrepentida de mi impulso... porque Román está loco, yo creo que está loco... Cuando tú llamaste a la puerta estuve a punto de caerme, tal era mi tensión nerviosa...

Ena se detuvo en medio de la calle para mirarme. Los faroles acababan de encenderse y rebrillaban en el suelo negro. Los árboles lavados daban su olor a verde.

—¿Comprendes, Andrea, comprendes, querida, que no te pudiese decir nada, que incluso llegara a maltratarte en la escalera? Aquellos momentos parecían borrados de mi existencia. Cuando me di cuenta de que era yo, Ena, quien estaba viviendo, me encontré corriendo, calle de Aribau abajo, buscando tu rastro. Al volver la esquina te encontré al fin. Estabas apoyada contra el muro del jardín de la Universidad, muy pequeña y perdida debajo de aquel cielo tempestuoso... Así te vi.

XXII

Antes de que Ena se marchase, por fin, a pasar sus vacaciones en una playa del Norte, volvimos a salir los tres: ella, Jaime y yo, como en los mejores tiempos de la primavera. Yo me sentía cambiada, sin embargo. Cada día mi cabeza se volvía más débil y me sentía reblandecida, con los ojos húmedos por cualquier cosa. La dicha esta, tan sencilla, de estar tumbada bajo un cielo sin nubes junto a mis amigos, que me parecía perfecta, se me escapaba a veces en una vaguedad de imaginación parecida al sueño. Lejanías azules zumbaban en mi cráneo con ruido de moscardón, haciéndome cerrar los ojos. Entre las ramas de los algarrobos veía yo, al abrir los párpados, el firmamento cálido, cargado de chirridos de pájaros. Parecía que me hubiera muerto siglos atrás y que todo mi cuerpo deshecho en polvo minúsculo estuviera dispersado por mares y montañas amplísimas, tan desparramada, ligera y vaga sensación de mi carne y mis huesos sentía... A veces encontraba los ojos de Ena, inquietos, sobre mi cara.

—¿Cómo es que duermes tanto? Tengo miedo de que estés muy débil.

Esta cariñosa solicitud sobre mi vida se iba a terminar también. Ena debería marcharse al cabo de unos días y ya no volvería a Barcelona, de regreso del veraneo. La familia pensaba trasladarse directamente desde San Sebastián a Madrid. Pensé que cuando empezara el nuevo curso lo haría en la misma soledad espiritual que el año anterior. Pero ahora tenía una carga más grande de recuerdos sobre mis espaldas. Una carga que me agobiaba un poco.

El día en que fui a despedir a Ena me sentí terriblemente deprimida. Ena aparecía entre el bullicio de la estación, rodeada de hermanos rubios, apremiada por su madre, que parecía poseída por una prisa febril de marcharse. Ella se colgó de mi cuello y me besó muchas veces. Sentí que se me humedecían los ojos. Que aquello era cruel. Ella me dijo al oído:

—Nos veremos muy pronto, Andrea. Confía en mí.

Creí entender que volvería al poco tiempo a Barcelona, casada con Jaime, quizá.

Cuando el tren arrancó nos quedamos el padre de Ena y yo en el gran recinto de los ferrocarriles. El padre de Ena, al quedarse repentinamente solo en la ciudad, parecía un poco abrumado. Me invitó a subir a un taxi y pareció un poco desconcertado de mi negativa. Me miraba mucho con su sonrisa bondadosa. Pensé que era una de esas personas que no saben estar solas ni un momento con sus propios pensamientos. Que no tienen pensamientos quizá. Sin embargo, me era extraordinariamente simpático.

Tenía la intención de volver a casa desde la estación dando un largo rodeo a pesar del calor húmedo y pesado que lo apretaba todo. Empecé a caminar, a caminar... Barcelona se había quedado infinitamente vacía. El calor de julio era espantoso. Atravesé los alrededores del cerrado y solitario mercado del Borne. Las calles estaban manchadas de frutas maduras y de paja. Algunos caballos, sujetos a sus carros, coceaban. Me acordé repentinamente del estudio de Guíxols y entré en la calle de Moncada. El majestuoso patio con su escalera ruinosa de piedra labrada estaba igual que siempre. Un carro volcado conservaba restos de su carga de alfalfa.

—No hay nadie, señorita —me dijo la portera—. El señor Guíxols está fuera. Ya no viene nadie, ni siquiera el señor Iturdiaga, que se ha marchado a Sitges la semana pasada. El señor Pons tampoco está en Barcelona... Pero puedo darle la llave, si gusta subir, el señor Guíxols me ha dado permiso para entregársela a cualquiera...

No había sido mi propósito al llegar hasta allí, siguiendo el hilo de mis recuerdos, el de entrar en el estudio que ya sabía que estaba cerrado. Acepté, sin embargo, la proposición. De pronto se me aparecía como una perspectiva venturosa, aquella de poder estar un rato protegida por la vacía tranquilidad de la casa, por la frescura de sus muros antiguos. El aire cerrado tenía aún un olor tenue a barniz. Detrás de la puerta donde Guíxols acostumbraba a guardar sus provisiones encontré olvidada una pastilla de chocolate. Los cuadros estaban cuidadosamente cubiertos con telas blancas y parecían espectros envueltos en sudarios. Almas del recuerdo de mil conversaciones alegres.

Llegué a la calle de Aribau cuando ya oscurecía. Al salir del estudio había reanudado durante largo rato mi desesperanzada caminata por la ciudad.

Al entrar en mi cuarto encontré un olor caliente de ventana cerrada y de lágrimas. Adiviné el bulto de Gloria, tumbada en mi cama y llorando. Cuando se dio cuenta de que entraba alguien se revolvió furiosa. Luego se quedó más tranquila al ver que era yo.

—Estaba durmiendo un poquitín, Andrea —me dijo.

Vi que no se podía encender la luz porque alguien había quitado la bombilla. No sé qué me impulsó a sentarme en el borde de la cama y a tomar una mano de Gloria, húmeda de sudor o de lágrimas, entre las mías.

—¿Por qué estás llorando, Gloria? ¿Crees que no sé que estás llorando?

Como aquel día estaba yo triste, no me parecía ofensiva la tristeza de los demás.

Ella no me contestó al pronto. Después de un rato murmuró:

—¡Tengo miedo, Andrea!

—Pero ¿por qué, mujer?

—Tú antes no le preguntabas nada a nadie, Andrea... Ahora te has vuelto más buena. Yo bien quisiera decirte el miedo que tengo, pero no puedo.

Hubo una pausa.

—No quisiera que Juan se enterase de que he estado llorando. Le diré que he dormido, si me nota los ojos hinchados.

No sé qué latidos amargos tenían las cosas aquella noche, como signos de mal agüero. No me podía dormir, como me sucedía con frecuencia en aquella época en que el cansancio me atormentaba. Antes de decidirme a cerrar los ojos, tanteé con torpeza sobre el mármol de la mesilla de noche y encontré un trozo de pan del día anterior. Lo comí ansiosamente. La pobre abuela se olvidaba pocas veces de sus regalitos. Al fin, cuando el sueño logró apoderarse de mí fue como un estado de coma, casi como una antesala de la muerte última. Mi agotamiento era espantoso. Creo que llevaba alguien mucho rato gritando cuando aquellos gritos terribles pudieron traspasar mis oídos. Quizá fue sólo cuestión de instantes. Recuerdo, sin embargo, que habían entrado a formar parte de mis sueños, antes de hacerme volver a la realidad. Jamás había oído gritar de aquella manera en la casa de la calle de Aribau. Era un chillido lúgubre, de animal enloquecido, el que me hizo sentarme en la cama y luego saltar de ella, temblando.

Encontré a la criada, Antonia, tirada en el suelo del recibidor, con las piernas abiertas en una pataleta trágica, enseñando sus negruras interiores, y con las manos engarabitadas sobre los ladrillos. La puerta de la calle estaba abierta de par en par y empezaban a asomarse algunas caras curiosas de los vecinos. Al pronto tuve sólo una visión cómica de la escena, tan aturdida estaba.

Juan, que había acudido medio desnudo, dio una patada a la puerta de la calle para cerrarla en las narices de aquellas personas. Luego empezó a dar bofetones en la cara contraída de la mujer, y pidió a Gloria un jarro de agua fría para echárselo por encima. Al fin, la criada empezó a jadear y a hipar más desahogadamente, como un animal rendido. Pero en seguida, como si esto hubiera sido sólo una tregua, volvió a sus gritos espantosos.

—¡Está muerto! ¡Está muerto! ¡Está muerto!

Y señalaba arriba.

Vi la cara de Juan volverse gris.

—¿Quién? ¿Quién está muerto, estúpida?...

Luego, sin esperar a que ella le contestara, echó a correr hacia la puerta, subiendo, enloquecido, las escaleras.

—Se degolló con la navaja de afeitar —concluyó Antonia.

Y por fin empezó a llorar desesperada, sentada en el suelo. Era un espectáculo inusitado ver lágrimas en su cara. Parecía la figura de una pesadilla.

—Me había avisado que le subiera temprano un vaso de café, que se marchaba de viaje... ¡Me lo avisó esta madrugada!... Y ahora está tirado en el suelo, ensangrentado como una bestia. ¡Ah!, ¡ay!, *Trueno,* hijito mío, ya no tienes padre...

De toda la casa empezó a oírse algo así como un rumor de lluvia que va creciendo. Luego gritos, avisos. Por la puerta abierta, nosotras, paralizadas, veíamos subir a la gente de los pisos hacia el cuarto de Román.

—Hay que avisar a la Policía —gritó un señor grueso: el practicante del tercero, bajando la escalera, muy excitado.

Le oímos las mujeres de la casa, que formábamos un estúpido racimo, temblorosas, sin atrevernos a reaccionar delante de los increíbles acontecimientos. Antonia gritaba aún, y sólo se oía aquella voz entre el compacto y extraño grupo que formábamos Gloria y ella, la abuela y yo.

En un momento determinado sentí que volvía a correr mi sangre y me dirigí a cerrar la puerta. Al volverme vi a la abuelita por primera vez dándome cuenta real de su presencia. Parecía encogida, aplastada toda bajo el velo negro que, sin duda, se había puesto para dirigirse a su misa cotidiana. Estaba temblando.

—Él no se suicidó, Andrea... él se arrepintió antes de morir —me dijo puerilmente.

—Sí, querida, sí...

No le consolaba mi afirmación. Tenía los labios azules. Tartamudeaba para hablar. Los ojos humedecidos no dejaban que sus lágrimas brotaran francamente.

—Yo quiero ir arriba... Quiero ir con mi Román.

A mí me pareció mejor complacerla. Abrí la puerta y la ayudé a subir, peldaño por peldaño, aquella escalera tan conocida. Ni siquiera me daba cuenta de que aún no me había vestido y que sólo una bata cubría mi camisón. No sé de dónde había salido la gente que llenaba la escalera. En el portal se oían las voces de los guardias tratando de contener aquella avalancha. A nosotras nos dejaban pasar mirándonos mucho. Yo sentía despejárseme la cabeza por instantes. A cada escalón me subía una nueva oleada de angustioso miedo y de repugnancia. Las rodillas empezaban su baile nervioso que me dificultaba el andar. Juan bajaba desolado, amarillo. Nos vio de pronto y se paró delante de nosotras.

—¡Mamá! ¡Maldita sea! —no sé por qué la imagen de la abuela había desatado su furia. Le gritaba rabioso— ¡A casa en seguida!

Levantaba un puño como para pegarle y se levantó un murmullo entre la gente. La abuela no lloraba, pero su barbilla temblaba en un puchero infantil.

—¡Es mi hijo! ¡Es mi niño!... ¡Estoy en mi derecho de subir! Tengo que verle...

Juan se había quedado quieto. Sus ojos se volvían escrutando las caras que le contemplaban con avidez. Un momento pareció indeciso. Al fin cedió bruscamente.

—¡Tú, abajo, sobrina! ¡No se te ha perdido nada a ti! —me dijo.

Luego enlazó a su madre por la cintura y casi arrastrando la ayudó a subir. Oí que la abuela empezaba a llorar apoyada en el hombro del hijo.

Al entrar en nuestro piso encontré que una multitud de personas se habían acomodado también allí y se esparcían invadiendo todos los rincones y curioseándolo todo, con murmullos compasivos.

Infiltrándome entre aquella gente, empujando a algunos logré escurrirme hasta el apartado rincón del cuarto de baño. Me refugié allí, y cerré la puerta.

Maquinalmente, sin saber cómo, me encontré metida en la sucia bañera, desnuda como todos los días, dispuesta a recibir el agua de la ducha. En el espejo me encontré reflejada, miserablemente flaca y con los dientes chocándome como si me muriera de frío. La verdad es que era todo tan espantoso que rebasaba mi capacidad de tragedia. Solté la ducha y creo que me entró una risa nerviosa al encontrarme así, como si aquél fuese un día como todos. Un día en que no hubiese sucedido nada. «Ya lo creo que estoy histérica», pensaba mientras el agua caía sobre mí azotándome y refrescándome. Las gotas resbalaban sobre los hombros y el pecho, formaban canales en el vientre, barrían mis piernas. Arriba estaba Román tendido, sangriento, con la cara partida por el rictus de los que mueren condenados. La ducha seguía cayendo sobre mí, en frescas cataratas inagotables. Oía cómo el rumor humano aumentaba al otro lado de la puerta, sentía que no me iba a mover nunca de allí. Parecía idiotizada.

Entonces empezaron a dar porrazos en la puerta del cuarto de baño.

XXIII

Los días que siguieron estuvieron sumidos en la mayor oscuridad porque, inmediatamente, alguien cerró todos los balcones, casi clavándolos. Casi impidiendo que llegase un soplo de la brisa de fuera. Un espeso y maloliente calor lo envolvió todo, y yo empecé a perder el sentido del tiempo. Horas o días resultaban lo mismo. Días o noches parecían iguales. Gloria se puso enferma y nadie se fijó en ella. Yo me senté a su lado y vi que tenía mucha fiebre.

—¿Se han llevado ya a ese hombre?

Preguntaba a cada momento.

Yo le alcanzaba agua. Parecía que nunca se podría cansar de beber. A veces venía Antonia y la contemplaba con tal expresión de odio que preferí quedarme junto a ella el mayor tiempo posible.

—¡No se morirá, la bruja! ¡No se morirá, la asesina! —decía.

Por Antonia me enteré también de los últimos detalles de la vida de Román. Detalles que yo oía como a través de una niebla. (Me parecía que iba perdiendo la facultad de ver bien. Que los contornos de las cosas se me difuminaban.)

Al parecer, la noche antes de su muerte, Román había llamado a Antonia por teléfono diciendo que acababa de llegar de su viaje —Román había estado aquellos días ausente— y que necesitaba salir a primera hora de la mañana. «Suba usted a arreglarme un poco las maletas y tráigame toda la ropa limpia que tenga, me voy para mucho tiempo...» Éstas, según Antonia, habían sido las últimas palabras de Román. La idea de degollarse debió de ser un rapto repentino, una rápida locura que le atacó mientras se afeitaba. Tenía las mejillas manchadas de jabón cuando le descubrió Antonia.

Gloria preguntaba monótonamente por los detalles referentes a Román.

—¿Y las pinturas? ¿No se encontraron las pinturas?

—¿Qué pinturas, Gloria? —yo me inclinaba hacia ella, con un gesto que el cansancio volvía lánguido.

—El cuadro que me pintó Román. El cuadro mío con los lirios morados...

—No sé. No sé nada. No puedo enterarme de nada.

Cuando Gloria se puso mejor, me dijo:

—Yo no estaba enamorada de Román, Andrea... Yo veo en tu cara, chica, todo lo que piensas. Piensas que yo no aborrecía a Román...

La verdad es que yo no pensaba nada. Mi cerebro estaba demasiado embotado. Con las manos de Gloria entre las mías y oyendo su conversación, llegaba a olvidarme de ella.

—Yo fui quien hizo que Román se matara. Yo le denuncié a la Policía y él se suicidó por eso... Aquella mañana tenían que venir a buscarle...

Yo no creía nada de lo que Gloria me decía. Era más verosímil figurarse que Román había sido el espectro de un muerto. De un hombre que hubiera muerto muchos años atrás y que ahora se volviera por fin a su infierno... Recordando su música, aquella música desesperada que a mí me gustaba tanto oír y que al final me daba la impresión exacta del acabamiento, del deshacerse en la muerte, me sentía emocionada algunas veces.

La abuela venía a mí de cuando en cuando, con los ojos abiertos para susurrarme no sé qué misteriosos consuelos. Iluminada por una fe que no podía decaer, rezaba continuamente, convencida de que en el último instante la gracia divina había tocado el corazón enfermo del hijo.

—Me lo ha dicho la Virgen, hija mía. Anoche se me apareció nimbada de gracia celestial y me lo dijo...

Me pareció consolador aquel trastorno mental que se traslucía en sus palabras y la acaricié, afirmando.

Juan estuvo fuera de casa mucho tiempo, quizá más de dos días. Debió acompañar el cadáver de Román al depósito y tal vez, más tarde, a su última, apartada, morada.

Cuando un día o una noche le vi por fin en casa yo creí que ya habíamos pasado los peores momentos. Pero aún nos faltaba oírle llorar. Nunca, por muchos años que viva, me olvidaré de sus gemidos desesperados. Comprendí que Román tenía razón al decir que Juan era suyo. Ahora que él se había muerto, el dolor de Juan era impúdico, enloquecedor, como el de una mujer por su amante, como el de una madre joven por la muerte del primer hijo.

No sé cuántas horas estuve sin dormir, con los ojos abiertos y resecos recogiendo todos los dolores que pululaban, vivos como gusanos, en las entrañas de la casa. Cuando al fin caí en una cama, no sé tampoco cuántas horas estuve durmiendo. Pero dormí como nunca en mi vida. Como si también yo fuera a cerrar los ojos para siempre.

Cuando volví a darme cuenta de que vivía tuve la sensación de que acababa de subir desde el fondo de algún hondísimo pozo, del que conservaba la cavernosa sensación de unos ecos en la oscuridad.

Estaba mi habitación en penumbra. La casa tan silenciosa, que daba una extraña y sepulcral sensación. Era un silencio como nunca había oído en la calle de Aribau.

Cuando me dormí recordaba la casa llena de gente y de voces. Ahora parecía no haber nadie. Parecía que todos sus habitantes la hubiesen abandonado. Me asomé a la cocina y vi puestas en el fuego dos ollas borboteantes. Los ladrillos parecían barridos y había una lenta, pastosa tranquilidad hogareña, que parecía incongruente allí. Al fondo, en la galería, Gloria, vestida de negro, estaba lavando un traje de niño. Yo tenía los ojos hinchados y me dolía la cabeza. Ella me sonrió:

—¿Sabes cuánto has dormido, Andrea? —dijo viniendo hacia mí—. Has dormido dos días enteros... ¿No tienes hambre? —me preguntó luego.

Llenó un vaso de leche y me lo dio. La leche caliente me pareció algo maravilloso y la bebí ávida.

—Antonia se marchó esta mañana con *Trueno* —anunció Gloria.

—¡Ah!

Así podía explicarme su tranquila presencia en la cocina.

—Se marchó esta mañana de madrugada, mientras Juan dormía. Es que Juan no quería dejarle llevarse al perro, chica. Y ya sabes tú que *Trueno* era su amor... Se han fugado los dos juntitos.

Gloria tenía una risa bobalicona y luego me guiñó un ojo.

—Anoche llegaron tus tías... —ahora se burlaba.

—¿Angustias? —pregunté.

—No, las otras, tú no las conoces. Las dos casadas con sus maridos. Quieren verte, pero antes, vístete, te lo aconsejo, chica.

Tuve que ponerme mi único traje de verano mal teñido de negro, oliendo a pastilla de tinte casero. Luego fui de mala gana hacia el fondo de la casa, donde estaba aquella alcoba. Ya oí un murmullo de voces antes de entrar, como si allí rezaran.

Me paré en la puerta, porque entonces todo hería mis ojos: la luz y la penumbra. El cuarto estaba casi a oscuras, con olor a flores de trapo. Bultos grandes, de humanidades bien cebadas, se destacaban en la oscuridad dando sus olores corporales apretados por el verano. Oí una voz de mujer:

—Le malcriaste. Recuerda que le malcriabas, mamá. Así ha terminado...

—Siempre fue usted injusta, mamá. Siempre prefirió usted a sus hijos varones. ¿Se da usted cuenta de que tiene usted la culpa de este final?

—A nosotras no nos has querido nunca, mamá. Nos has despreciado. Nos has humillado. Siempre te hemos visto quejarte de tus hijas, que, sin embargo, no te han dado más que satisfacciones..., ahí, ahí tienes el pago de los varones, de los que tú mimabas...

—Señora, deberá dar usted mucha cuenta a Dios por esa alma que ha mandado al infierno.

No creía yo a mis oídos. No creía yo tampoco las extrañas visiones de mis ojos. Poco a poco las caras se iban perfilando ganchudas o aplastadas como en un capricho de Goya. Aquellos enlutados parecían celebrar un extraño aquelarre.

—Hijos, ¡yo os he querido a todos!

Yo no podía ver desde allí a la viejecilla, pero la imaginaba hundida en su mísera butaca. Hubo un largo silencio y por fin escuché otro suspiro tembloroso.

—¡Ay, Señor!

—No hay más que ver la miseria de esta casa. Te han robado, te han despojado y tú ciega por ellos. Nunca nos has querido ayudar a nosotras cuando te lo hemos pedido. Ahora nuestra herencia se la ha llevado la trampa... Y para colmo, un suicidio en la familia...

—He acudido a los más desgraciados... A los que me necesitaban más.

—Y con este procedimiento los has acabado de hundir en la miseria. Pero ¿no te das cuenta del resultado? ¡Si al menos fueran ellos felices, aunque estuviéramos nosotras despojadas, pero, ya ves, lo que ha sucedido aquí prueba que tenemos razón!...

—Y ese desgraciado Juan que nos escucha: ¡casado con una perdida sin saber hacer nada de provecho, muerto de hambre!

(Yo estaba mirando a Juan. Deseando una de las cóleras de Juan. Él parecía no oír. Miraba por detrás de los cristales la raya de luz de la calle.)

—Juan, hijo mío —dijo la abuela—. Dime tú si tienen razón. Dime tú si crees también que eso es verdad...

Juan se volvió enloquecido.

—Sí, mamá, tienen razón... ¡Maldita seas! Y ¡malditos sean ellos todos!

Entonces todo el cuarto se removió con batir de alas, graznidos. Chillidos histéricos.

XXIV

Me acuerdo de que yo no llegué a creer verdaderamente en el hecho físico de la muerte de Román hasta mucho tiempo después. Hasta que el verano se fue poniendo dorado y rojizo en septiembre a mí me pareció que todavía, arriba, en su cuarto, Román tenía que estar tumbado, fumando cigarrillos sin parar, o acariciando las orejas de *Trueno,* aquel perro negro y reluciente a quien la criada había raptado como un novio a su prometida.

A veces, estando yo sentada en el suelo de mi cuarto, caliente como toda la casa, medio desnuda para recoger cualquier resto de frescor y escuchando crujidos de madera, crujidos como si la luz que se volvía encarnada en las rendijas de las ventanas crepitara al quemarse... En esas tardes así, angustiosas, yo empezaba a recordar el violín de Román y su caliente gemido. Si miraba en el espejo, frente a mí, aquel cortejo de formas que se reflejaban... las sillas de un color tostado, el verde-gris papel de las paredes, una esquina monstruosa de la cama y un trozo de mi propio cuerpo, sentado a la usanza mora sobre el suelo de ladrillos, bajo toda esta sinfonía, y oprimido por el calor... En estas horas empezaba a sospechar de qué rincones él había trasladado su música al violín. Y no me parecía ya tan malo aquel hombre que sabía coger sus propios sollozos y comprimirlos en una belleza tan espesa como el oro antiguo... Entonces me acometía una nostalgia de Román, un deseo de su presencia que no había sentido nunca cuando él vivía. Una atroz añoranza de sus manos sobre el violín o sobre las teclas manchadas del viejo piano.

Un día subí arriba, al cuartito de la buhardilla. Un día en que no pude aguantar el peso de este sentimiento, vi que lo habían despojado todo miserablemente. Habían desaparecido los libros y las bibliotecas. La cama turca, sin colchón, estaba apoyada de pie contra la pared, con las patas al aire. Ni una graciosa chuchería, de aquellas que Román tenía allí, le había sobrevivido. El armario del violín aparecía abierto y vacío. Hacía un calor insufrible allí. La ventanita que daba a la azotea dejaba pasar un chorro de sol de fuego. Se me hizo demasiado extraño no poder escuchar los cristalinos tictac, tictac de los relojes...

Entonces supe ya, sin duda, que Román se había muerto y que su cuerpo se estaba deshaciendo y se estaba pudriendo en cualquier lado, bajo aquel sol que castigaba despiadadamente su antigua covacha, tan miserable ahora, desguarnecida de su antigua alma.

Entonces empezaron para mí las pesadillas que mi debilidad convertía en constantes y horrendas. Comencé a pensar en Román envuelto en su sudario, deshechas aquellas nerviosas manos que sabían recoger la armonía y la materialidad de las cosas. Aquellas manos a las que la vida hacía duras y elásticas a la vez, que tenían un color oscuro y amarillento por las manchas de tabaco, pero que sólo con alzarse sabían hablar tanto. Sabían dar la elocuencia justa de un momento. Aquellas manos hábiles —manos de ladrón, curiosas y ávidas— se me representaban torpemente hinchadas y blandas primero, tumefactas. Luego convertidas en dos racimos de pelados huesos.

Estas visiones espantosas me persiguieron aquel fin de verano con monótona crueldad. En los atardeceres sofocantes, en las noches larguísimas cargadas de lánguida pesadez, mi corazón aterrado recibía las imágenes que mi razón no era suficiente para desterrar.

Para ahuyentar a los fantasmas, salía mucho a la calle. Corría por la ciudad debilitándome inútilmente. Iba vestida con mi traje negro encogido por el tinte y que cada vez se me quedaba más ancho. Corría instintivamente, con el pudor de mi atavío demasiado miserable, huyendo de los barrios lujosos y bien tenidos de la ciudad. Conocí los suburbios con su tristeza de cosa mal acabada y polvorienta. Me atraían más las calles viejas.

Un atardecer oí en los alrededores de la Catedral el lento caer de unas campanadas que hacían la ciudad más antigua. Levanté los ojos al cielo, que se ponía de un color más suave y más azul con las primeras estrellas y me vino una impresión de belleza casi mística. Como un deseo de morirme allí, a un lado, mirando hacia arriba, debajo de la gran dulzura de la noche que empezaba a llegar. Y me dolió el pecho de hambre y de deseos inconfesables al respirar. Era como si estuviese oliendo un aroma de muerte y me pareciera bueno por primera vez, después de haberme causado terror... Cuando se levantó una fuerte ráfaga de brisa, yo estaba aún allí, apoyada contra una pared, entontecida y medio estática. Del viejo balcón de una casa ruinosa salió una sábana tendida, que al agitarse me sacó de mi marasmo. Yo no tenía la cabeza buena aquel día. La tela blanca me pareció un gran sudario y eché a correr... Llegué a la casa de la calle de Aribau medio loca.

Así de esta manera yo empecé a sentir la presencia de la muerte en la casa cuando casi habían pasado dos meses de aquella tragedia.

Al pronto la vida me había parecido completamente igual. Los mismos gritos lo alborotaron todo. Juan le seguía pegando a Gloria. Tal vez ahora había tomado la costumbre de pegarle por cualquier cosa y quizá su brutalidad se había redoblado... La diferencia, sin embargo, no era mucha a mis ojos. El calor nos ahogaba a todos y sin embargo, la abuela, cada vez más arrugada, temblaba de frío. Pero no había mucha diferencia de esta abuela con la viejecita de antes. Ni siquiera parecía más triste. Yo seguía recibiendo su sonrisa y sus regalos y en las mañanas en que Gloria llamaba al *drapaire* ella seguía rezando a la Virgen de su alcoba.

Me acuerdo de que un día Gloria vendió el piano. La venta fue más lucrativa que las que hacía de costumbre y mis narices notaron pronto que ella se permitía aquel día el lujo de poner carne en la comida. Ahora que ya no estaba Antonia para fiscalizar los guisos y volverlos puercos con su sola presencia, Gloria parecía esforzarse en que las cosas fueran mejor.

Yo me estaba vistiendo para salir a la calle cuando oí un gran escándalo en la cocina. Juan tiraba, poseído de cólera, todas las cacerolas de los guisos que hacía un momento habían excitado mi gula y pateaba en el suelo a Gloria, que se retorcía.

—¡Miserable! ¡Has vendido el piano de Román! ¡El piano de Román, miserable! ¡Cochina!

La abuela temblaba, como de costumbre, tapando contra ella la carita del niño para que no viera a su padre así.

La boca de Juan echaba espuma y sus ojos eran de esos que sólo se suelen ver en los manicomios. Cuando se cansó de pegar, se llevó las manos al pecho, como una persona que se ahoga, y luego le volvió a poseer una furia irracional contra las sillas de pino, la mesa, los cacharros... Gloria, medio muerta, se escabulló de allí y todos nos fuimos, dejándole solo con sus gritos. Cuando se calmó —según me contaron— estuvo con la cabeza entre las manos, llorando silenciosamente.

Al día siguiente vino Gloria despacio y cuchicheante a mi cuarto y me habló de traer un médico y de meter en el manicomio a Juan.

—Me parece bien —dije (pero estaba segura de que jamás pasaría esta idea de proyecto).

Ella estaba sentada en el fondo de la habitación. Me miró y me dijo:

—Tú no sabes, Andrea, el miedo que tengo.

Tenía su cara inexpresiva de siempre, pero le asomaban a los ojos lágrimas de terror.

—Yo no me merezco esto, Andrea, porque soy una muchacha muy buena...

Se quedó un momento callada y parecía sumida en sus pensamientos. Se acercó al espejo.

—Y bonita... ¿Verdad que soy bonita?

Se palpaba el cuerpo, olvidándose de su angustia, con cierta complacencia. Se volvió a mí.

—¿Te ríes?

Suspiró. Volvió a estar asustada inmediatamente...

—Ninguna mujer sufriría lo que yo sufro, Andrea... Desde la muerte de Román, Juan no quiere que yo duerma. Dice que soy una bestia que no hago más que dormir mientras su hermano aúlla de dolor. Esto, dicho así, chica, da risa... ¡Pero si te lo dicen a medianoche, en la cama!... No, Andrea, no es cosa de risa despertarse medio ahogada, con las manos de un hombre en la garganta. Dice que soy un cerdo, que no hago más que dormir día y noche. ¿Cómo no voy a dormir de día si de noche no puedo?... Vuelvo de casa de mi hermana muy tarde y a veces ya lo encuentro esperándome en la calle. Un día me enseñó una navaja grande que, según dijo, llevaba por si tardaba yo media hora más cortarme el cuello... Tú piensas que no se atreverá a hacerlo, pero con un loco así, ¡quién sabe!... Dice que Román se le aparece todas las noches para aconsejarle que me mate... ¿Qué harías tú, Andrea? ¿Tú huirías, no?

No esperó a que yo le respondiera.

—¿Y cómo se puede huir cuando el hombre tiene una navaja y unas piernas para seguirte hasta el fin del mundo? ¡Ay, chica, tú no sabes lo que es tener miedo!... Acostarte a las tantas de la madrugada, rendido todo el cuerpo, como yo me acuesto, al lado de un hombre que está loco...

... Estoy en la cama acechando el momento en que él se duerma para dejar la cabeza hundida en la almohada y descansar al fin. Y veo que él no se duerme nunca. Siento sus ojos abiertos a mi lado. Él está destapado todo, tendido de espaldas y sus grandes costillas laten. A cada momento pregunta: «¿Estás dormida?».

Y yo tengo que hablarle para que se tranquilice. Al fin, no puedo más, el sueño me va entrando como un dolor negro detrás de los ojos y me voy aflojando, rendida... Inmediatamente siento su respiración cerca, su cuerpo tocando el mío. Y me tengo que despabilar, sudando de miedo, porque sus manos me pasan muy suavemente por la garganta y me vuelven a pasar...

... Y si siempre fuera malo, chica, yo le podría aborrecer y sería mejor. Pero a veces me acaricia, me pide perdón y se pone a llorar como un niño pequeño... Y yo, ¿qué voy a hacer? Me pongo también a llorar y también me entran los remordimientos —porque todos tenemos nuestros remordimientos, hasta yo, no creas—. Y le acaricio también... Luego, por la mañana, si le recuerdo estos instantes, me quiere matar... ¡Mira!

Rápidamente se quitó la blusa y me enseñó un gran cardenal sanguinolento en la espalda.

Estaba yo contemplando la terrible cicatriz, cuando nos dimos cuenta de que había otra persona en la habitación. Al volverme, vi a la abuela moviendo con enfado su cabecita arrugada.

¡Ah la cólera de la abuela! La única cólera que yo le recuerdo... Ella venía con una carta en la mano que le acababan de entregar. Y la sacudía en su despecho.

—¡Malas! ¡Malas! —nos dijo—. ¿Qué estáis tramando ahí, pequeñas malvadas? ¡El manicomio!... ¡Para un hombre bueno, que viste y que da de comer a su niño y que por las noches le pasea para que su mujer duerma tranquila!... ¡Locas! ¡A vosotras, a vosotras dos y a mí nos encerrarían juntas antes de que tocaran un pelo de su cabeza!

Con un gesto vengativo tiró la carta al suelo y se fue moviendo la cabeza, gimoteando y charlando sola.

La carta que estaba allí tirada era para mí. Me la escribía Ena desde Madrid. Iba a cambiar el rumbo de mi vida.

XXV

Acabé de arreglar mi maleta y de atarla fuertemente con la cuerda, para asegurar las cerraduras rotas. Estaba cansada. Gloria me dijo que la cena estaba ya en la mesa. Me había invitado a cenar con ellos aquella última noche. Por la mañana se había inclinado a mi oído:

—He vendido todas las cornucopias. No sabía que por esos trastos tan viejos y feos dieran tanto dinero, chica...

Aquella noche hubo pan en abundancia. Se sirvió pescado blanco. Juan parecía de buen humor. El niño charloteaba en su silla alta y me di cuenta con asombro de que había crecido mucho en aquel año. La lámpara familiar daba sus reflejos en los oscuros cristales del balcón. La abuela dijo:

—¡Picarona! A ver si vuelves pronto a vernos...

Gloria puso su pequeña mano sobre la que yo tenía en el mantel.

—Sí, vuelve pronto, Andrea, ya sabes que yo te quiero mucho...

Juan intervino:

—No importunéis a Andrea. Hace bien en marcharse. Por fin se le presenta la ocasión de trabajar y de hacer algo... Hasta ahora no se puede decir que no haya sido holgazana.

Terminamos de cenar. Yo no sabía qué decirles. Gloria amontonó los platos sucios en el fregadero y después fue a pintarse los labios y a ponerse el abrigo.

—Bueno, dame un abrazo, chica, por si no te veo... Porque tú te marcharás muy temprano, ¿no?

—A las siete.

La abracé, y, cosa extraña, sentí que la quería. Luego la vi marcharse.

Juan estaba en medio del recibidor, mirando, sin decir una palabra, mis manipulaciones con la maleta para dejarla colocada cerca de la puerta de la calle. Quería hacer el menor ruido y molestar lo menos posible al marcharme. Mi tío me puso la mano en el hombro con una torpe amabilidad y me contempló así, separada por la distancia de su brazo.

—Bueno, ¡que te vaya bien, sobrina! Ya verás cómo, de todas maneras, vivir en una casa extraña no es lo mismo que estar con tu familia, pero conviene que te vayas espabilando. Que aprendas a conocer lo que es la vida...

Entré en el cuarto de Angustias por última vez. Hacía calor y la ventana estaba abierta, el conocido reflejo del farol de la calle se extendía sobre los baldosines en tristes riadas amarillentas.

No quise pensar más en lo que me rodeaba y me metí en la cama. La carta de Ena me había abierto, y esta vez de una manera real, los horizontes de la salvación.

«... Hay trabajo para ti en el despacho de mi padre, Andrea. Te permitirá vivir independiente y además asistir a las clases de la Universidad. Por el momento vivirás en casa, pero luego podrás escoger a tu gusto tu domicilio, ya que no se trata de secuestrarte. Mamá está muy animada preparando tu habitación. Yo no duermo de alegría.»

Era una carta larguísima en la que me contaba todas sus preocupaciones y esperanzas. Me decía que Jaime también iba a vivir aquel invierno en Madrid. Que había decidido, al fin, terminar la carrera y que luego se casarían.

No me podía dormir. Encontraba idiota sentir otra vez aquella ansiosa expectación que un año antes, en el pueblo, me hacía saltar de la cama cada media hora, temiendo perder el tren de las seis, y no podía evitarla. No tenía ahora las mismas ilusiones, pero aquella partida me emocionaba como una liberación. El padre de Ena, que había venido a Barcelona por unos días, a la mañana siguiente me vendría a recoger para que le acompañara en su viaje de vuelta a Madrid. Haríamos el viaje en su automóvil.

Estaba ya vestida cuando el chófer llamó discretamente a la puerta. La casa entera parecía silenciosa y dormida bajo la luz grisácea que entraba por los balcones. No me atreví a asomarme al cuarto de la abuela. No quería despertarla.

Bajé las escaleras, despacio. Sentía una viva emoción. Recordaba la terrible esperanza, el anhelo de vida con que las había subido por primera vez. Me marchaba ahora sin haber conocido nada de lo que confusamente esperaba: la vida en su plenitud, la alegría, el interés profundo, el amor. De la casa de la calle de Aribau no me llevaba nada. Al menos, así creía yo entonces.

De pie, al lado del largo automóvil negro, me esperaba el padre de Ena. Me tendió las manos en una bienvenida cordial. Se volvió al chófer para recomendarle no sé qué encargos. Luego me dijo:

—Comeremos en Zaragoza, pero antes tendremos un buen desayuno —se sonrió ampliamente—; le gustará el viaje, Andrea. Ya verá usted...

El aire de la mañana estimulaba. El suelo aparecía mojado con el rocío de la noche. Antes de entrar en el auto alcé los ojos hacia la casa donde había vivido un año. Los primeros rayos del sol chocaban contra sus ventanas. Unos momentos después, la calle de Aribau y Barcelona entera quedaban detrás de mí.